LA NUIT DE LA LOUVE

Cycle *La Moïra* :
La louve et l'enfant, *J'ai lu* 6757
La guerre des loups, *J'ai lu* 6935

HENRI LŒVENBRUCK

LA NUIT
DE LA LOUVE

LA MOÏRA - LIVRE TROISIÈME

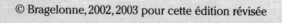

Aux lecteurs, fidèles compagnons.
Ce ne sont pas le hasard
ou les dieux qui font l'histoire.
C'est nous.

Prologue

LA DERNIÈRE GOUTTE DE SÈVE

La mémoire de la terre est étrangère à celle des hommes. On croit tout connaître de l'histoire et du monde, mais il est des âges anciens où vivaient encore mille merveilles aujourd'hui disparues. Seuls les arbres se souviennent, et le ciel et le vent... La pierre, sans doute, a ainsi connu la fin de tous les âges. Car tous les âges ont une fin. Mais les hommes, toujours, aiment à l'oublier.

Ernan, l'Archidruide, fut réveillé en sursaut par des battements sourds contre le bois de sa porte.

D'ordinaire, jamais aucun serviteur de Saî-Mina n'aurait osé réveiller ainsi le plus haut membre du Conseil. Le soleil était à peine levé. La soirée de la veille avait été longue et difficile. Toutes les soirées l'étaient depuis la grande défaite. Les débats continuaient tard dans la nuit. Les tensions montaient au sein du Conseil. Chacun rejetait la faute sur les autres. Nul ne savait comment réagir. Se sortir de la crise. Relever la tête. Jamais par le passé le Conseil n'avait connu pareille défaite. Même le départ jadis des deux renégats n'avait pas eu d'effet aussi désastreux que la guerre qui divisait à présent Gaelia tout entière.

Les temps étaient certes troubles et confus. Mais on ne venait pas réveiller l'Archidruide sans une raison plus grave encore. Et pourtant, c'était bien la voix d'un serviteur qu'Ernan entendait derrière la porte de ses appartements. Une voix pleine d'urgence et d'angoisse. Il s'était passé quelque chose de terrible, à n'en pas douter.

Le vieil homme se leva lentement et enfila les manches longues de son manteau blanc. Le serviteur tapa encore à la porte. Ernan se regarda dans le grand miroir penché devant lui. Il vit l'image d'un homme usé. Il vit combien dans ses yeux la tristesse avait chassé l'espoir. Pourquoi la Moïra l'avait-elle choisi pour affronter la plus grave crise de l'histoire de Saî-Mina ? Comment pourrait-il être à la hauteur ?

Il poussa un long soupir. Il devait s'attendre à tout. À n'importe quelle nouvelle. La pire d'entre toutes. Plus rien ne pouvait lui être épargné. Car la Moïra avait déclenché un bouleversement sans précédent. Le monde allait changer. Le monde était déjà en train de changer.

Quand il ouvrit la porte de sa grande suite, l'Archidruide découvrit la peur dans les yeux du serviteur. Une peur profonde qui semblait lui avoir coupé la langue. La seule chose que le pauvre garçon put dire quand le druide lui demanda ce qui se passait fut :

— C'est en bas.

Ernan poussa un soupir d'exaspération et, bousculant le serviteur, se dirigea vers les escaliers pour rejoindre la grande cour. Son rang lui interdisait de courir, il devait rester digne en toute occasion, bien sûr, mais il descendit aussi vite qu'il put, s'appuyant sur le chêne blanc de son haut bâton.

Dès qu'il fut en bas des marches, il découvrit l'attroupement silencieux au-dehors. Druides, Magistels et serviteurs mêlés, serrés les uns contre les autres, immobiles. Tous regardaient dans la même direction. Ils étaient assemblés en cercle au milieu de la cour.

Ernan s'épongea le front. Il ne pouvait y avoir qu'une explication à cette agitation. Mais il refusait de l'admettre. Serrant son poing sur la pointe de son bâton, l'Archidruide se précipita finalement à travers la foule.

— Poussez-vous !

Les gens s'écartèrent devant lui. Quand il arriva enfin au milieu de la cour, il fut abasourdi par le spectacle. Il avait imaginé le pire, mais ce qu'il vit le bouleversa bien plus qu'il ne l'avait craint.

Le chêne avait été arraché.

Le chêne centenaire de la grande cour n'était plus là. Le symbole sacré de Saî-Mina avait été dérobé. Au milieu des treize trônes de pierre ne restait qu'un vide angoissant. Un large trou dans la terre. Une menace. Un affront. Une trahison.

Tous les regards se tournèrent vers l'Archidruide. Et sur tous les visages, Ernan découvrait la même inquiétude. Dans tous ces yeux la même attente, la même stupeur. Saî-Mina venait de perdre son âme.

Le vieil homme entendait battre son cœur. Il lui semblait voir se refléter sa propre figure partout autour de lui. Et un regard accusateur.

— Je demande une réunion du Conseil sur-le-champ, prononça-t-il d'une voix grave et profonde. Que tous les Grands-Druides me rejoignent dans la Chambre Haute.

— Ceux qui sont encore là, répliqua Shehan, l'Archiviste.

Ernan jeta un regard circulaire sur les hommes et les femmes autour de lui. Évidemment. Plusieurs Grands-Druides et de nombreux druides manquaient à l'appel. Il en avait sûrement fallu beaucoup pour mener à bien une telle trahison. Il laissa le Saîman flotter dans l'assistance et sut aussitôt lesquels de ses frères les plus proches n'étaient plus là. Henon, Kalan, Otelian et Tiernan. Quatre nouveaux traîtres. Et avec eux plusieurs druides et Magistels, sans aucun doute.

— Oui, reprit Ernan, *ceux qui sont encore là*. Et que l'intendant cherche quels sont les druides et les Magistels qui manquent à l'appel. Je veux qu'on me donne tous les noms. Absolument tous.

Il fit volte-face et partit, furieux, vers la haute tour pour rejoindre la Chambre du Conseil. Mais avant de franchir le pas de la grande porte, il se retourna, adressa un regard à la foule désemparée et ajouta :

— Que rien de tout cela ne soit ébruité hors de Saî-Mina sans mon autorisation. Que tout le monde retourne à son travail !

Mais Ernan se doutait que le monde saurait bien assez vite. La nouvelle allait traverser l'île tout entière. Un événement comme celui-là ne pourrait rester longtemps secret.

Gaelia, bientôt, saurait que le Conseil était déchiré. Que Saî-Mina était tombée.

Chapitre 1

PROPHÉTIE

La convalescence d'Aléa et d'Erwan dura encore plusieurs jours, jusqu'au début de l'automne, et leur deuil bien davantage. Finghin vint chaque matin soigner l'épaule d'Aléa, usant du Saîman pour réparer la fracture.

Les derniers soldats de l'armée du Samildanach – comme ils se désignaient eux-mêmes – s'étaient petit à petit rassemblés autour d'Aléa et de ses compagnons et avaient construit dans ce coin reculé de la forêt un campement aussi confortable que le permettait l'environnement. Tentes, petites cabanes en bois, couches modestes, tables, rangements, et au centre de la clairière un grand feu qui ne s'éteignait jamais.

On ne parlait pas beaucoup, on soignait les nombreux blessés, et certains soirs il n'y avait que les chants tristes de la cornemuse pour briser ce silence. Mjolln, les yeux plongés dans la voûte étoilée, jouait près du feu les airs que Faith lui avait appris ; chaque note était un sanglot versé à la mémoire de la barde. Dans tous les cœurs vivait le souvenir de la harpiste et du Magistel. Dans tous les cœurs la douleur.

Kaitlin quant à elle essayait d'apaiser ses compagnons par ses douces paroles. La cheminante était une conteuse sans doute aussi douée qu'une barde. On oubliait presque tout au détour de ses histoires, de ses petites pièces, on s'évadait l'instant d'un répit mérité. Finghin restait auprès d'elle avec un sourire bienveillant. Et leurs mains parfois s'unissaient.

Mais le jeune druide essayait surtout de masquer son envie de partir. Il ne voulait pas brusquer Aléa ou Erwan, dont il savait que le besoin de repos n'était pas seulement physique. Et pourtant, le monde les appelait. L'histoire ne s'était pas arrêtée. Aussi dure que fût la perte de ces deux êtres si chers, Gaelia, au loin, continuait de vivre et il faudrait bien un jour se remettre sur la route. Partir au-devant de l'histoire. Les soldats tout autour étaient là pour le prouver. Gaelia était prête à se mettre en marche.

Erwan fut le premier des deux convalescents à se lever. Après quelques jours il put enfin marcher normalement et, bientôt, il partit même chasser pour participer à l'intendance de la communauté. On le voyait disparaître quelques heures, seul au cœur de la forêt, puis il revenait au soir, dans les couleurs ocre de l'automne, sa longue chevelure blonde en bataille, et du gibier sur l'épaule. Plusieurs soldats, qui l'appelaient à présent Général, insistaient pour l'accompagner. Mais le jeune Magistel souhaitait rester seul. C'était comme si ce qu'il allait chasser était moins du gibier que la douleur de son deuil. Le souvenir de son père. Car Galiad Al'Daman était sa seule famille. Et la fille qu'il aimait ne pouvait pour l'instant lui porter aucun secours.

Car Aléa, elle, restait silencieuse. Quand elle ne dormait pas, elle était plongée dans le volume lourd et épais de l'Encyclopédie d'Anali qu'elle gardait toujours auprès d'elle. Elle tournait les pages lentement, le livre posé sur ses genoux, apprenant à lire à mesure qu'elle avançait, cherchant longtemps le sens des mots, buttant contre les lettres qu'elle ne reconnaissait pas encore. Puis, après quelques jours, ce fut comme si elle avait toujours su lire. Les pages se mirent à tourner de plus en plus vite, et le regard de la jeune fille se fit de plus en plus intense. De plus en plus brillant.

Cependant, elle ne parlait toujours pas. Pas même à

Mjolln, son plus fidèle compagnon, pas même à Erwan Al'Daman, le garçon qui l'aimait, pas même à Finghin, le jeune druide qu'elle avait appelé à elle, et pas plus à Kaitlin, qu'elle chérissait pourtant comme une sœur. Et à part Mjolln, tout le monde semblait pour l'instant s'accommoder de son silence. Le nain, lui, s'impatientait chaque jour davantage. Il s'asseyait en face d'elle, la regardait lire pendant de longues heures puis, voyant qu'elle ne parlait toujours pas, sortait bruyamment de la petite cabane en poussant de grands soupirs d'exaspération.

Les centaines de soldats qui campaient autour d'elle portaient son blason mais ne l'avaient jamais entendue parler. Ils s'étaient engagés pour elle, s'étaient battus pour elle, avaient vu mourir pour elle leurs frères à leurs côtés, mais elle ne restait pour l'instant qu'une ombre distante dans une cabane de bois inaccessible. Et cela, sans doute, contribuait à la légende qui était en train se construire autour d'elle. Aléa n'était pas encore sortie, et la plupart des soldats n'avaient jamais vu ne serait-ce que son visage. On ne parlait pourtant que d'elle. Elle était belle, elle était grande, elle était forte, elle était tous ces espoirs réunis dans les rumeurs d'une armée qui se vouait à elle.

Mais derrière le voile rouge qui fermait la cabane où se reposait Aléa, ses compagnons, eux, n'écoutaient que son silence.

Un soir, cependant, alors que tous mangeaient sur la petite table qu'avait confectionnée le nain dès le début de leur séjour, Aléa, toujours en retrait, allongée sur son lit, prit enfin la parole.

— Finghin, il faut que nous parlions, toi et moi, dit-elle sans regarder ses compagnons, comme si aucun silence ne les avait séparés d'elle depuis de trop longues journées.

Ils se lancèrent tous un regard stupéfait, puis tournèrent lentement les yeux vers elle.

— Je t'écoute, répliqua le jeune druide en posant sur la table sa cuillère de bois.

— Non, pas ici, dit Aléa en se levant brusquement. Allons marcher dans la forêt.

— Tu as peur qu'on vous entende ? s'exclama Mjolln, furieux. Ça donc ! Tu as des choses à nous cacher ?

Kaitlin fronça les sourcils pour faire signe au nain de se calmer. Mais Aléa sourit. Elle avait presque oublié le caractère de M. Abbac.

— Non, Mjolln. J'ai simplement besoin de marcher, et de réfléchir. Finghin peut m'y aider. Mais si tu veux venir, tu es le bienvenu. Je n'ai rien à cacher. Surtout pas à mon plus vieil ami.

— Tant mieux, répliqua le nain en grimaçant. Et oui, je veux venir. Ahum. Moi aussi, j'ai besoin de marcher et de réfléchir. Par la Moïra ! Ça oui, je suis ton plus vieil ami !

— Allons-y, l'invita Aléa comme elle se dirigeait vers la sortie de la cabane d'un pas assuré et presque théâtral.

Elle attrapa au passage le bâton de Phelim et sa grande cape blanche qu'elle jeta sur ses épaules. Ses compagnons la regardèrent marcher avec stupéfaction. Elle semblait parfaitement guérie. Mais de plus en plus imprévisible. Et on aurait dit qu'elle avait grandi. Gagné quelques années pendant sa convalescence. Haute, droite, sûre et belle, ce n'était plus une enfant mais une jeune fille décidée.

Mjolln sauta du banc et se précipita derrière elle. Finghin les suivit bientôt, lançant un regard désolé à Kaitlin et Erwan. Mais ces deux-là étaient déjà ravis de voir qu'Aléa s'était remise à parler. Car cela, pour l'instant, suffisait à les rassurer.

*
* *

Imala avait fui pendant de longues heures. Fui le spectacle et l'odeur des cadavres. Avec les siens, elle avait battu les créatures, elle avait protégé la verticale. Mais à présent, elle voulait être loin. Les autres loups, comme elle, s'étaient enfuis, éparpillés à travers le pays. Comme si soudain la force qui les avait unis avait disparu et la nature avait repris ses droits. Les meutes s'étaient formées à nouveau, et à nouveau elles avaient cherché leur territoire, s'éloignant les unes des autres.

Et Imala, comme jadis, avançait seule sur la terre de l'île. L'image des verticaux était déjà loin derrière elle. Il ne restait que la douleur à sa patte blessée, et le souffle du vent qui agitait son pelage. Descendant vers le sud, elle traversait la lande, les forêts, contournait les villages, chassait en louve solitaire.

Ce jour-là, elle arriva au bord d'un étang dans la fin de l'après-midi, à ce moment où le jour en partant laisse un doux voile bleu dans la lumière qui s'éteint. Lentement, la louve se faufila entre les hautes herbes jaunes. La forêt commençait déjà sa longue mutation. Les feuillages et les herbes se coloraient de cuivre et de roux. Les oreilles dressées, la gueule au ras du sol, elle avança vers l'eau avec une délicatesse agile. Ses larges pattes s'enfonçaient dans la terre humide et froide. Bientôt, son reflet blanc et gris apparut à la surface de l'étang, double parfait de son corps aminci par la fin de l'été. Elle s'arrêta un instant, écoutant le clapotis léger de l'eau, secoua la tête pour chasser quelques insectes et se pencha enfin sur l'étang pour y tremper son museau et boire longuement.

C'était une eau douce et fraîche, qui étancha sa soif mais réveilla sa faim. Soudain, elle s'arrêta de boire et redressa la gueule. Elle avait vu un mouvement dans l'eau. Une petite forme ovale qui était passée, tremblante, au fond de l'étang. Un poisson. Immobile, elle scrutait à présent sous la surface. Elle le vit à nouveau. Puis un autre. Un soubresaut. Elle eut un geste de recul, puis, soudain, plongea la gueule sous l'eau.

Le museau dégoulinant, elle sortit de l'étang une grosse carpe au corps écailleux. Ce n'était pas grand-chose mais cela suffirait pour l'instant. Imala se mit à trotter le long de l'étang et partit se coucher à côté d'un grand aulne qui s'était bien accommodé des lieux en se dressant au-dessus de l'eau sur ses racines-échasses. La louve dégusta le poisson en quelques bouchées, puis s'avança à nouveau vers l'étang pour boire encore un peu et se laver le museau.

Le sang avait presque entièrement disparu sur les poils blancs de sa patte blessée, mais elle boitait encore. Elle partit se coucher dans un humus noirâtre de feuilles mortes, de graviers et de brindilles de saule. Elle s'assoupit enfin à l'approche du soir, dans le chant apaisant d'une forêt éparse.

Mais à peine s'était-elle endormie qu'elle fut réveillée en sursaut par le craquement d'une branche. Imala se dressa d'un bond et fit volte-face.

Elle scruta les alentours, oreilles tendues, queue droite. Bientôt, elle vit ce qui l'avait réveillée. À quelques pas à peine, à l'ombre d'un vieil aulne, dressé sur ses pattes avant, le loup gris l'épiait, immobile.

C'était un loup de grande taille, la tête large, pattes longues et corps robuste. Ses yeux jaunes effilés étaient entourés d'un épais trait noir qui tranchait avec le gris clair de son pelage et lui donnait un regard perçant. La langue pendante, les oreilles dressées, il remuait la queue, recourbée vers le haut, mais semblait attendre qu'Imala fasse le premier pas.

La louve restait immobile. Elle connaissait vaguement la silhouette du loup mais le temps avait passé. Le lien, pour l'instant, n'existait plus. Il était redevenu un étranger.

Soudain, le mâle se mit à aboyer, puis son aboiement se transforma en hurlement aigu. Quand la dernière note s'éteignit, le loup avait les oreilles tendues, comme s'il cherchait un écho, une réponse, le hurlement d'un autre mâle. Mais il vit qu'Imala était seule. Aucun autre loup n'était avec elle. La voie était libre.

L'odeur familière du grand loup gris arriva bientôt jusqu'à Imala. Elle se souvint alors sans peine de son congénère. Elle hésita un instant, puis, lentement, elle avança vers le nouveau venu. Méfiante, ne le quittant pas des yeux, elle se rapprochait de lui, prête à bondir. Quand elle ne fut plus qu'à quelques pas, elle se mit à gémir, fit quelques petits sauts en arrière comme pour inviter le loup à avancer. Mais il attendit, fier et droit sur ses longues pattes grises.

Imala fit un tour sur elle-même, puis avança à nouveau. Elle obliqua doucement vers la gauche, pour contourner le mâle, mais celui-ci eut un mouvement brusque, changeant l'inclinaison de son corps comme pour empêcher Imala de l'approcher par le flanc. La louve blanche gémit à nouveau, poussa quelques glapissements curieux, mais continua d'avancer.

Enfin, elle arriva timidement près du loup. Lentement, elle vint se poster, la queue haute, le long de son flanc. En quinconce, côte à côte en sens inverse, ils ne se regardaient pas, mais chacun leur tour faisaient de petits sursauts vifs. Ils ne se touchaient pas encore, mais s'habituaient l'un à l'autre, se testaient. Petit à petit, leurs queues se mirent à remuer plus fortement, et soudain, le loup posa une patte sur l'épaule d'Imala. Elle s'immobilisa, mais ne courba pas l'échine ni ne montra la moindre soumission. Ils restèrent ainsi quelques instants, mélangeant leurs odeurs, puis enfin, ils se mirent à jouer.

Se chassant l'un l'autre à travers les arbres, se mordillant, gémissant, ils retrouvèrent très vite leur intimité avant de partir s'étendre tous deux à quelques pas de l'étang, épuisés mais rassurés. Unis de nouveau.

Ainsi la légende raconte comment Imala retrouva au début de l'automne le grand loup gris, celui que les conteurs appelèrent Taïbron, ce qui dans la langue des silves signifie « compagnon ».

*
* *

— Avec les deux renégats en moins, Finghin auprès de la fille et les quatre traîtres disparus, jamais le Conseil n'a été aussi divisé, Ernan.

La voix d'Aengus était emplie d'inquiétude. Les autres Grands-Druides, qui partageaient son désarroi, acquiescèrent ; hormis Shehan, l'archiviste, qui se contentait de prendre des notes sur le cahier des archives. Shehan, selon la loi de l'oralité imposée par l'ordre, était le seul druide autorisé à écrire.

Ernan, la mine grave, écoutait ses frères sans vraiment les entendre. Le vieil homme avait l'esprit ailleurs. Les Grands-Druides ne pouvaient rien lui apporter dans une heure si grave. Il avait besoin de trouver la réponse en lui-même.

Phelim, Ailin, vous m'avez abandonné. Vous êtes partis avant même que le sort de notre île ne soit joué. Jamais je n'ai eu votre clairvoyance. Jamais je n'aurai votre courage, votre audace. Jamais je ne pourrai rétablir l'ordre dans ce Conseil, la paix sur notre île. Nous sommes allés trop loin. À force de calculs, de manipulations, à force de stratagèmes, nous avons perdu le sens si simple des réalités.

— Nous ne sommes plus que six, reprit un autre Grand-Druide. Pas même la moitié de ce que nous devrions être.

Ils ont coupé le chêne. Ils sont entrés cette nuit, et ils ont coupé le chêne. Je ne sais même pas ce que je fais ici. De quel droit est-ce que je préside encore cette assemblée, alors que tout s'est écroulé autour de moi sans que je ne voie rien venir ?

— On raconte toutefois que Samael est mort, intervint Shehan en relevant la tête. Qu'il se cachait sous les traits de l'évêque Natalien. Si vraiment il est mort, alors nous pourrions nommer au moins un nouveau Grand-Druide à sa place et ainsi, nous serions sept. Et puis, il ne faut pas oublier que même s'il n'est pas ici avec nous, Finghin n'est pas pour autant notre ennemi. J'ai une confiance absolue en notre plus jeune frère.

— Nous ne pouvons plus avoir confiance en quiconque, répliqua Aengus. Il est si jeune, les traîtres n'auraient aucune peine à le manipuler. D'ailleurs, nous n'aurions jamais dû nommer Grand-Druide un frère aussi jeune. Il était encore apprenti il y a quelques mois à peine.

— Finghin est plus sage que la plupart d'entre nous, intervint Kiaran, avec un air toujours mystérieux. Et il ne nous trahira jamais.

— Nous serions donc huit, conclut Shehan.

Aengus soupira.

— Quand bien même ! Huit, au lieu de treize ! Nous n'avons plus aucune chance d'être pris au sérieux.

— Pris au sérieux par qui ? intervint Kiaran, ironique. De toute façon, nous n'avons plus un seul allié politique. Depuis la mort du roi, Galatie n'est plus à nos côtés, et je suis prêt à parier que les quatre traîtres ont rejoint la reine.

Si nous avions fait davantage confiance au roi, si nous lui avions donné plus de pouvoir, cette garce n'aurait sans doute pas pu le tromper ainsi. Les calculs de nos aînés étaient donc erronés. Nous aurions dû laisser plus de place à Eoghan. Au moins en apparence.

— On dit en effet qu'ils seraient déjà auprès de la reine, confirma Shehan.

— Alors nous pourrions tout simplement les bannir et nommer quatre druides à leur place, proposa Aengus. Ainsi, seul le trône de Maolmòrdha resterait vide. Nous serions douze, unis à nouveau.

Tous les visages se tournèrent vers Ernan. L'Archidruide était resté silencieux. À vrai dire, ce qui le préoccupait pour le moment n'était pas le nombre de Grands-Druides siégeant au Conseil, mais ce que le Conseil devait faire, qu'ils fussent six, huit ou douze.

Les druides, comme l'avait justement fait remarquer Kiaran, n'avaient plus d'allié véritable. Eux qui avaient jadis été la plus grande force politique de l'île, eux qui, derrière le Haut-Roi, avaient si longtemps tenu les ficelles secrètes d'un pouvoir certes fragile mais encore stable, aujourd'hui se retrouvaient seuls et déchirés au milieu d'un paysage politique éclaté. Et nul n'aurait pu prévoir cela.

Ernan se sentait seul. Même ici, assis sur le fauteuil sculpté réservé à son rang, sous la voûte chaleureuse de la Chambre du Conseil, l'Archidruide avait l'impression que son ordre n'existait déjà plus. Trop de frères manquaient, et la trahison qui venait d'être commise apportait trop de doutes. Sur qui pouvait-il compter à présent ?

Et puis il y avait le chêne. Comment les traîtres

avaient-ils pu arracher l'arbre centenaire ? Quel affront plus violent et plus humiliant pouvait-on imaginer à l'égard de la grande Saî-Mina ? Comment la Moïra avait-elle pu laisser faire cela ?

— Mes frères, nous ne pourrons reconstruire le Conseil, nous ne pourrons reconstruire Saî-Mina sans l'arbre centenaire. Il était le symbole de notre union. Remplacer les traîtres alors qu'ils ont emporté l'âme de notre ordre, ce serait nous mentir à nous-mêmes.

— Que voulez-vous dire ? s'étonna Aengus.

— Saî-Mina sera réunifiée, ou elle ne sera plus. Il ne s'agit pas de remplacer nos frères, il s'agit de les faire revenir, ou de disparaître.

Un long silence s'appesantit sur la petite assemblée. Les cinq Grands-Druides qui entouraient Ernan le dévisageaient, attendant sans doute qu'il s'explique. Mais Ernan était déjà perdu dans d'autres pensées.

Finalement, ce fut Kiaran qui rompit le silence.

— Ce que dit Ernan me paraît fort juste. Le Conseil n'a plus de raison d'être quand tant de ses membres ont décidé de le quitter. Ce n'est pas notre survie qui est en cause, c'est notre essence.

Kiaran pense comme moi. Il sait que cette crise va au-delà de notre ordre. Que cette crise est notamment une remise en question de notre raison d'être. Et que tant qu'elle ne sera pas résolue, notre reconstruction sera vaine.

— Mais l'île a besoin du Conseil ! On ne peut pas détruire notre ordre, comme ça, parce que quatre de nos frères nous ont trahis.

— On ne peut pas le détruire, en effet, répliqua Kiaran, mais on ne peut pas non plus le réparer. Rien ne sert de remplacer dans la précipitation les briques qui sont tombées du mur. Si ce mur s'effrite, ce sont les raisons de son écroulement que l'on doit affronter. Cela fait longtemps que ce Conseil fait fausse route. Phelim avait raison. En refusant d'assumer notre rôle, nous courions à notre perte.

Jamais les paroles de Kiaran ne m'ont paru aussi sensées. Sans doute n'ai-je pas su le comprendre. Ce qu'il

disait jadis et que je prenais pour des illuminations inco-
hérentes était peut-être raison pure, trop pure même
pour que nous la comprenions avec notre logique per-
vertie par trop d'années de pouvoir.

— Nous aurions dû soutenir la petite peste ? s'indigna
Aengus en se levant.

— Nous aurions dû soutenir le Samildanach, rectifia
Kiaran.

— Il n'est jamais trop tard, risqua Ernan sans lever les
yeux.

À nouveau le silence se fit. Aengus, toujours debout,
lança des regards désespérés à ceux de ses frères qui
étaient restés muets, Lorcan et Odhran. Dans leurs yeux,
il vit que ceux-là étaient résignés, ou tout simplement
dépassés.

— Seriez-vous en train de me dire que nous devrions
rejoindre Aléa ? demanda Aengus dont les yeux étaient
à présent pleins de fureur.

Mais personne ne répondit. Aengus se laissa retomber
sur son haut fauteuil en secouant la tête. Et à son tour
il choisit de se taire.

— Mes frères, conclut Ernan en posant son bâton de
chêne sur ses genoux, je ne vous ai pas encore tout dit.
Les quatre traîtres ne se sont pas contentés de notre
arbre centenaire, ils ont emmené avec eux les quatre
Man'ith des Tuathanns et le Man'ith de Djar. Seuls, nous
ne tiendrons pas contre eux. Nous sommes plus nombreux certes, mais ils ont la puissance de ces objets
sacrés avec eux, et l'armée de la reine est sans doute
déjà à leurs côtés. Nous n'avons d'autre choix que de
chercher un nouvel allié. La reine a voulu notre chute,
elle y est déjà parvenue. Harcourt ? Ce sont nos ennemis
les plus féroces. Bisagne ? Ils refuseront de choisir un
camp. Les Tuathanns ? Ils sont pratiquement tous morts
à l'heure qu'il est. Notre seule alliée possible est Aléa.
Finghin est avec elle, et avant lui Phelim avait fait
confiance à cette jeune fille. Je ne vois pas d'autre choix.

Et Ailin, je le sais, aurait pris la même décision. Tous
ses choix d'ailleurs, bien que nous ne les ayons point

compris à l'époque, allaient dans ce sens. Protéger Aléa, pour l'aider à accomplir son destin. Le nôtre.

— Nous ne savons pas où elle est, signala Shehan. Nous ne savons même pas si elle a survécu. On raconte que Maolmòrdha a envoyé contre elle une créature revenue du pays des morts...

— Elle est en vie, intervint Kiaran.

La certitude dans sa voix disait que sans doute il l'avait vue dans le monde de Djar. Nul ici n'ignorait plus que Kiaran, le plus étrange des membres du Conseil, voyageait chaque nuit dans ce monde étonnant où flottaient les âmes des vivants.

Ernan acquiesça.

— Si elle est en vie, répondit l'Archidruide en se levant, nous la trouverons. Bientôt.

*
* *

— Finghin, quand je me suis réveillée, l'autre jour, et que je t'ai demandé s'il y avait des réponses dans l'Encyclopédie d'Anali, tu m'as répondu qu'il y en avait.

Aléa marchait à travers la forêt à côté du jeune druide, suivie de près par Mjolln qui ne voulait pas manquer une miette de la conversation. Sa petite taille le contraignait à faire des pas plus rapides que ses deux compagnons, et il soupirait d'un air exaspéré, enjambant les grandes branches mortes qui jonchaient le sol, sautant pardessus les flaques.

— Cela signifie-t-il, reprit Aléa, que tu as lu l'Encyclopédie ?

Finghin regardait droit devant lui. Il savait à présent combien chaque mot comptait, pour Aléa. Combien ses questions étaient lourdes de sens. Elle n'avait jamais vraiment étudié à Saî-Mina, mais elle était aussi affûtée qu'un druide, à présent. Et sans doute plus.

— J'ai lu les premiers chapitres.

Aléa sourit. La précaution du druide l'amusait.

— Alors tu sais quelle est la première prophétie ?

— Oui, avoua Finghin en caressant d'une main son crâne chauve.

— Et tu penses qu'elle me concerne ?

Finghin s'arrêta de marcher. Il regarda la jeune fille. Elle était vraiment belle. Maintenant il le voyait : l'amour qu'Erwan, son propre Magistel, avait pour cette fille n'avait rien de surprenant, même dans sa force. Tout le monde devait tomber un peu amoureux d'elle. Tous ceux qui la rencontraient, en tout cas. Le jeune druide lui-même, quoique son cœur eût choisi Kaitlin, n'était pas tout à fait insensible au charisme puissant d'Aléa. Ses yeux bleus. Sa chevelure sombre. Les vêtements nobles, bleu et or, que les silves avaient confectionnés pour elle. La grande cape blanche sur ses épaules qui rappelait les habits de sa propre caste. Et le bâton de Phelim qui la grandissait et assurait son pas.

Aléa s'arrêta à son tour. Souriante. Elle attendait.

— Oui. Je pense qu'elle te concerne, répondit finalement le jeune druide.

— Ahum ! Mais par la Moïra ! Allez-vous me dire de quoi il s'agit, oui ? Ça, c'est cruel, ça oui ! Je ne l'ai pas lu, moi, votre livre !

Mjolln, qui venait de les rattraper, était essoufflé. Les mains posées sur les hanches, les sourcils froncés, il avait l'air furieux. Aléa prit sa main et s'assit près de lui, sur un tronc mort.

— La première prophétie fait référence à ma naissance, Mjolln.

— À ta naissance ? Tu nous as dit l'autre jour que ta mère était une dame du Sid, ça, oui ! Et que tu avais un frère. Un Tuathann. Ahum.

— C'est exact, confirma Aléa. Et l'Encyclopédie d'Anali, qui a été écrite longtemps avant ma naissance, raconte comment se terminera l'âge du Samildanach.

— L'âge du Samildanach ? C'est quoi, ça ? s'étonna le nain.

— L'âge que nous sommes en train de vivre, celui qu'ont vécu nos parents... Celui que tu as vécu.

— Et alors ? insista Mjolln.

— Alors l'Encyclopédie d'Anali raconte que le dernier

Samildanach sera une femme. Qu'elle sera la Fille de la Terre, née d'une femme de dessous la terre et d'un homme du dessus.

— Un homme et une Tuathann?

— Exactement. La prophétie dit qu'un soir la porte du Sid s'ouvrira, qu'une femme tuathann en sortira et que son corps s'unira à celui d'un homme pur, habitant de Gaelia. De cette union naîtra une fille. Le dernier Samildanach. Mon frère, Tagor, m'a raconté que ma mère m'avait eue ainsi. Et qu'elle avait dû fuir le Sid à cause de sa trahison.

— Et donc, ma petite lanceuse de cailloux, tu penses que le dernier Samildanach, c'est toi?

Aléa ne répondit pas. Elle se contenta de sourire et de se tourner à nouveau vers Finghin.

— Parliez-vous de cela au Conseil? demanda-t-elle en se levant et en s'approchant du druide.

— Non. Le nom de l'Encyclopédie a été mentionné une ou deux fois, mais ce livre ne semblait pas être bien vu de mes frères. Aucun livre, d'ailleurs, je te rappelle...

— Mais parlait-on de ma naissance?

— Non.

— Alors tu ne sais pas qui est mon père?

Le druide sourit à son tour. Il se demandait si Aléa se moquait de lui, ou si c'était une ruse.

— Tout le monde ne l'a-t-il pas deviné depuis longtemps? demanda-t-il d'un ton ironique.

— Ahum, non, pas moi! s'exclama Mjolln.

Mais Aléa fit comme si elle n'avait pas entendu.

— Crois-tu que lui-même savait qu'il était mon père? demanda-t-elle au druide.

Finghin haussa les épaules.

— Mais de qui parlez-vous, bon sang?

Aléa dévisagea Finghin encore un instant. Puis elle se tourna à nouveau vers le cornemuseur.

— Nous parlons de Caron Cathfad, fils de Katubatuos, que les druides rebaptisèrent Phelim quand il fut initié à Saî-Mina. Phelim était mon père.

Le nain écarquilla les yeux.

— Hein? Mais ce n'est pas possible! Ahum, ça non!

Aléa se remit en marche, accompagnée de Finghin. Le nain resta un long moment immobile, bouche bée, puis se mit à courir pour les rattraper.

— Ainsi, la première prophétie a déjà été accomplie, reprit Aléa. Je suis bien née d'un père humain et d'une mère tuathann, et je semble être ce que vous appelez le Samildanach. As-tu lu plus loin ?

— Non, répondit le jeune druide, et Aléa sut qu'il disait vrai.

— Il reste deux prophéties.

— Tu les as lues ? demanda Finghin, curieux.

— Oui. Mais ce n'est pas ce qu'elles contiennent qui m'intéresse. Ce qui m'intéresse, c'est le pourquoi de ces prophéties. Ce à quoi elles servent, comment elles ont pu être écrites. Et surtout, ce que je dois en faire.

— Ont-elles été réalisées ? demanda le druide.

— Pas vraiment. Pas encore. Mais devrais-je faire en sorte qu'elles le soient ? Ou bien dois-je suivre mon instinct ?

— Peut-être cela n'est-il pas contradictoire. Peut-être se réaliseront-elles à mesure que tu avanceras sur la route que tu as choisie, suggéra Finghin.

Aléa acquiesça. C'était bien sûr ce qu'elle pensait, elle aussi. Mais il y avait quelque chose de terrifiant dans l'idée de n'être que le pion d'une prophétie déjà écrite depuis si longtemps. N'avait-elle pas le choix ? Était-ce donc cela, la Moïra ? Un destin tout tracé auquel on ne pouvait échapper ?

Elle regarda Finghin. Il ne lui avait pas demandé ce que disaient les deux dernières prophéties. Et pourtant, il mourait d'envie de savoir, elle s'en doutait. Mais il était respectueux. Et il attendrait.

— Où se trouve ma liberté, dans la vie que je mène ? demanda-t-elle en regardant le jeune druide droit dans les yeux.

— Être libre, parfois, c'est accepter de ne pas échapper à ses devoirs.

— Qu'est-ce que tu racontes ? s'exclama Mjolln qui ne comprenait plus du tout le sens de leur conversation. Vous parlez comme des étudiants de Mont-Tombe !

— Que se passerait-il si tu arrêtais de respirer ? demanda Finghin en s'adressant à Mjolln.

Le nain fronça les sourcils.

— Je m'étoufferais et je mourrais, quelle question !

— Exactement. Respirer est donc une obligation, pour quiconque veut vivre, n'est-ce pas ?

— Bien sûr, répondit Mjolln.

— Vivre, c'est donc accepter certaines obligations. Il en va de même pour la liberté.

— Ah, murmura le nain en grimaçant.

— Dans notre cas, nous avons quelques obligations un peu plus complexes que le simple fait de respirer. Nous pouvons les refuser, mais nous pouvons aussi les accepter. Et je crois que pour nous libérer, nous devons les accepter. Accepter le fait qu'elles sont nécessaires avant d'être obligatoires.

Le nain secoua la tête, toujours aussi perdu. Aléa se rapprocha du druide.

— Et quelles sont ces obligations, d'après toi ? demanda-t-elle.

— Cela dépend de ce que disent les prophéties.

— Avons-nous besoin d'elles pour savoir ce qui est nécessaire ?

Le druide ne sut que répondre. Aléa sourit.

— Je crois justement que l'une des prophéties, conclut-elle, consiste à répondre à cette question.

Le nain leva les bras au ciel dans un signe d'incompréhension totale, mais cette fois-ci, personne ne se décida à lui expliquer. Finghin lui-même n'était pas sûr de comprendre.

*
* *

Imala et Taïbron marchèrent encore plusieurs jours avant de trouver dans la vallée de Loma un asile confortable et giboyeux. Plongeant au sud vers le Sinaîn et protégée au nord par la forêt de Borcelia, c'était une vallée tranquille, loin des villes et des verticaux.

Dès le premier jour, retrouvant les instincts d'une petite

meute, ils parvinrent à chasser ensemble et débusquèrent un mouton égaré sur les collines de Loma. Ils purent se repaître à quelques pas de la rivière. L'herbe était encore verte dans cette région fertile et formait un tapis soyeux où les deux loups s'assoupirent aisément.

Au début de l'après-midi, après avoir longuement digéré sous le soleil d'automne, Imala et Taïbron se mirent à explorer leur nouveau territoire, marquant d'urine la frontière de ce qui allait être leur terrain de chasse et de vie, se frottant contre les branches ou le sol pour y laisser déjà leur odeur, mise en garde adressée aux loups de passage. Ils parcoururent pendant plusieurs heures la vallée, découvrant son gibier, ses points d'eau, ses collines... Puis soudain, ils entendirent le hurlement d'un autre loup.

Imala se dressa sur ses pattes avant et chercha d'où venait cet appel. Elle était en train de renifler l'air quand elle vit Taïbron partir vers le nord, la queue haute. Elle courut derrière lui, le suivant en ligne droite, et bientôt ils arrivèrent en vue de l'intrus. Assis en haut d'un rocher, c'était un jeune mâle solitaire, au pelage brun, moucheté de gris et de noir, et l'un de ses yeux était crevé, signe sans doute qu'il avait dû quitter sa meute après de violents combats.

Taïbron n'hésita pas un instant, il galopa vers le jeune loup pour le chasser. Celui-ci attendit le dernier moment pour s'enfuir. Il courait vite et parvint sans peine à distancer le loup gris. Taïbron revint en trottant vers Imala qui était restée en retrait, mais quand il fut auprès d'elle, il vit que le jeune loup brun était de nouveau assis sur le rocher.

Cette fois-ci, ce fut Imala qui entreprit de lui courir après. Et encore une fois, le loup borgne attendit jusqu'au dernier instant avant de s'échapper. Dès qu'Imala ralentissait, il ralentissait à son tour. Et dès qu'elle accélérait, il faisait de même.

Après une longue course vers le haut de la vallée, Imala abandonna et revint vers Taïbron qui s'était un peu approché. Le jeune loup brun, visiblement têtu, revint lui aussi.

Ce petit jeu dura encore un long moment, jusqu'à ce que le couple cesse de se montrer agressif envers le nouveau venu. Il était parvenu à faire la preuve de sa vélocité et de son opiniâtreté, c'était donc un congénère digne d'intérêt. Petit à petit, ils le laissèrent s'approcher.

Le jeune loup brun fit alors la démonstration de sa soumission. Crocs cachés, la queue repliée entre les pattes, le corps aplati contre le sol, les membres légèrement pliés, il rampa jusqu'à eux puis se laissa glisser sur le flanc à côté de Taïbron. Le grand loup gris montra à son tour sa domination en avançant au-dessus de lui, en le mordillant deux ou trois fois, sans méchanceté mais avec suffisamment de fermeté. Le loup brun se mit à le lécher, poussant de petits gémissements amicaux. Puis, quand Taïbron fit demi-tour pour redescendre dans la vallée, suivi de près par Imala, le jeune loup galopa derrière eux. Il était adopté.

Ce fut le premier loup à rejoindre la meute, et la légende lui donna le nom de Tamaran, le loup borgne. Après lui, quatre autres jeunes loups rejoignirent le clan d'Imala. Deux mâles et deux femelles. Très vite, ils furent donc sept, et cela, sans doute, leur parut suffisant car ils ne laissèrent plus d'autre loup approcher les limites de leur territoire, dans la vallée de Loma.

*
* *

— Je saurai, moi, ne pas vous décevoir, maître. Laissez-moi la chercher et je vous ramènerai sa bague et son corps sans vie.

— Non. Cette fois-ci, c'est elle qui viendra à nous.

Maolmòrdha se tenait debout sur le rempart de la plus haute tour du palais de Shankha. Il tournait le dos à Ultan, le chevalier aux cheveux blancs, son plus fidèle conseiller, celui qui avait été un jour son Magistel. La tête levée vers l'obscurité du ciel nocturne, il semblait humer l'air, chercher sur les cordes du vent la trace de sa dernière proie. Sa cape noire était secouée par les caprices de cette brise d'automne, révélant chaque fois qu'elle se soulevait son armure sombre et par moments même la chair vive de son visage monstrueux. Il ne bougeait pas, comme porté au-dessus du vide par mille démons invisibles, silhouette dressée, défiant la profondeur du crépuscule et de l'île endormie.

— Ayn' Sulthor, Dermod Cahl... Et mes gorgûns. Tous ont échoué. Aucun n'a su la soumettre. Moi seul – je le sais maintenant – pourrai l'affronter. Et elle viendra à moi, car elle n'a pas d'autre choix. Non, tu me seras plus utile ici quand elle arrivera que si tu partais demain te briser contre elle comme une vague sur un rocher.

Ultan acquiesça, courbant l'échine.

— Combien de temps faudra-t-il attendre ? Combien de forces aura-t-elle réunies, maître, quand elle viendra à nous ?

Celui qu'on appelait le Porteur de la Flamme des Ténèbres se retourna d'un coup et s'avança vers Ultan. Le guerrier baissa les yeux devant l'ombre imposante de son maître.

Maolmòrdha posa une main sur sa tête comme on le fait pour apaiser un enfant. Mais il n'y avait nul apaisement dans ses gestes. Un flot de haine, à la place.

— Nous ne la laisserons pas se reconstruire. Elle a déjà perdu beaucoup. Nombreux sont ceux qui auraient pu la soutenir et qui aujourd'hui ont rejoint le royaume des morts d'où moi seul pourrais les sortir. Aodh, tué d'une flèche par cet idiot de Samael. Phelim, tué par mes Herilims. Sarkan, le chef des clans. Galiad, Faith... J'ai déjà divisé ses rangs, Ultan. Et nous allons continuer, mais par la ruse, cette fois. Alors comme eux, elle périra. Je pourrai finir d'unir Saîman et Ahriman en mon seul sein. Tout n'est qu'une question de temps.

— Que puis-je faire pour que nous y parvenions ? demanda Ultan sans oser relever la tête.

Le renégat retourna lentement vers le rempart. Il resta immobile un instant, alors qu'au loin le bruit de la mer répondait à son silence. Le palais de Shankha était presque vide à présent. Les gorgûns étaient morts, et les Herilims longtemps avant eux. Il ne restait que quelques esclaves, quelques veilleurs, et aucune armée. Mais pour

Maolmòrdha, cela n'avait plus aucune importance à présent. Car il faudrait un tête-à-tête. Il n'y avait plus d'autre issue. Lui et elle. Ici même.

Le renégat poussa un grognement, puis il dit simplement :

— Il y a dans ce palais un ancien veilleur de Sarre qu'on appelle Almar Cahin. Va le chercher.

Chapitre 2

LES SOLDATS DE LA TERRE

Aussitôt qu'Erwan Al'Daman eut annoncé qu'on allait lever le camp, l'enthousiasme gagna les rangs de l'armée tout entière. Les soldats avaient vu le Samildanach marcher la veille avec Mjolln Abbac et le Grand-Druide, et tous avaient compris que les choses allaient enfin changer. Aléa était rétablie, et elle semblait vouloir se remettre en route.

On démonta tables et cabanes dans la hâte, on prépara sacs, armes, vivres, et quand tout fut enfin prêt il fallut attendre les ordres. Au début de l'après-midi, alors que l'impatience commençait à gagner les nombreux soldats, Aléa et Erwan se présentèrent enfin à cheval au milieu de la clairière, au milieu de leur petite armée. Ils n'étaient guère plus de cent, la plupart avaient péri, quelques-uns s'étaient perdus dans la déroute. D'autres, sans doute, avaient fui. Mais il y avait dans le regard de ceux qui étaient encore là une fierté à laquelle Aléa avait encore peine à s'habituer.

Dressée sur son cheval, la jeune fille prit la parole, parlant aussi fort qu'elle pouvait, mais d'une voix qu'elle espérait suffisamment douce.

— Je voudrais d'abord vous remercier tous et vous demander pardon. Chacun de nous a perdu un être cher, vous, moi, mes amis... Cela, nous ne devrons jamais l'oublier. Ce n'est pas pour mourir que nous devons nous battre, mais pour vivre. Je sais que vous attendez depuis longtemps que nous nous remettions en marche. Aujourd'hui, le temps est venu. D'abord, nous irons au pied des montagnes de Gor-Draka où nous attendent d'autres soldats, pleins de bravoure. Des Tua-thanns.

Il y eut un silence gêné dans la foule. Le choix d'Aléa en gênait plus d'un. Tout le monde ne semblait pas encore prêt à s'unir à ceux que l'on prenait encore pour des barbares monstrueux. La jeune fille s'en rendit compte. Elle s'y était attendue.

— Mon frère, Tagor, est parmi eux. Mais au-delà de ce frère, tous les Tuathanns sont notre famille, notre sang. Le sang de cette terre. Ils sont les enfants de Gae-lia, et si nous aimons cette île, alors nous ferons d'eux nos frères. Ensuite, nous marcherons vers Sarre. Et en chemin, nous essayerons d'emmener avec nous d'autres soldats encore. Dans chaque village, chaque campagne, comme le fit Galiad, nous devrons convaincre les gens de nous suivre. Parce que nous devons renforcer notre armée. Mais ce sera une armée de paix !

Quelques murmures d'approbation s'élevèrent finale-ment au milieu des rangs de soldats.

— Je ne veux pas vous mentir, reprit Aléa. Vous vous en doutez, il y aura sans doute encore des morts ! Dans nos rangs et dans ceux de nos ennemis. Mais je vous fais une promesse. Une seule promesse. Je ne me repo-serai pas tant que la paix ne sera pas revenue dans l'île.

Et cette fois-ci, ce furent des acclamations, et qui durèrent longtemps. Certains criaient son nom, d'autres celui du Samildanach.

Aléa leva la main. Le silence se fit aussitôt.

— Je ne veux plus que vous m'appeliez Samildanach. Vous n'êtes pas l'armée du Samildanach ! Je suis Aléa, fille de Phelim et de la Terre, et dorénavant, cette armée sera celle de la Terre. Vous êtes les Soldats de la Terre !

— En marche ! enchaîna Erwan sans attendre.

Et tous les guerriers se mirent en mouvement, portés

par la même émotion, par un espoir nouveau. La bannière d'Aléa se leva ici et là, au milieu des rangs de fantassins. On y voyait son symbole, deux mains couvrant une couronne et un cœur, brodé de rouge sur fond blanc.

Le jeune Al'Daman, avant de faire lui aussi avancer son cheval, lança un regard à celle qu'il aimait. Aléa savait déjà parler aux troupes comme un véritable chef de guerre. Sa maturité chaque jour plus forte ne cessait d'étonner ses compagnons. Et son charisme grandissait à mesure que le poids de son destin semblait obscurcir son front. Elle était grave et belle, et le jeune Magistel espérait qu'un jour il pourrait lui dire son amour dans d'autres circonstances, sous d'autres perspectives, l'esprit libre et tranquille. Qu'ils pourraient vivre ensemble, dans un monde plus sûr. Vivre simplement, comme deux êtres qui s'aiment. Mais il fallait attendre, encore.

Il se mit en route, bientôt rejoint par Kaitlin et Mjolln. Devant les soldats, leurs chevaux ouvraient la marche vers l'est. Aléa et Finghin, eux, se mirent en retrait. Depuis la veille, ils n'avaient cessé de parler ensemble, et la teneur de leurs propos avait même fini par lasser la curiosité pourtant grande du nain, qui était bien content de ne plus les entendre.

Le cheval d'Aléa marchait juste à côté de celui du druide. Ils restèrent silencieux un moment puis, quand les soldats eurent pris assez d'avance pour qu'ils puissent parler sans être entendus, ils reprirent leur conversation.

— Crois-tu, Finghin, que j'aie raison de mentir ainsi à ces hommes ?

— Tu ne leur as pas menti, s'étonna le Grand Druide.

Aléa eut un petit rire nerveux.

— Je leur parle de paix quand ce qui nous attend n'est autre qu'une longue guerre. Nous n'avons que des ennemis sur cette île, je ne vois pas comment éviter des milliers de morts. Je suis devenue menteuse au milieu des menteurs.

— Mais c'est bien pour la paix que nous allons nous battre, répliqua Finghin.

— C'est toujours ce que disent les faiseurs de guerre, non ? C'est toujours l'excuse qu'on invoque. *Si l'on veut la paix, il va nous falloir passer par la guerre...*

Le druide soupira.

— Puisque tu as eu le courage de leur dire toutefois qu'il y aurait des morts, c'est bien que tu sais qu'il n'y a pas d'autre choix.

— Vraiment ?

— Si tu ne crois pas que la guerre, aussi horrible soit-elle, est le seul moyen pour amener enfin la paix sur cette île, alors pourquoi la leur avoir annoncée, et pourquoi surtout vouloir grossir les rangs de ton armée ?

Aléa haussa les épaules.

— Pour gagner du temps, sans doute, expliqua-t-elle. Je ne dis pas que je connais une autre alternative, je dis que nous devons en trouver une.

— Monter une armée suffisamment puissante pour que toutes les autres la craignent et qu'aucune n'ose commencer cette guerre ? Battre l'ennemi par la menace ?

— J'y ai pensé. Mais cela ne durerait pas très longtemps. Il y aurait toujours quelqu'un pour monter une armée plus forte un jour prochain. Et cela ne résoudrait pas les problèmes, cela nous permettrait seulement de les ignorer.

Finghin acquiesça. Il y eut un court instant de silence, juste le bruit de leurs chevaux foulant la terre galatienne.

— Savons-nous vraiment qui sont nos ennemis ? demanda finalement le druide. Quels sont nos combats ?

— C'est amusant que tu poses cette question. Je ne cesse de me la poser moi-même. Comme si j'avais besoin de me la rappeler tous les jours.

— Et alors ?

— Alors je vois deux combats que nous devons mener, répliqua Aléa. Le premier consistera à ramener la paix sur cette île. Ou plus précisément, à amener une paix nouvelle. La paix qui régnait avant ne pourrait plus fonctionner. La guerre qui déchire Gaelia est une guerre de croyance et de territoire...

— Cela me paraît juste, répondit Finghin. Une guerre de croyance contre les chrétiens...

— Non, le coupa Aléa. Pas contre les seuls chrétiens. C'est une guerre entre les évêques et les druides. Ce sont les responsables religieux qui ont amené le peuple dans la guerre. Pas le contraire.

— Mais il y a bien une guerre entre les chrétiens et ceux qui croient en la Moïra, riposta Finghin.

— Je ne crois ni en Dieu, ni en la Moïra, Finghin, mais je n'ai pas envie pour autant de me battre contre ceux qui croient en l'un ou en l'autre, et je suis sûre qu'il y a de la place pour les deux.

— Tu ne crois pas en la Moïra ? s'exclama Finghin.

Il dévisageait Aléa, les yeux écarquillés. Mais elle semblait sincère et sûre d'elle. Alors, il se souvint de ce que Kiaran lui avait dit, le jour où il avait voyagé avec lui et Aodh vers Providence pour mener une mission diplomatique au nom de Saî-Mina. Les mots exacts du Grand-Druide, il s'en souvenait parfaitement, avaient été : « *Ce n'est pas la Moïra qui décide, ce sont les hommes.* » Il se rappelait combien cette phrase l'avait choqué à l'époque, mais aussi combien elle l'avait fait réfléchir...

— Veux-tu que je te dise quel est le sens de la deuxième prophétie ? demanda Aléa plutôt que de répondre à la question de son ami.

— Cela a un rapport ?

— Oui. Te souviens-tu que la première prophétie annonce que si je suis vraiment le Samildanach, alors après moi il n'y aura plus d'autre Samildanach ?

— Oui. *Et cette femme sera le dernier Samildanach*, quelque chose comme ça...

— Eh bien la deuxième prophétie dit, en quelque sorte, que si je comprends le sens de la Moïra, alors après moi, la Moïra ne sera plus.

Finghin secoua la tête d'un air hébété.

— Je ne suis pas bien sûr de comprendre...

Aléa sourit.

— Moi non plus. Pas tout à fait en tout cas. Je t'ai dit qu'aucune des deux dernières prophéties ne s'était réalisée, c'est bien la preuve que je n'ai pas encore vraiment compris le sens de la Moïra... Mais ce n'est pas tout. La troisième prophétie dit que si je comprends le sens du Saîman, alors après moi, le Saîman ne sera plus.

Le druide resta silencieux. Il se demandait s'il devait être choqué, terrifié ou amusé. La jeune fille était-elle sérieuse ?

— Finghin, reprit Aléa d'un ton solennel, je serai la fin du Samildanach, la fin de la Moïra, et la fin du Saîman.

Le druide poussa un long soupir.

— Si ces prophéties sont justes, rétorqua-t-il.

— J'aimerais qu'elles ne le soient pas. Mais peut-être cela serait mieux ainsi. En tout cas la première était incroyablement précise, n'est-ce pas ?

Il ne put qu'acquiescer.

— Crois-tu que quelque chose de bon peut sortir de tout cela ? s'inquiéta Finghin en essayant de reprendre une voix normale.

Aléa haussa les épaules.

— Nous verrons bien. Quand j'étais dans l'Arbre de Vie, Obéron, le roi des silves, m'a dit que si je parvenais à accomplir les trois prophéties, alors les silves ne seraient plus. Je pense que c'est parce qu'ils sont intimement liés à tout ça, au Saîman, à la Moïra... Mais il m'a aussi dit que je pourrais les sauver. Cela me paraissait complètement étrange à l'époque, mais je crois que je commence à comprendre.

— Tu as bien de la chance !

— Quoi qu'il en soit, pour en revenir à notre combat, il y a bien une guerre de croyance sur cette île, oui, mais ce n'est pas tout. Il y a aussi une guerre de territoire.

— Les Tuathanns veulent reprendre l'île.

— Les Tuathanns disent qu'elle leur appartenait. Et ils auraient sans doute raison, si la Terre pouvait vraiment appartenir à quelqu'un. Mais la Terre n'appartient à personne. Ce sont les hommes qui lui appartiennent...

Finghin pouffa.

— J'ai l'impression d'entendre l'un de mes frères au Conseil ! Ce n'est pas avec des belles paroles comme celles-ci que tu pourras apporter une solution aux conflits territoriaux, Aléa.

— Tu as sans doute raison, malheureusement. Mais il va bien falloir trouver un moyen de résoudre cette stupide histoire de propriété. Gaelia ne doit appartenir à personne, et tout le monde doit pouvoir y vivre. C'est une évidence, non ?

Le druide opina du chef.

— Tu disais que nous avions deux combats à mener, reprit-il. Le premier, ce serait donc d'amener une paix nouvelle sur l'île. Trouver une solution aux guerres de croyance et de territoire, comme tu dis. Mais quel est notre deuxième combat ?

La jeune fille se retourna vers lui. Elle hésita un moment, puis dans un soupir elle murmura :

— Maolmòrdha.

Finghin s'était bien sûr attendu à cette réponse. Comment l'oublier ? Mais il avait besoin de l'entendre. Peut-être parce qu'il n'avait pas le courage de le dire lui-même.

— Et contre lui, que devrons-nous faire ? demanda-t-il.

— Vous, rien. Moi, je... je vais devoir le détruire.

— Tu ne cherches pas de solution pacifique, cette fois-ci ? risqua le druide.

— Jusqu'au jour où mon couteau sera sous sa gorge, je chercherai une solution pacifique. Mais si ce jour-là je n'en ai pas trouvé, je lui trancherai le cou comme il a fait trancher celui de mes proches.

Finghin, à cet instant précis, se souvint de ses longues conversations avec Mel, le frère de Kaitlin. Il se souvint comment le cheminant l'avait plusieurs fois obligé à aller jusqu'au bout de ses raisonnements. Comment il lui avait prouvé à quel point être logique avec soi-même demandait du courage.

— Aléa, se décida-t-il à dire, embarrassé, pourquoi n'appliques-tu pas ta logique de paix à cet ennemi-là aussi ? Pourquoi ce conflit-là mérite-t-il que l'on tue alors que tu voudrais résoudre les autres dans la paix ?

— Le jour où je serai devant lui, Finghin, je ne serai plus le Samildanach, je ne serai plus le chef de cette armée, ni celle que le Conseil recherchait, celle que le roi avait mise à prix. Je ne serai qu'une jeune fille de quatorze ans dont on a tué le père.

— C'est parce qu'on a tué leurs pères que la plupart des hommes font la guerre. Si tu n'es pas capable d'appliquer à ton propre besoin de vengeance l'effort que tu attends des autres, si toi-même tu n'es pas capable de trouver envers ton pire ennemi une autre issue que la guerre, alors ton message de paix n'aura aucune valeur.

— Tu voudrais que je puisse pardonner à l'homme qui a tué mes parents adoptifs, qui a tué mon père et mes plus proches amis ? Faith avait fait le serment de venger la mort des deux aubergistes. Et maintenant, c'est elle qui a succombé aux mains du même bourreau. Et tu voudrais que je lui pardonne ?

— Crois-tu qu'il sera plus facile aux Tuathanns de nous pardonner à nous, Gaeliens, qui les avons jadis chassés de leur terre en tuant leurs pères ?

Pour la première fois, Aléa ne sut que répondre. Et Finghin vit qu'une larme coulait sur sa joue. Non. Elle n'avait pas encore de réponse.

*
* *

— *Tagor, nous venons.*

Le monde de Djar est encore là. Toujours différent. Jamais le même décor. Je sais que mon frère m'entend. Il est sous ce pic, dans la montagne, à quelques pas de la porte des mondes. Là où notre mère a trouvé Phelim. C'est cette porte qui nous unit. Et c'est elle que je vais devoir fermer.

— *Tagor, je crois que je comprends ce que notre mère a voulu faire. Je sais que tu m'entends. Je sais que tu penses comme moi. Que tu demandais à ton père de cesser les combats. C'est notre mère, n'est-ce pas, qui t'a offert cela ? Cette volonté que les guerres s'arrêtent. Oui, je crois que je comprends ce que notre mère a voulu faire. Un pont. Entre ton peuple et le mien. Mais il faudra choisir, à présent. Retourner en dessous, ou accepter le dessus. Je n'ai pas le droit de me résigner. Je n'ai pas* le droit d'abandonner, tu comprends, Tagor ? Trop parmi les miens et les tiens sont morts pour que nous n'allions pas jusqu'au bout. Je suis le monde de demain. Fille de tous les peuples. Fille de la Terre, fille des druides, fille des Tuathanns et fille des humains. Attends-moi, Tagor. Ensemble, nous finirons le pont que notre mère a commencé.

Un bruit. Une présence. Peut-être Phelim. Non. Je ne crois pas qu'il puisse revenir. Et c'est mieux ainsi. Je ne veux plus le voir. Ne jamais associer son souvenir à celui de Dermod Cahl. Phelim, reste en mon cœur. Mais alors qui ?

Kiaran.

Je reconnais ce pas. Je me retourne. Il est là. Aujourd'hui encore, ici, comme hier, et comme demain, il revêt ses habits de cheminant. Et sur son visage, ce sourire différent.

— Bonjour, Kiaran.

Il ne m'espionne plus, à présent. Il fait exprès de se faire entendre quand il arrive. Il s'annonce. De toute façon, il ne pourrait plus. Je l'entendrais chaque fois.

— Bonjour, Aléa.

— Je suis heureuse de vous voir, druide.

— Moi aussi, bien que mon cœur soit blessé. Saî-Mìna est tombée.

Déjà. Je ne m'y attendais pas si vite. Et pourtant. C'est dans la logique des choses. D'abord Saî-Mina, ensuite le reste. Par ma faute. Ou grâce à moi. Je vais refermer cette porte.

— Henon et trois autres de nos frères sont partis, emmenant avec eux de nombreux jeunes druides. Le Conseil est divisé.

— Que dit Ernan ?

Pauvre Ernan. Je me demande si l'Archidruide aura les épaules assez solides. Combien il doit regretter la mort d'Ailin et Phelim !

— Je pense qu'il va vouloir te rejoindre, Aléa. Il va falloir convaincre les autres, mais je ne vois pas d'autre solution. En ce qui me concerne, mon choix est déjà fait. Notre place est auprès de toi. Comme Phelim l'avait dit.

— *Mais vous savez, druide, que si vous me rejoignez, il n'y aura pas de retour.*

— *Il n'y en aura pas non plus si nous ne te rejoignons pas.*

— *C'est vrai.*

— *Sais-tu déjà, Aléa, quelle Gaelia tu peux nous offrir ?*

C'est bien l'unique question. Il pose la seule question qui mérite d'être posée. Il doit savoir que je n'ai pas la réponse. Je dois être sincère.

— *Non. Je ne sais pas. Mais je sais qu'elle sera nouvelle.*

* * *

— Faites de moi votre Archidruide et je ferai de ce Conseil le plus puissant de tous les Conseils que votre ordre ait connus.

La reine Amine de Galatie avait reçu Henon dans le grand bureau luxueux du palais de Providence. Le Grand-Druide s'était autoproclamé chef provisoire de ce nouvel ordre druidique. C'était lui qui avait organisé le départ de Saî-Mina, et c'était lui qui avait préparé l'enlèvement du chêne centenaire que les jardiniers d'Amine replantaient en ce moment même en un lieu tenu secret, dans les parcs du palais.

Henon avait donc fait le choix du schisme. Et le choix de ses futurs alliés. À présent, le moment de négocier avec la reine était venu.

La capitale n'avait jamais été aussi active que depuis la mort d'Eoghan. Amine semblait assoiffée de pouvoir, mais aussi de travail, et tous ses sujets n'avaient eu d'autre choix que de suivre le rythme qu'elle imposait. Elle lançait de nouveaux projets politiques, économiques, juridiques ou sociaux, envoyait en mission des conseillers de plus en plus nombreux, grossissait les rangs de l'armée, augmentait certaines taxes et en supprimait d'autres, instaurait de nouvelles lois... Toutes ces décisions qui étaient jadis prises par les druides et appliquées avec une lenteur légendaire par le roi étaient dorénavant les siennes, et elle entendait reprendre en main ce royaume endormi. Certains Galatiens commençaient même à apprécier la reine. « *Au moins, elle essaie de faire avancer les choses* », disait-on çà et là, et l'on oubliait parfois comment elle était arrivée sur le trône. Car pour d'autres encore, elle restait une régicide illuminée, une meurtrière sans scrupules qui n'agissait point pour le bien de l'île mais par soif de pouvoir exclusivement. Et c'était sans doute cette soif de pouvoir qui la poussait aujourd'hui à espérer prendre le titre d'Archidruide.

— Cela me paraît rigoureusement impossible, majesté.

— Et pourquoi donc ? s'offusqua la reine qui n'avait déjà plus l'habitude qu'on lui refuse quoi que ce fût.

Henon savait que cette conversation serait la plus importante de toutes pour l'avenir des siens. Tout allait se jouer aujourd'hui. Sa place, celle de ses frères, le futur de l'ordre, et peut-être même celui de Gaelia tout entière. Mais il savait aussi qu'il était en position de faiblesse. L'accueil que la reine lui avait réservé à Providence avait été sa seule chance de mener à bien son soulèvement. Elle était son seul espoir, après le schisme, de faire front à Saî-Mina. À ce qu'il en restait, tout du moins. Il lui était donc beaucoup plus redevable qu'il n'aurait souhaité l'être.

Elle sait exactement pourquoi je ne peux me résoudre à la nommer Archidruide. D'abord pour des raisons pratiques, mais aussi parce que je me réserve cette place. Si je cède, je ne pourrai diriger le Conseil, et qui sait où cette femme nous mènera ? Je dois conserver ma place. C'est moi qui dois être le nouvel Archidruide.

— Parce que vous êtes une femme, majesté, et que vous n'êtes pas druide, se contenta de répondre Henon. Si nous voulons reconstruire le Conseil de façon crédible, nous devons être fidèles aux traditions de notre ordre. Rien ne nous empêche en revanche de vous faire une place lors de nos réunions, de vous y recevoir comme une invitée exceptionnelle.

— Foutaises ! s'exclama la reine. L'interdiction d'initier les femmes est une manipulation instaurée par les premiers druides, complètement contraire au sens de la Moïra.

— Non. Il y a bien une raison à cela. Aucune femme ne peut maîtriser le Saîman.

— Aléa est la preuve du contraire ! rétorqua Amine.

— Rien ne prouve qu'elle le maîtrise vraiment, risqua Henon.

— Réservez ce genre de mensonges aux sots. Et quand vous vous adressez à moi, druide, ayez la courtoisie de ne dire que des choses auxquelles vous-même pouvez croire. Vous savez très bien qu'elle est le Samildanach et qu'elle maîtrise le Saîman bien mieux que vous.

Henon ne sut que répondre. Il était médusé par l'agressivité et le dédain de cette femme pourtant si jeune.

— J'ai suivi l'enseignement des vates, je ne suis pas étrangère à votre ordre, Henon. Aussitôt que vous m'aurez nommée Archidruide, vous aurez tout le loisir de m'apprendre à maîtriser le Saîman.

— Amine, je sais que je vous suis redevable, et nous trouverons un moyen de nous unir à vous qui vous soit favorable. Mais il est hors de question de nommer Archidruide une personne qui ne maîtrise pas déjà notre pouvoir.

Elle gagne du terrain. Déjà, en me focalisant sur le Saîman, j'ai cédé sans le vouloir sur l'interdiction d'initier une femme. Il faut que je reprenne le dessus. Mais je n'ai aucun point de force, aucun atout en main.

— Je ne vous laisse aucun autre choix, menaça Amine comme si elle avait entendu les pensées du druide.

— C'est pour votre bien que je m'y oppose, répliqua Henon. Vous ne pourriez diriger le Conseil sans maîtriser le Saîman, et les Grands-Druides refuseraient de se fier à une profane.

— Je saurai les mater bien assez vite.

Elle en serait bien capable en effet.

— Le peuple lui-même serait choqué par l'abandon

de nos valeurs et de nos traditions. Vous ne pouvez être reine et druide à la fois...

— Au contraire, ce que le peuple attend, c'est du changement. Et je suis la plus à même d'apporter ce changement. De nombreuses femmes seront enthousiastes à l'idée que l'ordre leur ouvre enfin ses portes. Il y a de nombreuses bardes qui feraient d'excellents druides.

— Non. Cela n'est pas possible. Cela romprait le point d'équilibre...

— Il n'a jamais existé, votre point d'équilibre, justement parce que les femmes ont été exclues de votre ordre ! Contrairement à ce que vous prétendez, ce sont les femmes qui pourront ramener l'équilibre au sein du Conseil. C'est l'arrivée des femmes qui renforcera le pouvoir des druides. Aujourd'hui, vous avez besoin de grandir, et vous ne pourrez le faire sans les femmes, et surtout sans moi. L'échec de Saî-Mina est la preuve formelle de l'inefficacité de votre structure.

Je dois trouver un argument irréfutable. Je ne peux la laisser nous englober dans sa soif de pouvoir.

— Aucun druide n'acceptera de vous livrer les secrets du Saîman.

— Si les druides refusent de s'associer à moi, alors c'est vers les chrétiens que je devrai me tourner.

— Nous ne refusons pas de nous associer à vous ! Notre présence ici est bien la preuve que nous souhaitons vous rejoindre. Mais cela n'implique pas que nous changions les lois de l'ordre. Simplement son siège.

— Vous me nommerez Archidruide, ou vous serez chassés de mes terres. Prenez garde, Henon. Il ne reste en Gaelia plus personne pour vous accueillir. Même Saî-Mina ne voudra plus de vous après votre trahison.

Le ton montait. Chaque réplique était de plus en plus rapide. Aucun des deux ne voulait perdre de terrain. Mais la reine était sans doute la meilleure à ce petit jeu. Elle l'avait plusieurs fois prouvé par le passé...

— Ne sous-estimez pas notre puissance, tenta Henon en se fabriquant un ton menaçant, nous sommes en possession des Man'ith.

— N'oubliez pas la mienne. Je suis à la tête de la plus grande armée du pays...

— Celles d'Harcourt et de Terre-Brune vous écraseraient...

— Je pourrais m'allier à eux contre vous. Contre tous les druides. Pourquoi résistez-vous, Henon ?

— Parce que je crois en la sagesse de mon ordre, je crois en l'équilibre de nos lois, je crois au Saîman, et je sais qu'il est affaire d'hommes. Ainsi l'a toujours voulu la Moïra.

— Je crois, moi, que vous résistez parce que vous espérez prendre cette place. Vous voudriez être Archidruide, n'est-ce pas ?

Henon ne répondit pas.

— Mais aujourd'hui, voilà votre choix : soit en effet vous devenez Archidruide, mais à la tête d'un Conseil minable, abandonné de tous et que je rejetterai moi-même, soit vous acceptez d'être mon conseiller, de me nommer Archidruide, et ensemble nous mènerons ce nouveau Conseil à la tête d'une Gaelia beaucoup plus forte.

Le Grand-Druide poussa un long soupir. Le piège de la reine était parfait, imparable. Elle les avait amenés jusqu'à elle, et maintenant ils ne pouvaient revenir en arrière. En vérité, la situation politique de l'île ne leur laissait d'autre choix que de céder à ses exigences. À n'importe laquelle de ses exigences. Mais il aurait voulu pouvoir résister un peu.

— Je ne pourrai jamais faire accepter cela par mes frères.

Amine comprit aussitôt qu'elle avait gagné.

— Nous n'avons pas besoin de leur accord. Ils se rallieront à nous, ou ils seront chassés.

— Ce n'est pas une méthode très délicate, vous risquez de ne pas susciter une grande adhésion.

— C'est ma méthode, Henon, depuis le départ, et elle fonctionne. Je ne crois pas en la délicatesse, en matière de politique.

Henon acquiesça. Cela, la reine l'avait en effet prouvé depuis longtemps.

Il n'y avait pas de louveteau dans la meute et le clan se déplaçait tout entier, avec pour seul souci de se nourrir et protéger son territoire. Les loups partaient en chasse presque chaque jour, alignés derrière Taïbron, le dominant, dont la queue était fièrement dressée, comme un guide pour ses suivants.

Ils pouvaient parcourir la vallée plusieurs heures jusqu'à ce qu'ils trouvent enfin l'un des rares troupeaux d'élans qui restaient là malgré le danger. Quand ils trouvaient un groupe d'animaux, les loups se mettaient à trotter tout autour, poursuivant, sans trop les presser, les élans qui prenaient la fuite. Gardant leurs distances, ils se contentaient d'abord de courir dans le même sens que leurs proies, sans attaquer, pour repérer celui du troupeau qui courait le moins vite ou montrait le plus de faiblesses.

Parfois, les loups ne trouvaient pas la proie la plus faible à temps, et le troupeau s'enfuyait sans que la meute pût satisfaire son appétit. En réalité, à cette période de l'année, les chasses n'étaient victorieuses qu'une ou deux fois sur six. Mais quand ils trouvaient un élan à leur goût, plus lent ou plus faible que les autres, soudain, ils partaient au galop, et la traque commençait. C'était une course d'usure, la meute s'acharnant sur cette seule bête, les loups se relayant les uns les autres pour ne jamais perdre le rythme, ne jamais diminuer la pression. Et la plupart du temps, l'élan finissait par s'épuiser et perdre beaucoup de vitesse. Alors l'un des loups – Tamaran le plus souvent, parce qu'il était le plus véloce – sautait sur le train de sa proie et attrapait l'une de ses pattes arrière à pleine gueule. L'élan parvenait encore à faire quelques pas, essayant en vain de se débarrasser de ces mâchoires accrochées à sa cuisse, puis il tombait lourdement dans un nuage de poussière. Les six autres loups bondissaient aussitôt et achevaient l'animal en quelques coups de crocs.

Comme il n'y avait pas de petit à nourrir, la meute

mangeait sa proie là où elle était tombée. Chaque adulte pouvait engloutir d'énormes quantités en un seul repas. Le museau plongé dans la chair ensanglantée de la charogne, ils arrachaient tour à tour la viande en poussant des grognements nerveux. Puis, quand tous les loups avaient mangé à leur faim, ils partaient s'étendre dans l'herbe à quelques pas de là, suffisamment près toutefois pour garder un œil sur les restes. Car c'était pendant ces pauses endormies que les autres charognards, grands oiseaux sombres ou petits coyotes intrépides, venaient chercher leur part du butin. Imala était toujours la plus rapide à défendre les restes de viande sur le cadavre. Il suffisait souvent d'un grognement pour faire fuir les vautours, et parfois elle chassait un coyote jusqu'en dehors du territoire de la meute, le rattrapant rarement car, l'estomac lourd, elle perdait vitesse et agilité. Parfois, les coyotes qui avaient la mauvaise idée de revenir finissaient une bonne fois pour toutes sous les crocs meurtriers de la meute.

Petit à petit, les loups reprenaient leurs habitudes, tissaient les liens de la meute, consolidaient sa hiérarchie, retrouvant leurs codes et leurs instincts. Le clan prenait vie, et Imala oubliait déjà sa vie de louve solitaire et la silhouette lointaine des verticaux.

*
* *

En fin de journée, Aléa, ses compagnons et les Soldats de la Terre – comme on les nommait maintenant – arrivèrent au pied de la montagne de Gor-Draka.

— C'est ici que la louve est venue nous trouver, mon père et moi, expliqua Erwan à Aléa en désignant un peu plus haut le plateau qu'il reconnaissait sans peine. Il y a sur l'un de ces grands rochers ton symbole, gravé dans la pierre.

Aléa acquiesça, et le jeune homme vit dans ses yeux qu'elle était impatiente d'aller voir la stèle. Mais d'abord, elle devait assumer son nouveau rôle. Elle se retourna vers la petite armée assemblée derrière eux.

— Nous allons installer un campement ici et envoyer des éclaireurs dans la montagne pour y chercher mon frère.

Le Magistel hocha la tête et fit signe aux soldats d'exécuter ses ordres.

Le soleil n'avait pas encore complètement disparu et ses derniers rayons posaient au sommet des monts, sur le blanc de la neige, un doux voile rosé. Les soldats profitèrent des derniers instants de lumière et se dépêchèrent de monter le camp. C'était un geste qu'ils répétaient depuis plusieurs soirs et dont ils avaient pris l'habitude. Erwan Al'Daman n'avait plus besoin de donner d'ordres, chacun savait ce qu'il avait à faire.

Quand quatre éclaireurs se présentèrent devant Aléa, elle les remercia et leur donna ses instructions.

— Je veux que vous portiez ma bannière et que vous marchiez vers le haut de ces montagnes. Vers ce pic en forme de bec de corbeau. Sous ce pic attendent des guerriers tuathanns. Leur chef s'appelle Tagor. C'est mon frère. Allez leur dire que Kailiana est ici, la Fille de la Terre, et que nous les attendons. Attention. Il y a des coutumes que vous devrez respecter en vous adressant à eux.

Elle regarda les quatre hommes. Ils l'écoutaient attentivement.

— Quand vous verrez Tagor, vous devrez lui dire ces mots précis : « Salut, Tagor, fils de Sarkan, que la Terre te reconnaisse ainsi que ton clan. » Et ensuite vous devrez vous montrer respectueux. N'oubliez pas qu'il s'agit de mon frère, que ceux qui l'accompagnent sont des hommes d'honneur et qu'ils vénèrent la Terre par-dessus tout.

Les éclaireurs acquiescèrent.

— Allez-y. Dormez auprès d'eux, et ne revenez que demain. En passant une nuit avec eux vous prouverez la confiance que vous avez en eux.

Ils se mirent aussitôt en route, redoutant sans doute la tombée de la nuit. Aléa regarda les quatre silhouettes disparaître derrière les hauts rochers qui surplombaient le campement. Puis elle se tourna vers Erwan.

— Tu as vu leurs yeux ? Tu as vu leur regard ? On dirait qu'ils boivent mes paroles. Je pourrais dire n'importe quoi, ils le feraient...

— Tu es leur chef, Aléa, et cela fait longtemps qu'ils n'ont pas eu un chef qu'ils puissent admirer autant.

— Cela me fait peur.

Erwan secoua la tête.

— Cesse de te plaindre, Aléa, et apprends à apprécier la chance quand elle te sourit. Bien des généraux rêveraient d'une armée aussi fidèle.

— Je ne rêve pas, moi, d'être général, rétorqua Aléa en souriant.

— Tu as toujours réponse à tout, n'est-ce pas ?

— J'ai de qui tenir !

Erwan ne put s'empêcher de sourire. C'était la première fois qu'Aléa semblait se détendre un peu depuis bien longtemps. Il la prit par la main et l'entraîna vers le plateau qu'il lui avait montré plus tôt.

— Viens, je vais te montrer ce rocher.

Elle se laissa faire, et ils s'écartèrent du camp sans prévenir leurs compagnons. Ils n'échangèrent pas une seule parole pendant tout le trajet, mais Erwan ne lâcha pas la main qu'il serrait fort dans sa paume. L'un et l'autre pouvaient sentir le sang qui battait dans leurs veines. Comme deux tambours qui rythmaient en écho leurs inquiétudes et leurs espoirs communs.

Le jour avait presque complètement disparu quand ils arrivèrent devant le grand roc noir qu'Erwan avait indiqué. Ils approchèrent en silence, presque solennellement, puis Aléa découvrit le symbole gravé dans la pierre.

— Tu sais ce que ça veut dire ? demanda Erwan en passant derrière elle pour l'enlacer.

— C'est bien le symbole qui est sur ma bague. Cela doit vouloir dire plusieurs choses. D'abord, je crois que cela signifie que nous sommes ici à la porte des mondes. Ici, sans doute, tous les mondes communiquent. Notre monde, celui des morts, le monde de Djar et le Sid. Peut-être d'autres mondes encore. Cela doit vouloir dire aussi que c'est ici que mes parents se sont rencontrés, ici qu'ils se sont unis.

Erwan déposa un baiser sur sa nuque.

— Et enfin, puisque c'est le même symbole que sur ma bague, cela doit vouloir dire qu'il y a un rapport entre tout ça et le Samildanach.

— Mais sais-tu ce que signifie précisément le symbole sur ta bague ?

— Je ne suis pas sûre. Mais si on le compare à ce qui est écrit dans l'Encyclopédie d'Anali, je vois une première interprétation assez évidente...

— Laquelle ? la pressa le jeune Magistel.

— Le rôle du Samildanach serait de concilier amour et pouvoir. Quelque chose comme ça.

— Amour et pouvoir, hein ?

Aléa sourit. Elle se libéra des bras d'Erwan et fit quelques pas autour du roc.

Ce n'était plus qu'une ombre haute, *un géant de pierre*, pensa-t-elle. Un frisson lui parcourut l'échine. Elle s'imaginait Phelim, rencontrant ici une femme venue du Sid. Sa mère. Quel visage avait-elle ? Pourquoi était-elle sortie du monde d'en bas ? Et qu'était-elle devenue quand elle avait dû fuir ?

Aléa préféra ne pas se poser davantage de questions et se remit en marche vers le camp.

— Viens, dit-elle en tendant la main à Erwan. Allons manger avec les autres.

En bas, le campement était éclairé par les hautes flammes d'un grand feu qu'on avait allumé pour y faire cuire la viande et pour se réchauffer. Les langues jaunes dansaient dans la nuit noire et des flammèches s'envolaient tout autour dans la ronde du vent. On entendait déjà le son d'une cornemuse.

*
* *

Meriande Mor, le Bel, comte de Terre-Brune et frère du défunt roi de Galatie, était au côté de Feren Al'Roeg, comte d'Harcourt.

La voix de l'évêque Aeditus résonnait sous le dôme de la cathédrale de Ria comme il prononçait son sermon de sa voix grave et profonde. Le bâtiment était plein. Le peuple d'Harcourt, conforté soudain par la victoire de leur comté sur les Tuathanns et les druides, s'unissait sous la croix du Christ, investi d'un espoir nouveau. On vivait des heures joyeuses dans la capitale chrétienne. Oubliée, la dureté du régime d'Al'Roeg. Oubliées, les menaces des Soldats de la Flamme, les pressions et les conversions par la force. La fierté d'appartenir à un comté si puissant l'emportait à présent. Les gens semblaient choisir eux-mêmes d'avoir la mémoire courte... La Moïra n'était plus qu'un mauvais souvenir. Les druides, des fantômes abandonnés. Al'Roeg était enfin parvenu à rassembler les habitants du comté, et chacun espérait qu'il les mènerait vers la victoire. Harcourt, jadis conspuée par le reste de l'île, serait demain au centre du royaume.

La lumière d'automne pénétrait à travers les grands vitraux colorés de la cathédrale, et les colonnes de pierre grise se drapaient de reflets vifs, bleus ou violets. Les rayons de soleil s'engouffraient dans la longue nef jusqu'à l'autel où, sous le regard de l'assemblée, Aeditus louait la gloire de ce Dieu qui leur avait donné la victoire. Une odeur d'encens flottait au milieu des allées, et l'écho de sa voix remplissait l'espace.

— Nous avons une importante carte à jouer, chuchota Al'Roeg en penchant la tête vers le comte de Terre-Brune.

Celui-ci acquiesça.

— La division du Conseil des druides sera notre seule chance de remporter la mise. Mais d'abord, il nous faut prendre le comté de Sarre. Le comte Albath Ruad n'est qu'un faible, il abdiquera devant le premier venu. C'est pourquoi nous devons attaquer Sarre au plus vite, avant Galatie. Nous devons être les premiers sur place.

— Je n'en doute pas une seconde, affirma Meriande. Mais après ? Croyez-vous que nous serons assez forts pour battre définitivement Galatie ? Et Bisagne ne risque-t-elle pas de rejoindre la reine ?

— C'est en effet Bisagne, la seule inconnue. Il serait idiot de l'attaquer pour le moment, car elle est encore neutre, et toujours dangereuse. Mais vous avez raison, il faudrait pouvoir s'assurer que le baron ne s'alliera pas à la reine.

— Bisagne a toujours été du côté de Galatie...

— Oui, mais la reine n'a plus la même légitimité. Elle pourrait être jugée pour le meurtre de son mari. Nous pourrions la renverser de façon légale, en demandant qu'elle soit condamnée pour l'assassinat d'Eoghan.

— Et user ensuite de la pression de nos trois comtés pour vous placer sur le trône ?

Feren Al'Roeg ne put s'empêcher de sourire. L'idée d'arriver sur le trône de Gaelia sans avoir besoin de combattre Galatie était en effet des plus séduisantes. Mais il savait que cela ne serait pas aussi facile.

— Nous verrons. Vous savez, Meriande, reprit-il plus bas, la plus grande force de mon comté, c'est la religion.

— Comment cela ?

— Regardez-les. Chaque habitant d'Harcourt qui est converti devient un véritable soldat. On dit que la foi déplacerait des montagnes.

— Où voulez-vous en venir ? demanda Meriande tout en regardant en contrebas les fidèles qui écoutaient Aeditus.

— Nous devons accélérer le processus de conversion de vos sujets à Terre-Brune.

— La Moïra reste encore solidement ancrée dans les croyances de mon peuple, répondit le comte Mor.

— C'est pour cela qu'il faut avancer la date officielle de votre conversion. Quand vos sujets auront assisté à la cérémonie, ils n'auront de cesse de vous imiter. Vous êtes redevenu leur héros, là-bas, en chassant les Tuathanns hors de votre comté.

— Certes, mais l'on n'efface pas si facilement toutes ces années d'endoctrinement par les druides.

— Peut-être. Mais nous devons nous servir de la chute du Conseil pour décrédibiliser les druides. Nous devons aller plus loin, même. Leur interdire l'accès sur nos terres. Interdire la célébration de leurs fêtes. Remplacer leurs coutumes et leurs rites par des rites chrétiens.

— Cela ne se fera pas en quelques jours, tempéra Meriande Mor.

— Cela se fera beaucoup plus vite que vous ne pouvez l'imaginer. Demain, vous retournerez en Terre-Brune, et vous annoncerez votre conversion pour la semaine prochaine. Je demanderai à Aeditus de célébrer cela chez vous, puis de prendre en charge le grand mouvement chrétien que nous devons lancer sur vos terres.

Meriande le Bel acquiesça. Il savait de toute façon qu'il n'avait pas le choix. Il n'était plus aujourd'hui qu'un vassal d'Harcourt. Ce n'était pas vraiment ce dont il rêvait jadis, mais c'était toujours mieux que d'être envahi par les barbares du Sid.

Il ne lui restait plus qu'à en convaincre les Brunois.

*
* *

Quand il entra dans la salle du trône, au tréfonds du palais de Shankha, Almar Cahin ne put s'empêcher de penser au passé.

Les années de vigilance à Saratea. Les années silencieuses où il n'était qu'un veilleur secret pour le maître. Seul contre tous dans un village d'imbéciles. Cachant son véritable destin en acceptant pour façade le métier de boucher, parce qu'il n'aurait pu révéler le nom de celui qu'il servait vraiment. Comme tous les veilleurs de Sarre, Almar n'avait jamais avoué aux autres sa soumission à Maolmòrdha. Ce maître-là, on le vénérait en secret.

Et puis il y avait eu cette enfant. Aléa. Mystérieuse. Et Phelim qui était venu l'espionner plusieurs fois. Cela, même les autres habitants de Saratea l'ignoraient. Mais lui, il savait. Il avait vu Phelim, ces nombreuses nuits, venant revoir l'enfant qui était arrivée au village sans que personne ne puisse dire d'où elle venait.

Almar avait découvert tout cela, et en le révélant au

maître il s'était sans doute ouvert les portes d'un avenir meilleur. Depuis le début de l'Unseann, le boucher avait attendu cet instant. Il avait attendu que Maolmòrdha lui donne enfin une chance de s'illustrer, une chance de s'élever dans la hiérarchie de ses serviteurs.

Car Almar rêvait de revanche. Une revanche sur son destin, une revanche sur son village, et par-dessus tout, une revanche sur cette petite peste d'Aléa.

Il avança lentement vers le trône, les yeux baissés. À peine eut-il franchi la porte qu'il fut saisi par l'odeur étrange qui régnait ici. Une odeur animale, humide, qui se mariait parfaitement à la chaleur moite de l'atmosphère. Et il y avait quelque chose d'excitant dans cette saveur étrange. Comme une puissance profonde, surnaturelle, comme une présence divine.

— On dit que tu connais la petite traînée.

La voix de Maolmòrdha était plus étrange encore que l'atmosphère de la pièce. Il n'y avait plus rien d'humain dans son timbre, dans sa résonance. On aurait dit que plusieurs voix s'y mêlaient et se déformaient dans l'écho de sa gorge.

Almar posa un genou par terre. Il tremblait.

— Oui, maître, j'ai vécu plusieurs années dans son village. Je l'ai vue grandir, et j'étais là la première fois que son pouvoir s'est révélé.

Derrière lui, dans son dos, Almar pouvait sentir la présence d'Ultan, le bras droit de Maolmòrdha qui était venu le chercher tout à l'heure pour lui annoncer que le maître désirait lui parler. Il devinait son regard, sa gravité. Il voyait même l'ombre allongée de son corps imposant juste à côté de lui, sur la surface grise des pierres.

— Parfait. Tu vas peut-être nous être utile, Almar Cahin, reprit Maolmòrdha, du haut de son trône d'ossements.

Le boucher acquiesça lentement. L'heure de sa revanche était donc bien venue. Il arrivait à peine à y croire. Comment lui, si modeste, si insignifiant dans la grande organisation de Maolmòrdha, pourrait-il se rendre vraiment utile ? Il espérait seulement qu'il ne le décevrait pas.

— On dit qu'Amine de Galatie, la reine, était aussi dans ce village et que toutes deux étaient amies...

— C'est exact, répondit le boucher d'une voix tremblotante, Amine Salia. Je m'en souviens très bien.

— Bien. C'est étrange, n'est-ce pas ? Comme le monde est bien fait ! ironisa Maolmòrdha. J'ai une mission à te confier, Almar Cahin.

— Je suis à votre service, maître.

Almar ne parvenait pas à parler tout haut. La gorge nouée, il avait la voix tremblotante et le regard fuyant.

— Tu vas aller à Providence. Et tu vas entrer en contact avec la reine.

— Je... Oui, mais comment le pourrais-je ? balbutia Almar, incrédule.

Il regretta aussitôt de s'être montré dubitatif. Il espérait que Maolmòrdha ne lui en tiendrait pas rigueur. Comment pouvait-il oser douter du maître ? Mais Maolmòrdha se mit à rire.

— Ne t'inquiète pas, boucher, je peux te donner bien plus de pouvoirs que tu ne pourrais en rêver. Tu auras l'Ahriman avec toi. Et la reine te connaît déjà. Cela devrait te faciliter la tâche.

Almar essaya de reprendre une respiration normale.

— Et que devrai-je faire quand je l'aurai contactée ? bredouilla-t-il.

— Tu lui diras qu'Aléa a tué son père.

— Le forgeron ?

— Oui.

— C'est Aléa qui l'a tué ?

Maolmòrdha poussa un soupir strident.

— Cela n'a aucune importance, boucher, ce qui compte, c'est que la reine le croie.

— Je comprends, s'empressa-t-il de répondre.

— Alors tu comprends ta mission. Bien.

Almar hocha la tête sans ajouter un mot. Il était terrifié et heureux à la fois. La revanche allait donc être possible.

Et soudain, alors qu'il s'apprêtait à partir, il sentit une

vague brûlante lui traverser le corps. L'Ahriman. Cette force chaude qui remontait dans ses veines, qui les gonflait presque à les faire craquer. Son cerveau, comme éclairé d'un seul coup de mille nouveaux feux. Le monde autour devenait plus aigu. Chaque bruit, chaque odeur, chaque couleur.

Almar resta un long moment immobile, perplexe. Il n'arrivait pas à apprivoiser cette force nouvelle dans son corps. Puis enfin il se releva. Il n'était plus tout à fait le même. Le doute, dans son esprit, avait disparu. La peur aussi. Seules restaient la haine, la vengeance.

Il leva les yeux vers le maître. Pour la première fois, il put découvrir son visage. Le visage de Maolmòrdha. Un heaume noir cachait le haut de son crâne, mais l'on pouvait voir ses yeux rougis de sang derrière deux larges fentes, et l'on devinait par endroits la chair vive de sa peau. Il le vit, et il ne trembla pas. Il était prêt, maintenant.

*
* *

Il restait auprès de Tagor bien plus de Tuathanns qu'Aléa ne l'avait espéré. Leur entrée dans le campement des Soldats de la Terre fut comme une cérémonie émouvante, un moment précieux, que nul n'oublierait.

Aléa et ses compagnons se tenaient debout devant la grande tente qu'on n'avait pas encore démontée. Les Soldats, soudain, s'étaient tus. Éparpillés à travers le camp, les uns finissant de manger, les autres préparant déjà le départ, tous s'immobilisèrent quand apparut derrière les rocs noirs la longue colonne de Tuathanns.

Plus nombreux encore que les Soldats de la Terre, c'étaient près de trois cents hommes et femmes qui approchaient en silence, effleurant à peine le sol rocailleux de leurs pieds nus. Une rangée de lances, dressées sans ordre apparent, qui glissait sur la montagne. Les regards se croisèrent, les deux armées se découvrant l'une l'autre, et aucune parole ne fut prononcée. D'un côté comme de l'autre, respect et méfiance se mêlaient dans un silence pesant. Il régnait dans l'air une tension palpable. À la fois soulagement de trouver de nouveaux alliés et peur de l'inconnu.

En tête de file, les quatre éclaireurs qu'Aléa avait envoyés accompagnaient le jeune Tuathann au charisme étonnant. Muscles saillants, torse couvert de peintures guerrières, et sur son crâne une longue crête de cheveux bleus, nouée derrière la nuque par un tissu de cuir et des plumes d'aigle. Quand il fut assez près on découvrit ses yeux, l'un bleu et l'autre noir, et sur son visage la dignité d'un chef de clan.

— Tagor. Mon frère, chuchota Aléa en regardant le cortège qui avançait vers elle.

Elle sourit. Les Tuathanns s'arrêtèrent à quelques pas. Il avait suffi d'un geste de Tagor pour que la longue file s'immobilise en un instant.

— Je te salue, Tagor, mon frère, fils de Sarkan. Que la Terre vous reconnaisse, toi et tous les clans.

Le jeune guerrier s'avança et prit la main d'Aléa dans la sienne.

— Bonjour, petite sœur, dit-il simplement.

Puis il l'embrassa et la serra contre lui. Aléa sentit les larmes monter à ses yeux. Un frère. Un véritable frère. Elle pouvait le sentir, dans sa voix, dans ses gestes. C'était comme si elle l'avait toujours connu. Sa seule famille.

— Les tiens parlent-ils la langue de Gaelia, à présent ? chuchota Aléa à l'oreille de son frère.

— Oui. Nous avons appris. Comme nous avons appris à mesurer le temps, également.

Ils restèrent ainsi un long moment, comme pour rattraper des années d'absence, puis Tagor relâcha son étreinte, fit un pas en arrière et se baissa, posant un genou au sol.

— Voici tout ce qui reste des gens du Sid, Aléa. Les clans sont brisés, les chefs sont morts. Nous sommes les derniers Tuathanns. C'est bien peu, mais cette armée est la tienne.

— Je vois des femmes et des enfants, répliqua Aléa.

Ce n'est pas une armée, Tagor, c'est un peuple tout entier. Et cette terre saura vous recevoir.

— Elle nous appartient ! s'exclama un guerrier parmi les Tuathanns.

Tagor se retourna pour voir lequel de ses frères avait ainsi parlé. Aléa vit la colère dans ses yeux. Elle posa une main sur son épaule d'un geste apaisant. Puis elle s'adressa à la foule.

— La Terre n'appartient à personne, Tuathanns ! Ni à vous, ni à vos ancêtres, ni aux Gaeliens ou à leurs descendants. C'est parce que vos anciens croyaient le contraire qu'ils sont morts. C'est quand la Terre devient propriété que les guerres éclatent. N'avez-vous donc rien appris ? Regardez combien vous êtes aujourd'hui. Regardez combien nous sommes. Combien encore devront mourir pour qu'enfin nous retenions la leçon ? La Terre n'appartient à aucun homme, ce sont les hommes qui lui appartiennent. Que ceux ici qui pensent encore que cette terre leur appartient quittent aussitôt ce camp, car je ne tolérerai pas cette pensée parmi les miens. Que les autres soient bienvenus parmi les Soldats de la Terre.

Aléa posa un regard circulaire sur l'armée de Tuathanns. Elle guettait le moindre mouvement. Elle savait que tout se jouait en cet instant. Que si les Tuathanns devaient la rejoindre, il fallait que ce soit dans la même disposition, derrière le même rêve.

— Kailiana a bien parlé ! s'écria finalement un Tuathann dans la foule.

Il y eut de nombreux murmures, puis une femme s'exclama :

— Qu'il en soit ainsi !

Tagor sourit. Il regarda Aléa à nouveau et acquiesça.

— Nous sommes les Soldats de la Terre, Aléa.

Il s'avança et l'embrassa encore.

— Petite sœur, tu es encore meilleure que le meilleur chef des clans.

Il disait cela en riant. Il se souvenait du bébé que sa mère avait emporté loin du Sid et ne parvenait pas à croire qu'elle était devenue une jeune fille si étonnante. Si forte déjà, et pourtant encore si jeune.

— Tagor, reprit Aléa, je te présente Mjolln, mon plus vieil ami, et voici Finghin, le druide qui nous accompagne.

Tagor les salua.

— Voici Kaitlin, qui est cheminante, continua Aléa, et sa présence nous est souvent d'un grand secours. Enfin, voici Erwan Al'Daman, le Magistel de Finghin.

Tagor devina dans la voix d'Aléa que ce dernier tenait dans le cœur de sa sœur une place toute particulière. Il lui fit un clin d'œil, puis se retourna vers les siens.

— Que les clans se mélangent ! cria-t-il, et aussitôt les Tuathanns se dispersèrent dans le camp, partant à la rencontre des soldats d'Aléa.

Très vite, les barrières tombèrent et même si tous les Tuathanns ne maîtrisaient pas encore parfaitement le gaelien, ils parvenaient sans peine à se faire comprendre et à se présenter. Ces deux peuples jadis si éloignés brisèrent en un instant les dernières méfiances, car un espoir commun les unissait. Un espoir porté par une jeune fille que tous admiraient déjà.

Comme Phelim s'était uni à la mère de Tagor, les Tuathanns s'ouvrirent au peuple de Gaelia. Les deux mondes se rencontraient enfin. Le rêve d'Aléa était en marche.

La jeune fille décida que l'on resterait une journée de plus à cet endroit. Elle voulait laisser aux deux peuples le temps de se découvrir, et surtout elle avait envie elle-même de passer du temps avec son frère avant que ne reprenne leur longue quête.

Elle resta auprès de Tagor tout au long de la journée, apprenant à le connaître, lui posant mille questions, lui racontant à son tour son histoire, ses rêves et ses espoirs.

*
* *

Ultan resta un instant immobile, tenant fermement son épée plantée dans la gorge de la créature agonisante. Le sang noir cessa de couler le long de la lame argentée. Le grand guerrier retira alors son arme d'un geste ample et souple, et la bête s'effondra lourdement sur le parterre de sable.

Les quelques spectateurs réunis autour de l'arène du palais de Shankha se mirent à applaudir. Leurs cris résonnèrent sous la voûte de pierre. Au-delà du plus profond souterrain du palais, l'arène était plongée dans une obscurité malsaine. Chaque recoin baignait dans l'ombre, et chaque ombre cachait une menace. L'humidité lourde de l'air faisait suinter les pierres et engloutissait l'espace dans une senteur acide et trouble.

Lentement, Ultan se retourna et marcha vers son maître. C'était un guerrier massif, aux épaules larges, à la nuque épaisse. Ses longs cheveux d'un blanc éclatant retombaient sur ses épaules comme une fontaine d'argent. Son épée tendue vers le sol semblait n'être que la prolongation de son bras musclé, les piques de son armure lui dessinaient comme des os saillants. Son corps semblait ne faire qu'un avec le métal obscur.

Derrière lui, la créature fut secouée d'un dernier soubresaut. Transpercée de toutes parts, elle n'était plus qu'un amas de chair dont seules dépassaient quatre cornes pointues.

Ultan s'arrêta devant les hautes tribunes de l'arène et posa un genou au sol. Il leva les yeux vers la petite loge qui surplombait l'ensemble. Dans l'obscurité, il aperçut un instant les yeux de son maître, furtifs éclairs écarlates qui disparurent aussitôt. Maolmòrdha avait assisté au combat jusqu'au bout. Ultan savoura l'honneur qu'on lui faisait. Il salua, puis se retira vers la salle d'eau sous les acclamations du public.

Quelques instants plus tard, alors qu'il finissait de soigner ses plaies et de laver le sang sur son corps, Ultan vit la silhouette de Maolmòrdha qui entrait devant lui.

Jamais le maître n'était venu jusqu'ici. Le guerrier s'inclina aussitôt, et, s'appuyant sur le pommeau de son épée, il resta immobile, attendant les premières paroles de son maître.

— Tu te bats bien, Ultan.

La voix caverneuse de Maolmòrdha résonna à travers

la pièce, glissant le long des murs comme un souffle de vent.

— Merci, maître.

Maolmòrdha hocha la tête. Il s'avança vers son guerrier, tourna autour de lui et s'arrêta devant son épée. Il regarda la large lame encore ensanglantée.

— Et je sais que tu aimerais aller affronter la jeune fille.

— Je suis à votre service, répondit simplement Ultan.

— Mais nous en avons déjà parlé. Tu crois pouvoir réussir là où Sulthor a échoué ? Tu espères ainsi retrouver auprès de moi l'estime que je t'accordais jadis quand j'étais druide et que tu étais mon Magistel, n'est-ce pas ?

— Vous ai-je jamais déçu ?

— Tu es mon Magistel, Ultan. Un Magistel ne déçoit pas. Je sais ce que tu penses, je sais ce que tu crois, ce que tu sens, ce que tu cherches. J'entends chacune de tes pensées. Tu ne peux pas me décevoir. Tu peux me faillir, c'est tout. Je veux que tu sois à mes côtés le jour où elle viendra ici. Car elle viendra. En attendant, nous avons beaucoup à faire.

Le guerrier releva la tête. Il avait attendu si longtemps. Après Sulthor, Maolmòrdha avait choisi Dermod Cahl. Tout ce temps, Ultan était resté dans l'ombre. Mais maintenant, il pouvait briller de nouveau. Se dire que le Maître l'avait gardé pour la fin.

— Je voudrais affaiblir Aléa avant qu'elle ne vienne ici. Déjà, j'espère que ce sot de boucher parviendra à monter la reine contre elle, et que cela la rendra plus vulnérable. Mais ce n'est pas tout. Nous avons un nouvel ennemi que je n'attendais pas.

— Oui, maître ?

— Un nouvel ennemi que la petite peste a monté contre nous.

— Les soldats qui l'accompagnent ?

— Non. Ceux-là ne sont une menace pour personne.

Maolmòrdha avança vers son ancien Magistel. Jamais son visage n'avait été aussi proche. Un visage déformé par le feu qui le hantait, une figure méconnaissable depuis qu'il avait reçu l'Ahriman.

— Les loups, murmura Maolmòrdha. Nous allons devoir nous débarrasser des loups.

*
* *

La nuit était tombée depuis longtemps, plongeant le flanc de la montagne dans une obscurité presque totale. Aléa, assise seule sur un rocher surélevé, écoutait, les yeux fermés, les bruits discrets de la faune nocturne et du vent dans les arbres. Derrière elle, le camp s'enfonçait dans les ténèbres. Les feux s'éteignaient les uns après les autres, les dernières silhouettes disparaissaient sous les tentes et les abris de bois. On entendait à peine quelques murmures, quelques ronflements, le craquement du bois sous les flammes mourantes, le chuintement des braises.

Aléa pensait à la louve. La louve blanche. Où était-elle à présent ? Elle aurait pu la chercher, partir à sa rencontre dans le monde de Djar, mais il lui semblait que cela n'aurait pas été juste. La louve avait sans doute besoin de solitude à présent. Besoin de s'écarter un peu du monde des verticaux. Cela, Aléa le ressentait. Que les loups aient pu ainsi la rejoindre dans sa quête, qu'ils se soient dressés contre les gorgûns était déjà chose incroyable. À présent, la nature devait reprendre ses droits. Les loups retrouver leurs habitudes. Leur vie. Aléa avait tellement honte de les avoir ainsi impliqués dans les affaires des hommes. Et pourtant... Leurs sorts n'étaient-ils pas intimement liés ? Au même titre ? N'étaient pas eux aussi, simplement, des occupants de Gaelia ?

Elle soupira. Mais il n'y avait nul désespoir dans ce soupir. À peine des regrets. Plutôt un soulagement étrange. Une recherche de quiétude, l'espace d'un instant. Elle était bien, seule, comme elle l'avait jadis été si souvent. Toutes ces nuits dans les ruelles de Saratea. Ces courses solitaires dans la lande. Ces soirées à rester cachée, ces journées à fuir. Et maintenant, tout était si différent. Tant de gens avaient les yeux rivés sur elle. Tant d'amis étaient entrés dans sa vie. Et puis ce frère, retrouvé... Au fond, elle n'arrivait pas à savoir si elle était mieux aujourd'hui. Simplement différente.

Alors, elle entendit un bruit devant elle. Elle se redressa. Mais ce n'était sans doute qu'une martre, ou quelque rongeur qui se faufilait là. Tirée de ses rêveries par cette agitation nouvelle, Aléa se leva et descendit du rocher. Elle adressa un dernier regard au symbole gravé dans le roc, puis partit vers le campement.

Quand elle passa devant le feu éteint où brillaient encore quelques braises, elle salua deux hommes qui discutaient tout bas. Un Tuathann et un Galatien. Ils la regardèrent passer et la saluèrent avec respect. Elle sourit. Tout l'avenir était là. Ces deux étrangers qui parlaient jusque tard dans la nuit. Ces deux peuples qui se tendaient enfin la main.

Elle rejoignit la grande tente réservée à ses compagnons et à elle-même. Elle passa la porte sans faire de bruit. Chacun de leur côté, ses amis semblaient dormir depuis longtemps, enveloppés dans leurs épaisses couvertures. Elle resta immobile un instant au milieu de la tente. Puis elle se dirigea derrière une toile pendue sur le côté droit.

Lentement, elle se baissa et vint s'allonger près d'Erwan. Elle glissa sur le côté et passa sous la couverture du Magistel. Il faisait bon et elle ne parvenait à savoir si c'était le Saîman ou son cœur qui battait ainsi au fond d'elle. Elle ferma les yeux. Puis, soudain, elle sentit la paume d'Erwan sur son épaule. Cette fois-ci, elle en était sûre, c'était bien son cœur qui battait.

La main d'Erwan descendit doucement le long de son bras, puis sur son ventre. Ses doigts étaient si chauds qu'ils semblaient brûler au feu du Saîman. Puis le glissement se fit frôlement. Aléa se tourna délicatement vers le jeune homme et se serra contre lui. Elle passa ses mains dans son dos, lui rendant chaque caresse avec une tendresse décuplée, plongeant ses paumes dans la longue chevelure blonde du garçon. Puis ils firent l'amour en silence, offrant à leur passion la saveur de l'attente, la douceur discrète de la découverte. La nuit accompagna leur première étreinte d'un silence feutré. Ils trouvèrent l'un et l'autre un réconfort inattendu, la douceur oubliée d'une intimité perdue. Et ils restèrent toute la nuit serrés l'un contre l'autre, comme pour retarder le plus longtemps possible l'instant de leur séparation. Ils avaient tant besoin de ne plus se sentir seuls. Le Saîman passa peut-être même entre leurs deux corps, cela ou une passion si grande qu'elle en avait la force.

Chapitre 3

PASSAGES

La chasse n'était jamais aisée dans la vallée de Loma, mais le territoire était assez grand et la meute finissait toujours par trouver de quoi se nourrir. Deux à trois fois par semaine, chassant plutôt à l'aurore ou au crépuscule, les loups se partageaient une grosse proie, et parfois on ajoutait entre ces repas quelque gibier plus modeste.

Cela faisait maintenant plusieurs semaines que les loups s'étaient installés là, préservant leur territoire qu'ils marquaient régulièrement, partageant leur temps entre la chasse, le repos et les jeux. Petit à petit, les rapports et comportements sociaux au sein de la meute s'assuraient et se complexifiaient. Tous les membres de la bande se frottaient, échangeaient leurs odeurs comme pour assurer la cohésion du groupe.

Taïbron et Imala, le couple dominant, ne cessaient de réaffirmer leur autorité sur les autres loups, tantôt en montrant les crocs, tantôt en dressant les oreilles ou simplement en fixant du regard leurs subordonnés. Parfois, les dominants donnaient des avertissements plus agressifs encore, ce qui évitait souvent d'en arriver à des combats violents. Les autres loups se soumettaient alors, rampant, détournant les yeux, ou aplatissant les oreilles.

Imala se montrait particulièrement dure avec l'une des louves, si bien que celle-ci devint presque le bouc émissaire de la meute. Non pas que ce fût la plus faible – elle était au contraire l'une des plus rapides et donc des plus capables pendant la chasse – mais peut-être parce que Taïbron s'était plusieurs fois montré trop affectueux avec elle, la reniflant et la poursuivant tout le jour. Imala trouvait sans doute cette concurrente trop menaçante et ainsi elle lui réservait l'essentiel de son agressivité. Souvent, elle lui sautait dessus et lui mordait le museau, la tenant ainsi immobile pendant de longs et humiliants instants. La pauvre louve faisait de son mieux pour se soumettre, mais cela ne semblait pas provoquer la moindre pitié chez Imala qui continuait d'affirmer son autorité avec hargne.

Ainsi allait la loi du clan et telle était la vie de la meute, de plus en plus forte, traversant la saison en construisant des liens solides et attendant qu'arrive l'hiver, quand les dominants pourraient enfin se reproduire.

Puis, par un jour d'automne, la meute de la vallée de Loma fut confrontée à sa première épreuve véritable. Le soleil perçait péniblement à travers les nuages, illuminant çà et là les hautes herbes jaunes qui recouvraient la lande. La meute, comme souvent, était assemblée non loin de la rivière autour d'un amas d'arbustes noueux dont les branches entortillées semblaient ramper sur le sol. À l'horizon se profilaient la colline et ses pins épars. Quelques aigles survolaient la vallée, si haut dans le ciel que les bêtes, sans doute, ne les voyaient même pas. Puis, à la fin de la matinée, alors que tous les loups étaient plongés dans un demi-sommeil, une autre meute fit irruption sur leur territoire.

Imala fut la première à découvrir l'intrusion. Soudain, elle se dressa d'un bond et poussa des gémissements qui tirèrent les autres loups de leur torpeur. La meute de Loma se mit en branle, découvrant à leur tour les envahisseurs au loin. Mais très vite ils découvrirent que ceux-ci étaient plus nombreux qu'eux. Sans doute une douzaine.

Taïbron se mit à grogner et, la queue dressée, il partit brusquement vers la meute indésirable, suivi bientôt par les siens, Imala en tête. Ils se mirent à courir pour se rendre plus impressionnants, espérant sans doute effrayer les loups qui avaient osé pénétrer sur leur territoire, mais ceux-ci réagirent aussitôt en montrant les crocs et en gonflant le dos, poils hérissés.

La confrontation se fit à distance. C'était un jeu d'intimidation que la meute de Loma ne pouvait gagner, car même s'ils étaient sur leur territoire, les compagnons d'Imala étaient bien moins nombreux que les intrus. Ceux-ci toutefois ne s'éternisèrent pas à cet endroit de la vallée. Ils se remirent en marche et, voyant qu'il n'y avait aucun gibier alentour, se dirigèrent vers le flanc opposé. Comprenant que la menace s'écartait, Taïbron et les siens retrouvèrent leur calme et rebroussèrent chemin, se retournant régulièrement pour vérifier que les autres ne revenaient pas à la charge. Ils s'assemblèrent à nouveau près de la rivière, mais restèrent sur leurs gardes, nerveux, surveillant la meute étrangère qui avançait encore en lisière de leur territoire.

Il y eut quelques allers et retours, les intrus s'entêtant sans doute à trouver un nouveau terrain de chasse, puis ils disparurent pour de bon.

Mais Taïbron, un peu plus tard, se remit en marche, oreilles rabattues, frôlant le sol comme s'il était en chasse. Il avait senti quelque chose. Imala partit derrière lui, bientôt suivie de Tamaran, le loup borgne.

Tous trois approchèrent lentement de la frontière de leur territoire où les loups indiscrets étaient restés quelque temps. Ralentissant le pas, ils se faufilèrent à travers les hautes herbes jaunes pour découvrir enfin le loup qui était resté là. Un jeune mâle imprudent qui semblait vouloir s'attarder sur leur territoire alors que le reste de sa meute avait disparu depuis longtemps.

*
* *

Kaitlin arrêta son cheval sur le côté pour laisser passer les Soldats de la Terre et le reste du convoi. Ils marchaient d'un pas rapide, portés par leur foi en Aléa, et plusieurs adressèrent à l'actrice un sourire plein de respect, sans doute parce qu'elle était une amie du Samildanach. Cela suffisait, semblait-il, pour mériter leur admiration...

Le matin, Aléa avait annoncé qu'ils devaient à présent rejoindre Tarnea, la capitale du comté de Sarre. Là-bas, elle espérait monter une armée plus grande et trouver une légitimité politique nouvelle pour tenter de résoudre enfin les différents conflits de l'île. Mais cela n'allait pas être simple.

Quand les derniers soldats furent passés, Kaitlin aperçut enfin Aléa, qui restait toujours à l'arrière, pendant qu'Erwan, au contraire, ouvrait la marche de la petite armée.

— Pourquoi tiens-tu à ce point à rester derrière tout le monde ? demanda Kaitlin en amenant son cheval juste à côté de celui de son amie.

La jeune fille haussa les épaules.

— Je ne sais pas. Peut-être parce que ça me permet de voir tout le monde sans avoir besoin de me retourner tout le temps. Et puis aussi parce que je ne suis toujours pas très à l'aise avec mon image de chef et que rester devant me rappelle continuellement que c'est moi que tous ces gens suivent...

Kaitlin acquiesça en souriant.

— D'accord, je vois. Mais cela t'oblige aussi à être loin d'Erwan, puisque c'est lui qui ouvre la marche...

— Et alors ? répliqua Aléa.

Kaitlin éclata de rire.

— Comment ça, *et alors* ? Allons, je vous ai entendus hier soir !

Le visage d'Aléa vira aussitôt au rouge écarlate. Elle n'avait pas l'habitude de parler de ce genre de choses et n'avait pas particulièrement envie de commencer aujourd'hui...

Elle ne savait vraiment pas que répondre et le silence devenait de plus en plus gênant. Kaitlin, amusée, décida de mettre fin aux souffrances de son amie en brisant le silence.

— Allons, vous me faites rire, vous autres Gaeliens, avec votre pudeur ! Il n'y a rien de plus beau que l'amour et vous refusez d'en parler comme s'il s'agissait d'une chose horrible !

Aléa se mordit les lèvres. Elle hésita un instant, puis elle se résigna à parler.

— Tu sais, je ne suis jamais tombée amoureuse avant... Et puis je me souviens que Faith elle-même était gênée quand on lui parlait de Galiad...

— C'est bien ce que je dis, vous êtes ridiculement délicats.

— Parce que vous, les cheminants, vous parlez d'amour librement ? s'étonna Aléa.

— Bien sûr ! répliqua Kaitlin en haussant les épaules. Tu sais, la vie dans les roulottes et sur les routes ne laisse pas beaucoup de place au secret et à l'intimité, alors tout finit par se savoir, si bien qu'on a aussi vite fait de se livrer... Et puis, il vaut mieux être un amoureux fier qu'un amoureux honteux...

— D'accord. Alors dans ce cas, parle-moi de Finghin ! provoqua Aléa.

— Le problème, c'est qu'en la matière les druides sont les pires de tous les Gaeliens ! répondit Kaitlin en pouffant. Finghin ose à peine me donner la main, tu sais... Alors je n'ai pas grand-chose à te raconter, malheureusement.

— Eh bien, te voilà bien partie !

— Oh, ce n'est pas bien grave, je ne suis pas pressée. Nous avons tout le temps devant nous, et je crois que Finghin a l'esprit bien assez occupé comme ça. En revanche, toi, tu ne perds pas de temps ! se moqua encore l'actrice.

Et cette fois-ci, Aléa se mit à rire elle aussi.

— Je me fie à mon instinct. C'est ce que vous autres cheminants appelez suivre le chemin de la Moïra, non ?

— Bonne excuse ! railla Kaitlin.

— Erwan et moi avons vécu tant de choses incroyables que j'ai l'impression de le connaître depuis dix ans.

— Je comprends.

— Et puis, son père semblait favorable...

— Nous le sommes tous, Aléa, vous êtes faits l'un

pour l'autre, c'est évident ! Allons, je te taquine ! Vous êtes merveilleux ensemble...

— Je ne sais pas, c'est très nouveau pour moi. Mais après tout, depuis que j'ai quitté mon village, *tout* est nouveau, pour moi !

— C'est *ça*, le plaisir de la route, Aléa. Découvrir chaque jour des choses nouvelles. C'est pour ça que nous autres cheminants ne la quittons jamais.

Aléa acquiesça. Elle appréciait ces moments où l'actrice venait la voir. Cela lui rappelait son amitié avec Amine... Une amitié qui lui manquait. Et elle savait maintenant qu'il fallait apprécier chacun de ces instants. Qu'aucune amitié n'était acquise ou éternelle.

— Pourtant, parfois, Saratea me manque, avoua-t-elle. Son calme, les habitudes que j'avais prises là-bas, des repères que je n'ai plus.

— Si nous allons vers Tarnea, ne passerons-nous pas tout près de ton village ?

— Il y a des chances.

— Tu n'auras qu'à y faire une pause, suggéra Kaitlin.

— Je ne sais pas... Cela me fait un peu peur.

— C'est idiot ! Tu viens de dire que ton village te manque ! Tu devrais au moins y passer...

— Pourquoi pas ? J'ai d'ailleurs quelques questions à poser à certains villageois. J'aimerais vraiment comprendre comment je suis arrivée là-bas. Et comment Phelim m'a retrouvée.

— Bien sûr. En tout cas, je serais curieuse de voir ce village où tu as grandi.

— Oui. Je ne sais pas si nous aurons le temps d'y aller tout de suite. On verra...

Les deux jeunes filles échangèrent un sourire, puis elles se turent, partageant simplement le plaisir d'être l'une à côté de l'autre. La route allait être longue, elles auraient encore bien des choses à se dire.

*
* *

La cérémonie, finalement, eut lieu derrière le palais de Providence, au pied de la Tour de Lorilien, là où la reine avait fait transplanter le chêne centenaire de Saî-Mina.

Depuis plusieurs jours, les quatre Grands-Druides, mais aussi trente-deux druides, leurs Magistels et de nombreux serviteurs, s'étaient installés dans la haute Tour qui fermait au sud le parc triangulaire du palais. À la hâte, les jardiniers avaient reconstitué une cour circulaire au milieu de laquelle se dressait l'arbre de légende, et huit sculpteurs royaux l'avaient entouré des treize trônes symboliques.

À l'intérieur de la Tour, on avait aménagé douze grandes suites, plusieurs chambres, des dortoirs et, au sommet, une grande pièce où pourrait se réunir le Conseil. L'ensemble ne bénéficiait bien sûr pas encore de la décoration luxueuse de Saî-Mina, mais on était allé à l'essentiel, et la main-d'œuvre ne manquerait pas plus tard pour faire de la Tour un bâtiment aussi prestigieux que le méritait son statut. Tout était prêt pour supplanter le véritable palais des druides.

On avait invité les principaux notables de la ville, les grandes familles, les généraux ; l'essentiel de la cour de la reine était là, mais aussi des ambassadeurs de Sarre et de Bisagne, quelques bardes – quoique la plupart fussent encore fidèles à Saî-Mina et eussent refusé l'invitation – et de simples citoyens du royaume.

Les décors d'habitude réservés aux fêtes de Lugnasad avaient tous été utilisés pour orner cette partie du palais, ainsi qu'une intendance hors du commun, tentes, tribunes, tables, loges, parquets...

Jamais aucune cérémonie druidique n'avait été célébrée devant tant de monde, avec tant de publicité, mais c'était la direction que la reine souhaitait donner au nouveau Conseil ; elle voulait lui offrir un prestige populaire sans précédent.

Il n'y avait d'ailleurs plus assez de place dans les tribunes et les allées de fauteuils, si bien que les habitants de Providence s'étaient amassés sur l'herbe, assis les uns à côté des autres, prêts à admirer le spectacle, impatients.

Et le soleil ne manqua pas le rendez-vous. Un peu avant la mi-journée, le cortège apparut enfin dans une lumière exceptionnelle pour la saison.

Les quatre Grands-Druides avançaient en cercle, vêtus de leurs longs manteaux blancs, le crâne rasé, bâton dans la main droite, escortant la reine vêtue de la robe verte des vates. Ses longs cheveux blonds noués derrière la nuque, elle était resplendissante et grave à la fois. Cherchant dans chaque pas un peu de noblesse, dans chaque geste une grâce nouvelle.

Au-dessus d'eux, les trente-deux druides tenaient au bout de leurs bâtons une grande toile de lin blanche, garnie de gui, qui, tendue, faisait comme un toit souple et léger. La procession avança lentement à travers la cour, sous le regard médusé des spectateurs, et vint s'arrêter au pied du grand chêne.

Alors la cérémonie commença. On parvenait à peine, depuis les tribunes, à entendre les paroles des druides, qui n'étaient que murmures rituels. Mais on pouvait voir chaque geste, chaque déplacement de cet étrange opéra.

D'abord, on escorta la reine dans une petite tente en retrait où elle disparut seule. Ensuite, au pied du chêne, huit druides furent nommés Grands-Druides pour porter à douze le nombre des leurs au nouveau Conseil. Recevant le sacre de leurs aînés, ils se prosternèrent et écoutèrent les secrets qu'on leur confiait à l'oreille. Car ainsi se transmettait la tradition.

Puis tous les regards se tournèrent vers la petite tente où attendait la reine. Ce qui allait se passer était une révolution historique : pour la première fois, une femme allait être initiée au rang de druide, et, plus incroyable encore, prendre aussitôt la place suprême du Conseil, le siège d'Archidruide. Mais les temps avaient changé. Le peuple de Galatie ne s'étonnait presque plus de ces bouleversements soudains.

Henon, drapé de blanc, le visage enfoui sous une capuche rituelle, s'approcha de l'entrée de la petite tente et souleva le voile qui la fermait.

Les paroles rituelles étaient comme portées par le

vent. Le silence pesant des tribunes immortalisa l'instant.

— Qui es-tu ?

— Une vate, répondit la reine prosternée devant lui.

Henon posa une main sur l'épaule d'Amine. Ses gestes étaient lents. Hésitants, presque. On ne parvenait pas à dire si c'était une lenteur solennelle ou si le Grand-Druide rechignait à initier la reine. Un peu des deux, peut-être.

— Que veux-tu ?

— La Lumière ! répondit Amine d'un ton sûr.

— As-tu fortifié ton âme dans la solitude de ce lieu ?

— Oui.

— Alors tu peux me suivre, vate.

Amine enleva ses sandales, et, conformément à la tradition, marcha pieds nus à côté du Grand-Druide qui, une main posée sur son épaule, la menait vers le cercle des treize trônes. Quelques bardes tenaient à l'ouest le rôle des sonneurs, accompagnant le rituel de leurs harpes tristes. Henon et Amine arrivèrent alors derrière les deux druides qui les attendaient, tenant chacun dans ses mains une partie d'une épée brisée.

Le petit cortège se mit en marche, à travers la foule des invités, et s'arrêta devant la pierre polie où l'on avait disposé du pain et du sel. Henon lâcha l'épaule de la reine, se baissa, saupoudra le sel sur le pain et tendit l'ensemble à la jeune femme.

— Vate, ce pain et ce sel sont la Terre par laquelle tu meurs et peux renaître.

La reine prit le pain et en mangea la moitié, selon la coutume, puis elle reposa le reste sur la pierre avant de se remettre en route. La procession continua de tourner autour du cercle des trônes puis s'arrêta au nord devant une deuxième pierre polie. Henon prit la coupe d'eau qu'on avait préparée là et la tendit à la reine.

— Vate, voici l'eau qui te purifie.

Amine prit la coupe et commença à boire, mais elle ne finit pas la coupe qu'elle reposa à moitié pleine sur la pierre, croyant répéter ainsi le geste de reconnaissance du sel et du pain.

Il y eut un léger murmure parmi les druides, que la reine sembla ne pas entendre. Mais Henon se remit en route, comme si rien ne s'était passé. Il savait, bien sûr, que la reine aurait dû boire la coupe tout entière. Que le rituel indiquait ainsi que la purification du récipiendaire était complète. N'importe quel jeune druide n'aurait pas commis cette erreur. Mais Amine, elle, n'avait pas passé sept années à comprendre la symbolique de l'ordre. En quelques jours, elle n'avait pas pu rattraper son retard. Elle avait certes tout fait pour apprendre et même comprendre le rituel de sa propre initiation, mais faute de temps elle commettait là sa première erreur. Henon, pourtant, ne jugea pas bon de la corriger. Soit parce qu'il avait peur de vexer la reine, soit parce qu'il estimait que cette erreur n'était que justice, et que le symbole même d'une purification effectuée seulement à moitié l'amusait. La reine était parvenue à forcer les druides à l'accepter dans leur ordre, Henon en gardait une forme de rancœur qui trouvait là une première vengeance satisfaisante. Il continua le rituel sans rien dire, et tous les autres druides comprirent sans doute le message que leur adressait Henon. La reine était initiée malgré lui, il ne pouvait plus rien faire pour empêcher ce sacrilège, mais il ne ferait rien non plus pour l'aider dans sa démarche.

Henon, la tête droite, escorta la reine jusqu'à la dernière pierre, au sud du cercle des trônes. Il décrocha la torche qui était fixée au-dessus de cette dalle et la tendit à Amine.

— Vate, voici le feu qui t'éclaire.

La reine prit la torche à deux mains, puis elle suivit Henon jusqu'au centre du grand cercle, marchant à présent sur la grande toile de lin blanc qu'on avait posée à terre, couverte de gui.

Le Conseil n'ayant pas encore nommé son Archidruide, c'était Tiernan qui siégeait au pied du grand chêne.

— Grand-Druide, déclara Henon en s'inclinant solennellement, je te présente Amine, vate, que nous avons jugée digne de devenir druide.

Tiernan acquiesça, puis, se dressant, demanda :

— Y a-t-il la paix ?

Druides et Grands-Druides répondirent en chœur.

— Il y a la paix !

— Alors, reprit Tiernan, puisqu'il y a la paix, nous allons procéder.

Henon recula, abandonnant la reine, seule sur le drap de lin, face à Tiernan. Tous les regards étaient tournés vers elle, dans la petite assemblée de druides comme, au loin, dans les tribunes et sur les pelouses.

— C'est au nom de la Moïra, vate Amine Salia, que nous te demandons à présent si, élevée à la fonction sacrée de Druide, tu en exerceras les pouvoirs exclusivement pour ce qui te semblera être le vrai Bien ?

La reine ne put contenir un sourire.

— De tout mon cœur je m'efforcerai de le faire, répondit-elle avec assurance.

Tiernan continua :

— Promets-tu de te souvenir, avec l'aide de la Moïra, qu'en cette fonction à laquelle tu es appelée, tu auras le devoir absolu et devras avoir le souci constant de donner l'exemple d'une vie saine à tous ceux qui te seront confiés ?

— Je le promets.

— Promets-tu de garder précieusement, comme un dépôt sacré, le pouvoir qui te sera conféré ?

— Je le promets, répéta la reine, et dans ses yeux brillait une lueur nouvelle.

— Promets-tu de te tenir constamment prêt à...

Tiernan se rendit compte de son lapsus. Les rituels des druides étaient toujours au masculin. Il se reprit aussitôt, lançant un regard embarrassé à Henon, en retrait.

— ... de te tenir prête à servir tous les hommes, autant que tu en es capable ?

— Je le promets, répondit Amine en fronçant les sourcils.

— Que nos ancêtres te gardent, Sœur bien-aimée, et qu'ils te fortifient dans ta dignité.

La reine resta immobile un instant. Lentement, elle tourna la tête pour voir sur sa gauche la figure de Henon. Il la dévisageait. Mais c'était elle qui avait gagné. Elle obtenait enfin ce que l'ordre lui avait toujours refusé. Ce que l'ordre avait toujours refusé aux femmes. Et la fierté illuminait son visage.

Puis, alors que l'assistance tout entière attendait cet instant, elle se mit enfin à genoux.

— Tu pourras maintenant enseigner, en toute responsabilité, ce que tu jugeras bon d'inculquer à ceux que tu estimeras en toute conscience dignes de recevoir cet enseignement. La responsabilité de toute divulgation devient tienne : tu es déliée du secret.

Tiernan avança et leva ses mains au-dessus de la tête baissée de la reine.

— Moi, Haldir Mornac, fils de Naidsu, dit Stan le barde, dit Tiernan le druide, Grand-Druide au cercle sacré de Lorilien, j'élève devant les Gaeliens Sa Sérénité Amine à la dignité de druide. En l'honneur de ce degré et parce que ses maîtres disent d'elle qu'elle est une femme juste, elle sera appelée Aislinn la druidesse par ses frères et par tous les hommes. Que la Moïra te protège, Aislinn !

Tout le monde applaudit aussitôt, druides et profanes réunis, acclamant la reine dans son nouveau statut. Alors la main de Tiernan se posa sur le front d'Amine, et lentement le Saîman pénétra son esprit.

La foule vit alors Amine tomber à la renverse, comme si elle avait reçu un choc invisible et perdu connaissance. Aidée par Tiernan, elle se releva lentement, chancelante, et le Grand-Druide lui tendit un manteau blanc et un bâton de chêne.

— Tu es une druidesse, Aislinn. Allons, ceci est à toi.

Reprenant ses esprits, Amine accepta cette offrande. Ses mains tremblaient, mais ses yeux, eux, restaient fixes. Elle avait gagné. Et cela ne faisait que commencer.

Dans un instant, les druides, ceux qui l'avaient longtemps rejetée, allaient lui offrir la place d'Archidruide. À elle. Amine Salia. Petite fille de Saratea.

Plus rien n'était impossible.

*
* *

Imala, Taïbron et Tamaran s'approchèrent lentement du jeune loup imprudent. Le vent masquait légèrement le bruit de leurs pas. La louve blanche obliqua vers l'ouest, s'écartant des deux mâles pour couper la route à l'ennemi s'il tentait de fuir vers la colline où sa meute était partie un peu plus tôt.

Le jeune loup sentit très vite le danger, mais il ne voyait pas ses ennemis. Plutôt que de s'enfuir pour rejoindre les siens, il se dressa sur ses pattes avant et scruta l'horizon pour trouver d'où venait la menace. Il avait entendu quelques bruits et sentait l'odeur des trois autres loups, mais pour l'instant il ne voyait rien. Il commença à pousser quelques gémissements d'inquiétude et à reculer. Mais il était dos à la pente et pas dans la meilleure posture. À présent, il était seul, en territoire ennemi, et les siens étaient sans doute trop loin pour venir lui porter secours.

Soudain, Taïbron surgit de derrière un buisson et plongea vers le jeune loup. Tamaran lui emboîta le pas. Le loup, effrayé, fit un bond de côté, évitant l'assaut de justesse, puis, sans se retourner, se mit à reculer pour s'éloigner de ses deux attaquants. Au même instant, Imala fit irruption à son tour, et cette fois-ci le jeune loup n'eut pas le temps de réagir. Quand il aperçut la masse blanche qui lui tombait dessus, il était déjà trop tard. Imala le saisit à la gorge et, beaucoup plus lourde que lui, le fit ployer sous elle. Le jeune loup s'écroula, puis, roulant sur le côté, parvint à se débarrasser des crocs de la louve blanche.

Taïbron et Tamaran en profitèrent pour renouveler leur attaque, et, dans un concert de grognements féroces, fondirent sur le jeune loup. Il se retrouva à nouveau au sol, et ne put cette fois se débarrasser de ses assaillants. Bientôt rejoints par Imala, les loups ne témoignèrent aucune pitié et achevèrent l'animal de quelques coups de crocs. Il poussa un dernier hurlement strident et mourut, la gorge déchiquetée.

Alerté par les bruits de ce combat féroce, le clan du jeune loup revint sur les lieux. Mais quand ils arrivèrent devant le cadavre de leur compère, la meute de Taïbron s'était elle aussi regroupée, et cette fois-ci, Imala et les siens se montraient beaucoup moins conciliants. Confortés par leur victoire, excités par le sang, ils étaient prêts à se battre et l'autre meute dut le sentir, car cette fois, elle n'osa pas franchir les frontières du territoire.

Il y eut quelques échanges de grognements, puis les intrus rebroussèrent chemin, abandonnant là le cadavre de leur ancien frère.

Taïbron poussa un hurlement plein d'assurance, bientôt rejoint par le reste du clan, puis ils retournèrent la queue haute en bas de leur vallée.

La jeune meute avait finalement passé sa première épreuve avec succès. Dorénavant, les autres loups ne s'aventureraient plus aussi facilement sur leur territoire. Mais l'avenir, sur les terres de l'île, réservait bien d'autres surprises aux frères d'Imala.

*
* *

Pour la première fois depuis le départ, tous les compagnons d'Aléa se retrouvèrent après le dîner. La jeune fille avait insisté pour que chacun se débarrasse au plus vite de ses tâches afin que cette réunion puisse avoir lieu.

Autour de la grande table, en dehors de Tagor que nul n'avait encore eu le temps de découvrir vraiment, tous savouraient l'amitié profonde qui les unissait. Une chaleur inexplicable, une énergie forte que rien ne pouvait arrêter. Dans l'humour, dans les moqueries ou dans la tendresse, partout l'on retrouvait une intimité, résultat de souvenirs partagés. Les menaces des ennemis pourtant nombreux étaient encore loin, beaucoup moins présentes que par le passé. La bonne humeur semblait présider aux rapports de ces jeunes compagnons.

Mais à la fin du repas, Aléa prit la parole, et il n'était plus question d'amusement.

— Nous devons trouver le moyen le plus rapide d'aller à Tarnea. Or, si nous contournons les montagnes par l'est, en continuant dans notre direction actuelle, nous risquons de passer très près de Providence, ce que je veux éviter à tout prix.

— Tu n'espères quand même pas faire passer tous les hommes par la montagne ? intervint Erwan.

— J'espère que nous aurons une autre solution, mais s'il le fallait, je crois que je préférerais encore ça plutôt que passer par Providence.

— Pourquoi ? s'étonna Mjolln.

— Parce que je veux aller dans le comté de Sarre avant de voir Amine. Avant de voir qui que ce soit.

— Je pense que les chrétiens d'Harcourt pensent la même chose que toi, intervint Finghin. À mon avis, il y a de grandes chances que les Harcourtois soient déjà en route pour Sarre eux aussi.

— C'est pour cette raison que nous devons atteindre Tarnea au plus vite, répondit Aléa.

— Ça y est ! s'exclama Mjolln. Ça recommence ! On va se remettre à courir comme des chiens sauvages !

— Si nous ne pouvons ni passer par l'est, ni escalader les montagnes, je ne vois pas comment nous pourrions faire, fit remarquer Erwan. Nous n'allons quand même pas rebrousser chemin et contourner la chaîne par le sud-ouest... Il fallait y songer plus tôt.

— Ce serait en effet une perte de temps ridicule, reconnut Aléa.

— Ahum. Je ne suis pas sûr, ça non, que nous irions beaucoup plus vite en escaladant la montagne, ajouta Mjolln. Je suis monté là-haut, moi, et moi je sais, oui, combien il est long d'y grimper, combien il fait froid et comme on a faim, ahum. Je n'en garde pas que de bons souvenirs, ça non.

Aléa posa une main sur le bras de son petit compagnon. Elle se souvenait de cette histoire qu'il lui avait jadis racontée. Preuve s'il en fallait que le nain avait bien plus de courage que ses propos ne le laissaient souvent paraître.

— Les Tuathanns pourraient sans peine franchir la chaîne de montagne, affirma Tagor.

— Je n'en doute pas, mon frère, mais nous sommes

trop nombreux, et tous ici n'ont pas l'endurance de ton peuple.

Kaitlin leva la main pour attirer l'attention des convives.

— Nous autres, enfants de la Moïra, racontons souvent que nos ancêtres passaient en dessous de Gor-Draka. Par les cavernes des dragons.

Tous tournèrent les yeux vers la jeune actrice.

— Allons, reprit-elle, ne me regardez pas comme ça ! Je vous signale que les dragons sont tous morts depuis longtemps...

— Pas si longtemps que ça, intervint Finghin. C'est le père d'Erwan qui a tué le dernier d'entre eux...

— Vraiment ?

— Ce n'est pas la question, intervint Erwan qui pourtant portait à la taille Banthral, l'épée que son père avait précisément enlevée de la queue du dernier dragon. Kaitlin, penses-tu que cette caverne existe vraiment, ou bien n'est-ce qu'une légende ?

Kaitlin haussa les épaules.

— Non, intervint Mjolln, grognon, ce n'est, non, pas une légende, ahum. Oui, moi aussi j'ai entendu cette histoire, tada. Mais alors là, je vous préviens, ça, il est hors de question que vous m'emmeniez là-dedans !

Aléa tourna la tête vers Finghin. Elle le regarda en souriant.

— Qu'est-ce que tu en penses, druide ?

— Je pense comme toi, avoua-t-il.

— Ah oui ? Et que pensé-je, moi ?

— Si ces cavernes existent, et si vraiment elles traversent la montagne de part en part, alors nous pourrions gagner un temps précieux.

Mjolln poussa un soupir d'exaspération. Mais ses amis ne semblaient pas y prêter attention.

— Rien ne nous dit – si elles ont vraiment existé – que ces cavernes sont encore praticables aujourd'hui, tempéra Kaitlin...

— Ça, c'est sûr, et peut-être grouillent-elles aussi de créatures immondes ! enchaîna Mjolln. Ahum, la dernière fois que vous m'avez emmené dans un souterrain, ça, j'ai failli y perdre la vie, n'est-ce pas... Non, non, pas fou dans ma tête, pas un pied sous la montagne, moi, je vais retourner tout seul dans mes collines, si ça continue !

— Erwan ? demanda Aléa comme si elle n'avait pas entendu les plaintes du nain.

— Dans la balance, les risques m'ont l'air beaucoup plus élevés que les chances de gagner réellement du temps...

— Je pourrais envoyer des éclaireurs de mon peuple, suggéra Tagor. Nous avons l'habitude de vivre sous terre, nous irions beaucoup plus vite.

— Plus vite, oui, accorda Aléa, mais toujours pas assez, car pour être certains que le risque vaut la peine d'être pris, il faudrait s'assurer que les cavernes vont bien d'un bout à l'autre de la montagne, et cela obligerait tes éclaireurs à faire un aller et retour complet.

Le Tuathann acquiesça. Aléa poussa un long soupir. Allait-elle devoir encore faire un choix pour tout le monde ? Imposer sa volonté ?

— Il y a peut-être un autre moyen, proposa Finghin.

*
* *

Il fut décidé que, le jour de la conversion de Meriande Mor le Bel, comte de Terre-Brune, Aeditus consacrerait aussi la première pierre de la cathédrale qu'on allait construire au cœur même de Méricourt. La pierre fut amenée de Ria, prise sur le parvis de sa première église, car ainsi on signifiait la communion entre ces deux lieux saints.

Terre-Brune avait retrouvé l'espoir après le départ des Tuathanns, et le comte Mor, comme l'avait prévu Al'Roeg, revenait en héros sur ses terres. De village en village on l'acclamait, et personne ne manifesta la moindre gêne en voyant à ses côtés l'évêque d'Harcourt, ses symboles chrétiens et les nombreux prêtres qui l'accompagnaient. Ce Dieu unique s'était montré beaucoup plus clément que la Moïra envers le peuple de Terre-Brune, et il était déjà en train d'entrer dans les mœurs des habitants du comté sans même que Meriande ait besoin d'imposer quoi que ce fût.

Le jour du grand baptême, la plupart des habitants de Méricourt se retrouvèrent donc autour du site qui avait été choisi par le comte pour faire construire la première cathédrale.

Un peu avant la tombée du jour, la cérémonie commença en plein air. Il y avait au centre du chantier plusieurs prêtres d'Harcourt qui allaient officier en Terre-Brune pendant les prochains mois, les proches du comte, quelques combattants qui s'étaient illustrés dans les derniers combats et le maître d'œuvre de la cathédrale.

On avait fait creuser un bassin à l'endroit précis où se trouverait plus tard l'autel, des parfums avaient été répandus et l'on alluma de nombreux cierges autour du lieu.

Aeditus, vêtu d'une aube mauve et portant sa mitre épiscopale, s'adressa à la foule d'une voix haute et forte.

— Vous êtes bienvenus, frères et sœurs. L'Église vous accueille avec joie, vous et celui qui a demandé le baptême afin qu'il reçoive ce signe de la grâce de Dieu et qu'il soit accueilli dans l'Église de Jésus Christ. Avant que nous le cherchions, Dieu est déjà près de nous ; avant que nous puissions Lui répondre, déjà Il nous appelle par notre nom. Le baptême est le signe de ce Dieu qui vient à notre rencontre.

Aeditus jeta un coup d'œil à l'assemblée gigantesque. Il savait l'importance de cet instant. Tout un peuple, peut-être, se convertirait après le comte. Il chercha des signes d'adhésion dans le regard des Brunois. Mais pour l'instant, il n'y avait que de la curiosité, et l'impatience sans doute de voir avancer Meriande Mor le Bel.

— Trop longtemps notre peuple a été trompé. Nous attendions, aveugles, une Moïra qui ne voulait pas venir. Était-elle là quand l'ennemi est venu à nos portes ? Quel signe nous a-t-elle donné quand nous étions dans le doute ? Mais notre Dieu, Lui, vient vers nous chaque fois que nous sommes en détresse, vers chacun de nous, et c'est ainsi qu'il faut porter son message. Écoutons ce texte de l'Écriture qui nous rappelle le sens du baptême auquel nous allons procéder aujourd'hui : *Jésus, au moment de quitter ses disciples, s'approcha d'eux et dit : « Toute puissance m'a été donnée dans le Ciel et sur la Terre. Allez, faites de toutes les nations des disciples, baptisez-les au nom du Père, du Fils et du Saint-Esprit, et apprenez-leur à garder tout ce que je vous ai enseigné. Voici, je suis avec vous tous les jours jusqu'à la fin du monde. »* Ainsi, le baptême est le signe de l'entrée dans l'alliance que Dieu a conclue avec son peuple. Comme Dieu a dit au Christ : *Tu es mon fils bien-aimé, en toi j'ai mis toute mon affection*, aujourd'hui, Il déclare à votre comte : *Tu es mon enfant, tu ne le sais pas encore, mais je t'adopte, je te connais par ton nom, je t'aime d'un amour éternel*.

Aeditus tendit la main vers le comte. Meriande remonta la longue allée autour de laquelle s'étaient amassés les citoyens de Méricourt. On avait installé au-dessus du trajet des tentures de couleur. Il avança dans l'ombre vers l'évêque Aeditus qui l'attendait devant le bassin. Quand il fut devant lui, il posa un genou au sol et se prosterna.

Aeditus reprit alors la parole.

— Courbe doucement la tête, Meriande Mor le Bel, dépose humblement tes colliers. Adore ce que tu as brûlé, brûle ce que tu as adoré.

Le comte retira ses bijoux et ses vêtements. Alors, posant une main sur son épaule, Aeditus le guida vers le bassin. Meriande, torse nu, marcha jusqu'à ce que l'eau lui arrive à la taille. Aeditus, qui l'avait accompagné dans le bassin, prit de l'eau au creux de ses mains et la fit couler sur le front du comte.

— Que Dieu te bénisse et te garde. Qu'Il t'accompagne jour après jour sur la route qui sera la tienne, et qu'Il t'éclaire de Sa lumière et de Son amour.

Meriande ferma les yeux pendant que l'eau glissait sur son crâne. Il était sincèrement ému et se laissa transporter par la beauté de ce geste qui lui paraissait si pur.

Quand ils sortirent du bassin, Aeditus vit dans le visage

des hommes et des femmes rassemblés qu'il avait gagné. Le message d'amour qu'il prêtait à son Dieu avait parlé aux Brunois. Ceux-ci, qui s'étaient sentis abandonnés de la Moïra, retrouvaient un espoir nouveau, un Dieu qui leur tendait la main.

La foule acclama le comte, et Aeditus fit alors un grand signe de croix en sa direction. Il n'y avait d'armée plus forte que celle qui pourrait naître des prochaines conversions. Comme il avait mené le peuple d'Harcourt au combat, c'était aussi au nom de Dieu qu'il soulèverait Terre-Brune.

Et un jour, sûrement, Gaelia tout entière.

*
* *

Quand le chasseur entra au milieu de la soirée dans cette petite auberge du sud de Galatie, tous les clients se turent et le dévisagèrent, bouche bée. Outre les traces de sang sur son visage et ses vêtements, il avait une allure étrange. Entièrement vêtu de cuir, il portait dans son dos un long arc en bois et un carquois empli de flèches, en bandoulière un grand sac de toile brune, et l'on peinait à voir son visage, enfoui sous une épaisse capuche verte. Mais le plus étonnant n'était ni ses vêtements ni son visage. Non, ce qui surprenait vraiment les clients de cette petite auberge était tout autre chose. Sur ses épaules, l'inconnu portait le cadavre lourd d'un grand loup gris.

La fourrure poisseuse, maculée de sang, collait contre sa veste de cuir. Les pattes épaisses pendaient le long de sa poitrine, et la tête ballottait au bout du cou tordu de l'animal.

Une fois la surprise passée, l'aubergiste se dirigea vers l'étranger en fronçant les sourcils.

— Dites, vous allez me laisser ça dehors, hein, parce que sinon vous allez me faire des taches partout.

En arrivant près du chasseur, l'aubergiste réalisa que celui-ci était encore plus grand qu'il ne l'avait imaginé.

Il s'arrêta à quelques pas du molosse, se demandant s'il avait bien fait de lui parler ainsi.

L'inconnu renifla bruyamment, posa un regard circulaire sur les clients de l'auberge, puis fit deux pas en arrière. D'un coup de reins il rouvrit la porte de l'auberge derrière lui, mit un pied dehors, se pencha légèrement et laissa tomber l'animal à côté de l'entrée.

Le corps ensanglanté s'écrasa avec bruit sur le sable, comme un grand sac de terre. Puis le chasseur entra à nouveau dans l'auberge et partit s'asseoir seul à une table.

L'aubergiste avala sa salive, puis s'approcha de cet étrange client.

— Merci. Je vous sers quelque chose à boire ?

Il ne parvenait toujours pas à voir le visage de l'étranger. Son épaisse capuche plongeait sa tête entière dans l'ombre.

— Sers-moi ton meilleur vin, dit finalement le chasseur en posant les deux mains sur la table.

Petit à petit, les autres clients de l'auberge se remirent à parler, s'habituant sans doute à la présence de ce personnage singulier. Mais il y avait là un jeune fermier galatien dont la curiosité avait été bien trop piquée pour qu'il se résolve à s'occuper lui aussi de ses affaires. Il se leva et partit vers l'étranger, sous le regard inquiet des autres villageois.

— Je peux m'asseoir avec vous ? demanda-t-il en montrant la chaise en face de la sienne.

Le chasseur leva lentement la tête. Ses yeux apparurent enfin dans un rayon de lumière. Deux yeux marron, comme le cuir de ses vêtements. Puis ils disparurent à nouveau dans l'ombre de sa capuche.

— Je vous en prie.

Sa voix était grave et rauque, mais il parlait avec élégance. Son accent était pur, comme celui des druides ou des nobles de Galatie.

Le jeune fermier s'assit en face de lui et posa sur la table la timbale pleine de vin qu'il avait gardée dans sa main. Il but une gorgée, puis fit claquer sa langue contre son palais. Il essayait de paraître détendu même si, au fond, le chasseur l'impressionnait grandement.

— C'est un loup ? demanda enfin le jeune homme, en faisant un geste du menton vers la porte de l'auberge.

— Mmmh, confirma l'inconnu.

— Vous chassez les loups ?

— Oui.

— Pourquoi ? Vous les mangez ?

L'autre fit non de la tête.

— Pour la prime, expliqua-t-il.

— Quelle prime ?

Le chasseur soupira.

— La prime, répéta-t-il. Vous n'avez pas entendu parler des louveteries ?

— Non, avoua le jeune fermier.

L'étranger se frotta le visage. Il avait du sang et de la terre sur les mains, il sentait mauvais et respirait bruyamment. Et pourtant, il y avait quelque chose de noble dans son attitude. Il prit la timbale que l'aubergiste, revenant de la cuisine, lui tendait d'un air méfiant. Il but une gorgée, puis posa la timbale sur la table.

— Plusieurs seigneurs de Galatie et même de Terre-Brune ont ouvert des louveteries, comme il y en avait sur cette terre au temps des Brittians.

— En quoi cela consiste ?

— Les louvetiers organisent des chasses, et ils offrent une pièce d'or pour un louveteau, deux pièces pour une louve, et quatre pièces pour un loup adulte. Cet hiver, on dit qu'ils offriront cinq pièces pour une louve pleine.

— Mais pourquoi ces seigneurs paient-ils pour qu'on leur apporte des loups ?

— Comment ça pourquoi ? Le loup est une bête carnassière et féroce. Il est le premier ennemi de l'homme et des bestiaux.

— Bah, il suffit de mettre des chiens avec les troupeaux, protesta le jeune fermier, c'est ce que nous faisons, ici, et les loups n'attaquent jamais nos bêtes...

— Parce qu'ils ne sont pas encore trop nombreux dans votre région. Mais quand ils auront prospéré et qu'ils ne trouveront plus assez de gibier dans la campagne, ils viendront dans vos villes. Il paraît que les louves peuvent porter jusqu'à treize petits. Bientôt, ils se multiplieront et alors, ils sont si féroces qu'ils ravageront le pays.

— Si féroces ?

— Oui. On raconte qu'ils s'attaquent aux hommes, et surtout aux enfants, parce qu'ils aiment la chair tendre. Et comme ils se nourrissent de crapauds, leur morsure est venimeuse.

— Vraiment ? Et c'est donc pour ça que vous les chassez ?

— Non, confia l'étranger en souriant. Moi, je m'en fiche. Tout ce qui m'intéresse, c'est les pièces d'or.

Le jeune fermier acquiesça. À présent, cela ne lui semblait plus si étrange. Les temps étaient durs, il n'aurait pas refusé une ou deux pièces d'or, lui non plus.

— Comment vous les chassez ? demanda-t-il, de plus en plus intéressé.

— Tu n'as jamais entendu le barde Gace de la Vigne ?

— Non.

— Pourtant il vient souvent par vos régions. Et il raconte la chasse dans ses poèmes. Il faudrait que tu puisses l'entendre. Nul ne raconte aussi bien la chasse au loup. La chasse collective, par battue, organisée par la louveterie, mais aussi la chasse individuelle, celle que je pratique, moi.

— Et alors, comment vous faites ?

— Tu es bien curieux !

— C'est que... Je ne serais pas mécontent de gagner une ou deux pièces d'or...

— Je vois. Tout seul, je suis obligé d'utiliser des pièges, et parfois je reste à l'affût pendant des jours entiers. Tu n'as jamais chassé ?

— Non.

— Alors tu risques d'avoir du mal. Mais si tu persévères, oui, cela peut devenir intéressant. Tu sais, je ne connais rien d'aussi passionnant, chuchota l'inconnu en adressant au jeune homme un clin d'œil.

Le fermier se gratta la tête. Il regarda ses amis, à la

table derrière lui, puis s'adressa à nouveau à l'étranger, d'une voix plus basse.

— Vous pourriez me montrer ?

Il vit alors le sourire du chasseur dans l'ombre de sa capuche.

— Je chasse seul.

— Mais je pourrais vous être utile, insista le jeune fermier. Je connais bien le coin.

L'inconnu posa ses deux mains sur la table et resta immobile un long moment. On ne voyait pas ses yeux, mais de toute évidence il dévisageait son interlocuteur. Finalement, il se décida :

— D'accord. Mais demain seulement. Après, tu n'auras qu'à te débrouiller seul. Et ne compte pas sur moi pour partager la prime si on trouve un loup.

— Non, bien sûr ! Comment vous appelez-vous ? demanda le jeune homme.

— On m'appelle l'Arpenteur.

— Enchanté. Je m'appelle Âgeric.

Ils se serrèrent la main par-dessus la table. Un signe amical qui, visiblement, n'était pas du goût des autres clients de l'auberge. Mais Âgeric décida finalement de ne pas y faire attention. Il ne voyait qu'une chose, lui, les pièces d'or qu'il risquait de gagner...

Le lendemain, ils partirent ensemble vers le cœur de la lande.

*
* *

— Finghin, j'ai retrouvé le druide Kiaran dans le monde de Djar et il m'a donné de mauvaises nouvelles de Saî-Mina.

La nuit était tombée depuis longtemps et le campement n'était éclairé que par la danse de flammes du grand feu qui brûlait encore au milieu. Le jeune druide, qui s'était isolé avec Aléa en retrait des tentes, fronça les sourcils.

— Le Conseil s'est séparé, reprit Aléa. Quatre de tes

frères ont quitté Saî-Mina pour rejoindre Amine à Providence.

Finghin poussa un long soupir.

— Ernan aura tenu tout de même assez longtemps, murmura-t-il. Je suis sûr qu'il savait. S'il m'a incité à partir, c'est parce qu'il savait, tout comme Ailin avant lui, que le Conseil ne tiendrait pas et ne pourrait te soutenir tout entier.

— Je suis désolée.

— Ne t'inquiète pas, Aléa.

Le jeune druide ne la regardait plus vraiment. Les yeux fixés sur le sol, il réfléchissait, analysant sans doute la situation pour juger de sa gravité réelle. Il devait penser en druide. Se souvenir de son enseignement pour comprendre cet événement en profondeur, ses causes, ses multiples conséquences possibles.

— Aussi dramatique que cela puisse paraître, reprit-il, c'est peut-être finalement une chance pour Ernan. En se séparant des plus récalcitrants, il va sans doute pouvoir enfin convaincre le Conseil que nous devons te soutenir.

— J'en serais honorée, répondit Aléa, et elle était sincère.

— Ce qui m'inquiète le plus, en vérité, c'est ce qu'Amine fera avec les druides qui la rejoignent.

— J'aimerais le savoir moi aussi. Je redoute l'instant où je retrouverai Amine. J'ai gardé d'elle un souvenir si doux. Et tout me laisse penser qu'elle a changé. Et pas forcément d'une manière qui saura me plaire. Nous verrons...

— Oui, nous devons d'abord penser à ce qui se passe ici. La montagne. Je vous ai dit tout à l'heure qu'il y avait peut-être un moyen... Tu te souviens comment nous avons utilisé le Saîman pour sonder le couloir souterrain à Ria ? demanda Finghin.

— Bien sûr. J'avais vu Phelim le faire, répondit la jeune fille en souriant.

— Tu crois qu'à nous deux nous pourrions réunir suffisamment de Saîman pour aller sonder les cavernes de Gor-Draka sans avoir besoin d'y entrer ?

— J'ai deviné que c'était ce à quoi tu pensais, tout à

l'heure, et je n'ai cessé d'y réfléchir depuis. Mais franchement, c'est difficile de savoir. D'abord, on ne sait même pas si ces cavernes existent vraiment, et en plus, on ne sait pas quelle longueur elles font, dans quel sens elles vont...

Finghin grimaça.

— Oui, oui, je sais. Mais nous ne pourrons pas le savoir tant que nous n'aurons pas essayé.

— Bien sûr, reconnut Aléa. Et nous gagnerions vraiment un temps précieux si nous parvenions à passer par là. Le problème, Finghin, c'est que nous ne savons pas non plus où se trouve l'entrée de ces cavernes, si vraiment il y en a.

— Quelque chose me dit que Mjolln a sa petite idée là-dessus, mais qu'il ne veut pas nous le dire parce qu'il a trop peur que nous l'entraînions là-dedans.

Aléa acquiesça.

— Nous n'avons pas le droit de l'y forcer. Mais nous pouvons lui proposer de ne pas venir avec nous, de passer par l'extérieur et de nous rejoindre plus tard.

— Faire le trajet tout seul ? Il ne voudra jamais, rétorqua le druide.

— C'est ce que j'espère.

Finghin éclata de rire.

— Je vois. Allons lui parler, proposa-t-il.

Ils retournèrent tous les deux vers le campement, et mirent du temps à retrouver le nain qui, devinant sans doute qu'on allait essayer de le convaincre, était parti se cacher dans une tente des Soldats de la Terre et faisait semblant de dormir.

— Monsieur Abbac, chuchota Finghin en se penchant au-dessus de lui, nous aimerions vous parler.

Le nain se retourna sur le ventre en grognant.

— Monsieur Abbac ? insista Finghin.

— Non ! rétorqua Mjolln. Ahum. Monsieur Abbac ne parle plus aux druides, aux Samildanach, et à tous les charlatans du même acabit. Voilà. Laissez dormir le nain !

Finghin se retourna vers Aléa en haussant les épaules.

— À quoi servait d'avoir gravi cette montagne si tu

n'as pas aujourd'hui plus de courage qu'une fille de quatorze ans ? demanda-t-elle d'un ton provocateur.

— Une fille de quatorze ans qui se prend pour le sauveur du monde ? répliqua-t-il.

— Mjolln, tout ce qu'on veut savoir, c'est si tu sais où se trouve l'entrée des cavernes. Ensuite, si tu n'as pas envie d'y entrer, tu peux très bien faire le tour de la montagne et nous rejoindre à Tarnea plus tard. Moi, j'ai besoin d'arriver là-bas au plus vite.

— Voilà ! grommela le nain. J'en étais sûr ! Le chantage ! Ahum, tu es vraiment la plus sournoise, ça, oui, de toutes les bonnes femmes de cette île ! Pas une seule naine n'arriverait à m'exaspérer autant que toi !

— Pas une seule naine n'arriverait à te faire vivre autant d'aventures... Je croyais que tu aimais ça, l'aventure.

— Pas dans les souterrains ! J'ai *horreur* de ça, tada, tu le sais bien !

— Alors rejoins-nous plus tard à Tarnea, mais dis-nous au moins où se trouve l'entrée, insista Aléa en secouant son ami, caché sous sa couverture.

Soudain, le nain se retourna et, d'un seul bond, se mit debout. Ses énormes sourcils étaient si froncés qu'ils se touchaient presque. Le nez plissé, les yeux brillants, il avait l'air furieux. Il donna un coup de pied dans sa couverture pour s'en débarrasser, bouscula Aléa et sortit de la tente en grommelant.

Finghin lança un regard médusé à la jeune fille.

— Alors ! s'écria le nain au dehors, voyant qu'Aléa ne le suivait pas. Tu veux la voir cette entrée, oui ou non ?

La jeune fille secoua la tête et rejoignit le nain au dehors. Sans cesser de ronchonner, il se remit en marche, traversant le campement comme une flèche, sans s'arrêter, sans regarder les quelques soldats qui étaient encore debout. Jamais Aléa ne l'avait vu trotter aussi vite. Elle fit un signe pour rassurer Erwan qui, alerté par le vacarme, était venu vérifier que tout allait bien. Le Magistel la regarda s'éloigner, comprit que le nain faisait sans doute une scène et retourna, rassuré, dans sa tente.

Finghin hésita un instant, puis il rattrapa Aléa. Marchant juste derrière elle, il ne prononça pas une seule parole. Pourtant, la mauvaise humeur du nain était si enfantine qu'il avait presque envie de rire. Mais il ne voulait pas le vexer, et décida qu'il valait mieux ne rien dire. Apparemment, Aléa, qui avait l'habitude, en était arrivée aux mêmes conclusions et suivait le nain sans se poser de question.

Malgré la nuit noire, Mjolln parvenait à trouver son chemin avec une aisance hors du commun. Dégageant les arbustes et les branchages d'un coup de pied, il se frayait un passage avec hargne et ne se retourna plus une seule fois.

Cela faisait longtemps qu'ils marchaient ainsi quand Aléa, n'y tenant plus, se décida à parler.

— Mjolln, ce serait quand même plus simple si nous marchions ensemble... Tu ne vas pas faire la tête pendant tout le trajet ?

Mais le nain ne répondit pas. Il poussa un petit sifflement de dépit et, la tête haute, continua de plus belle à travers les buissons.

Aléa commençait à avoir froid quand, soudain, elle vit le nain s'immobiliser devant elle. Elle s'arrêta, et Finghin arriva à son tour.

— Voilà. Petite casse-pieds. Elle est là, ta caverne ! s'écria Mjolln en indiquant un énorme trou sous un rocher en hauteur.

Aléa approcha et découvrit l'entrée avec stupéfaction. Si proche ! Et Mjolln avait su tout le long qu'ils étaient à côté. Ne leur aurait-il jamais dit s'ils ne lui avaient pas demandé ?

— Merci, cornemuseur, dit-elle en inspectant le gouffre.

— Cornemuseur, cornemuseur ! répéta Mjolln d'un ton exaspéré. Si je ne te suivais pas partout comme un petit chien je serais barde depuis bien longtemps !

— Mjolln, savez-vous qui est habilité à nommer les bardes ? intervint Finghin en s'approchant du nain.

Celui-ci leva la tête, hésita un instant, puis répondit :
— Ces satanés druides !

— Exactement, répliqua Finghin. Et vous savez aussi que moi, justement, je suis un satané druide ?

— Et alors ?

— Alors je pourrais peut-être faire de vous un barde, non ?

Mjolln fronça les sourcils.

— Et vous allez me dire que pour ça je dois entrer là-dedans avec vous, c'est ça ?

— Je risque d'avoir du mal à vous enseigner les secrets des bardes si vous ne me suivez pas.

Mjolln soupira.

— Et n'oubliez pas non plus, reprit Finghin qui sentait qu'il était en train de gagner la partie, que la valeur d'un barde se mesure au nombre d'histoires qu'il peut racon-ter. Or, des bardes qui peuvent raconter qu'ils sont pas-sés dans les cavernes des dragons, personnellement, je n'en connais pas un seul !

Le nain fit la moue. Son regard faisait des allers et retours entre Finghin et Aléa. Il savait qu'ils lui avaient tendu un piège. Mais cela commençait à lui plaire...

— C'est vrai que ça ferait une belle histoire, avoua-t-il en croisant les bras.

— De toute façon, intervint Aléa, ne nous emportons pas, nous ne savons même pas s'il est vraiment possible d'y aller, dans ces cavernes...

— Allons vérifier ça tout de suite, proposa Finghin.

Chapitre 4

DANS LE VENTRE DU DRAGON

— A-t-on des nouvelles de l'évêque ? demanda Feren Al'Roeg comme il s'en revenait d'une promenade à cheval à travers les terres ocre de l'automne.

Deux écuyers étaient venus à sa rencontre et tenaient déjà l'étalon pour permettre au comte de descendre. Derrière eux, le prévôt Alembert accueillit son maître avec un large sourire.

— Apparemment, le baptême de Meriande le Bel a été un véritable succès ! affirma-t-il en tendant au comte une canne.

La rondeur du comte, avec l'âge, avait fini par lui jouer des tours et il marchait avec de plus en plus de peine. C'était cependant un homme imposant et charismatique. Sa calvitie et ses yeux noirs lui donnaient un air féroce, et sa voix forte et sévère lui permettait toujours d'avoir le dernier mot. Al'Roeg était l'un des dirigeants les plus intelligents que l'île ait connus, mais il était aussi l'un des plus désagréables.

— Fort bien, déclara-t-il en saisissant la canne que lui tendait le prévôt. Je suis sûr qu'Aeditus réussira à convertir la plupart des Brunois. Alembert, nous allons pouvoir nous occuper de Sarre l'esprit tranquille.

— Croyez-vous que nous pourrons convertir les Sar-

rois aussi facilement que les Brunois ? demanda le prévôt.

Le comte se mit en route pour traverser le petit parc
qui les séparait de l'aile nord du palais de Ria, où il avait
ses appartements.

— Ce n'est pas mon souci premier. Je compte y
envoyer la Flamme, mon bon prévôt. Ce n'est pas la
conversion des Sarrois qui m'intéresse, pour le moment,
et si elle prend plus de temps, ce n'est pas bien grave.
Ce qui m'intéresse, c'est leur terre et le pouvoir politique
que me conférerait le contrôle de trois des cinq territoires de l'île. Convertir les habitants de Terre-Brune était
un savant calcul, mais contrairement aux Brunois qui
sont braves et souvent rebelles, les Sarrois, eux, n'offriront aucune résistance et je pourrai annexer leur pays
avec une poignée de soldats seulement. Chez eux, la
religion sera imposée plus tard. Et nous n'aurons pas
besoin de prendre les précautions qui s'imposaient en
Terre-Brune.

— Si la reine nous laisse faire, intervint Alembert.

— Pour l'instant, elle est trop occupée à se prendre
pour un druide ! railla le comte en levant sa canne vers
son interlocuteur.

— Et Aléa ? Sait-on ce qu'elle est devenue ?

— Depuis qu'elle s'est échappée de la prison que je
vous paye pour administrer ? s'emporta Al'Roeg en se
tournant vers Alembert.

— Reconnaissez, monseigneur, que ce n'était pas
une prisonnière ordinaire... Toutes les jeunes filles de
son âge ne sont pas capables de faire des trous de la
taille d'un ours dans des murs en pierre par la seule
force de leur esprit...

— C'est bien pour cette raison que vous auriez dû lui
réserver une cellule bien mieux gardée. Mais soit, inutile
d'y revenir. J'avais moi-même sous-estimé cette petite
peste !

— Oui, et nous ne devrions pas faire la même erreur
une seconde fois. Elle est peut-être une menace plus
grande que la reine. Or, on ne sait plus où elle est. Ce

que je sais, c'est qu'elle n'était pas avec la petite armée qui se battait en son nom sur la colline de Sablon...

— Non. Mais nous l'avons écrasée, son armée, comme celle des Tuathanns, et les druides avec eux. Alors où qu'elle soit, aujourd'hui, elle n'a sûrement plus la force de nous résister. De toute façon, je la trouverai bien assez tôt, et ce n'est pas ce qui me préoccupe pour le moment. Est-ce que vous avez dit à Dancray de m'attendre dans mon bureau ?

— Bien sûr, monsieur le comte, il est déjà là-haut.

Feren Al'Roeg hocha la tête et accéléra le pas. Ils traversèrent le parc tout entier et furent enfin devant le grand palais de Ria. Quand il arriva dans l'entrée du bâtiment, le comte enleva sa longue veste, la donna à l'un des serviteurs et monta péniblement les grands escaliers de bois qui menaient au premier étage. En haut, un autre domestique lui ouvrit la porte.

— Bonjour, général, dit Al'Roeg en entrant, comme Dancray était déjà installé.

— Bonjour, monsieur le comte, répondit celui-ci en se levant.

Le général Dancray était devenu le plus proche allié du comte depuis la bataille de Sablon. Sa victoire brillante avait été un moment décisif de l'histoire d'Harcourt, et le comte le tenait en sa plus haute estime depuis lors.

— Comment vont nos troupes, mon cher ?

— Plutôt bien, les recruteurs sont débordés. Nous recevons des demandes par centaines. Les jeunes gens du pays sont pressés d'en découdre avec Galatie.

— Ce n'est pas Galatie que nous attaquerons en premier, rétorqua Al'Roeg en se laissant tomber lourdement sur une large chaise à bras, juste en face du général.

— Bien sûr, monsieur le comte, mais il n'est peut-être pas mauvais que ce soit la motivation première de nos soldats. C'est une fin qui les excite. Reprendre le contrôle du royaume à la place des arrogants Galatiens...

— Nous allons d'abord nous concentrer sur Sarre, général.

— Oui, vous m'avez déjà fait part de votre plan, répondit Dancray en hochant la tête.

— Il ne vous plaît guère ? s'étonna le comte en croyant déceler quelque scepticisme dans la voix du général.

— Ce n'est pas cela, monsieur le comte, je crois que votre plan est bon, mais il y a deux choses qui m'inquiètent, monseigneur. Et ce n'est ni Galatie, ni Sarre.

— Bisagne ?

— Non, même s'il ne faut pas négliger la puissance cachée de leur armée, je sais comme vous qu'ils essaieront de rester neutres aussi longtemps que possible, et que dans le pire des cas, ce sont des gens que l'argent peut acheter. L'histoire l'a déjà prouvé.

— Alors quoi ? La gamine ?

Le général acquiesça lentement.

— Oui. Elle, et Maolmòrdha, monseigneur.

— Vous pensez vraiment qu'après la bataille de Sablon cette Aléa est encore en mesure de nous causer des problèmes ? demanda le comte.

— Ce jour-là, elle n'était même pas présente, mais ses compagnons avaient levé pour elle une armée de plusieurs milliers d'hommes en moins de temps qu'il n'en faut pour le dire. Et je crois que je n'ai jamais vu pareille dévotion dans les coups d'épée qu'ils portaient, pas même dans ceux de nos loyaux Soldats de la Flamme.

Le comte grimaça.

— Cela ne nous a pas empêchés de les écraser.

— Demain, après-demain, elle aura monté si elle le veut une armée dix fois plus nombreuse et aussi dévouée. J'entends dans les campagnes et dans les villes les légendes qu'on raconte sur elle. Même en Harcourt on parle davantage de cette gamine que de n'importe quelle autre figure de l'île. Et vous savez la force des légendes, monsieur le comte. Vous savez combien le peuple peut se déchaîner derrière des personnages comme celui-là...

— Alors quoi ? Nous devrions concentrer nos efforts sur cette gamine ? s'emporta le comte.

— Pour l'instant, on ignore où elle se trouve, mais nous devrions peut-être éviter de trop nous disperser pour être prêts à tout.

Al'Roeg poussa un long soupir.

— Je vois. Et Maolmòrdha ? Vous semblez penser qu'il est une menace tout aussi importante ?

— Peut-être pire, même. Malheureusement, on ne sait rien de lui ou presque, si ce n'est qu'il fait peur aux druides eux-mêmes et qu'il compte des espions et des serviteurs cachés dans tout le pays.

— Y compris chez nous ?

Le général Dancray haussa les épaules.

— Sûrement. Pour l'instant, je pense qu'il attend que nos luttes intestines nous affaiblissent les uns et les autres, et ensuite il sortira de l'ombre.

— Vous me parlez des dangers, Dancray, mais vous ne parlez pas des solutions ! Je suis prêt à vous écouter et à vous croire, mais vous êtes général et stratège, alors dites-moi au moins ce que, selon vous, nous devrions faire !

— Nous devons à tout prix éviter le combat contre Galatie, répliqua aussitôt le général. La reine est parvenue à inverser le rapport de forces entre Providence et les druides, en déplaçant Saî-Mina au sein même du palais...

— Tous les Grands-Druides n'ont pas suivi, intervint Al'Roeg.

— Non, mais d'autres Grands-Druides ont été nommés à leur place, si bien que le nouveau Conseil – qu'il soit légitime ou non – compte treize membres, soit bien plus que le précédent. Et surtout, pour la première fois depuis longtemps, le Conseil a un chef fort qui lui assure une cohésion et donc une efficacité nouvelle. La stratégie de la reine est redoutable.

— Vous pensez que nous ne pourrions pas la battre, c'est cela ? s'inquiéta Al'Roeg.

— Je n'en sais rien, admit le général, mais nous nous épuiserions à le faire et Maolmòrdha ou Aléa auraient ensuite le champ libre.

Le comte poussa un long soupir. Il se frotta le front et s'enfonça dans son grand fauteuil.

— Vous avez sans doute raison, reprit-il. Mais cela signifie-t-il que je doive aussi renoncer au comté de Sarre pour économiser nos forces ? Cela dérangerait complètement mes plans...

— Non, non, monsieur le comte. Nous ne devons pas renoncer au comté de Sarre. En espérant que nous y soyons les premiers, cela serait peut-être en effet un atout majeur que de nous en rendre maîtres. Simplement, il faut, si vous le permettez, que nous n'envoyions là-bas que le strict nécessaire. Pas un homme de plus. Il faut en effet conserver nos forces ici pour nous défendre. Et que cela se sache.

— Je vois. Mais dans ce cas, je veux que ce soit vous qui meniez les Soldats de la Flamme à Tarnea, Dancray. Car si nous envoyons peu d'hommes, qu'au moins ils aient à leur tête un guide habile et aguerri.

— C'est trop d'honneur que vous me faites. Je suis à votre service, monsieur le comte.

— Mon cher, vous allez à nouveau avoir l'occasion de faire la preuve de votre génie stratégique ! Je suis sûr que vous renverserez sans peine ce pantin de Ruad. Le lâche se terre dans son château de Tarnea depuis trop longtemps. Il ne mérite pas de gouverner Sarre...

— Je partirai dès demain, monseigneur. Et la semaine prochaine, le comté de Sarre sera vôtre, ou bien je ne serai plus, moi.

*
* *

Les Soldats de la Terre, auxquels s'ajoutaient maintenant les derniers Tuathanns, formaient le long de la montagne une grande colonne armée de plus de cinq cents hommes qui serpentait entre les blocs rocheux. Le soleil timide parvenait à peine à percer le brouillard, collier gris au bas de la chaîne de Gor-Draka. Le groupe s'était résolu à abandonner les rares chevaux, car les animaux n'auraient sans doute pas pu faire la traversée, et de toute façon, comme il n'y en avait pas pour tout le monde, loin de là, ils ne faisaient pas réellement gagner de temps. Il fallut cependant répartir leurs charges matérielles sur quelques porteurs dévoués.

Ce matin-là, Aléa était partie devant avec Finghin, Erwan, Tagor, Kaitlin et Mjolln. Les six compagnons avaient passé une bonne partie de la nuit à se demander s'il fallait ou non emprunter le chemin des cavernes. Aléa et le jeune druide – qui les avaient un peu sondées – leur avaient certifié qu'il y avait bien un passage, et même plusieurs, d'un côté à l'autre de la montagne. Mais eux-mêmes ne s'étaient toujours pas montrés très enthousiastes à l'idée de s'aventurer dans ces cavernes de sinistre mémoire. Pourtant, l'urgence, encore, avait fini par l'emporter. Il fallait rejoindre Tarnea au plus vite, et même Mjolln s'était résolu à tenter l'aventure.

— Voilà donc l'entrée de ces cavernes, annonça Aléa en désignant l'ouverture dans la roche.

— Ahum, cela ne me rappelle pas de bons souvenirs, grogna Mjolln.

Aléa lui fit un sourire. Elle aussi pensait au souterrain qui les avait menés dans la forêt de Borcelia. Et de tous les compagnons qui étaient descendus dans ce terrible couloir avec elle, seul Mjolln était encore là pour se souvenir avec elle. Phelim, Galiad et Faith n'étaient plus... Comme ils lui manquaient aujourd'hui ! Comme leur présence eût été réconfortante !

Elle poussa un long soupir et se mit en route.

— Allons-y, ordonna-t-elle. Erwan et Tagor, assurez-vous que les hommes restent le plus groupés possible, nous sommes nombreux, ce qui augmente les chances de nous perdre.

Les deux jeunes gens acquiescèrent. Ils avaient déjà expliqué le matin même à leurs soldats la méthode à suivre dans ce genre de situation et quelle formation adopter, mais il n'était pas vain en effet de le leur rappeler, maintenant qu'ils allaient entrer dans les cavernes. Il ne serait sûrement pas aisé dans un lieu aussi exigu de gérer plus de cinq cents personnes, dont la plupart étaient certes des soldats, mais certains aussi des femmes et des enfants du peuple tuathann, si habitués fussent-ils à la vie souterraine.

Quand tout le monde fut en place, Aléa et Finghin passèrent devant. Dès le départ, ils prirent un peu d'avance, l'un à côté de l'autre, afin de sécuriser la route. À peine étaient-ils entrés dans l'ouverture de la roche que déjà ils projetaient devant eux des flots continus de Saîman. Aléa parvenait à voir l'énergie aux teintes rouges qui se dégageait des mains du druide. La sienne, de couleur bleue, partait beaucoup plus loin dans les méandres de la caverne. À elles deux, les énergies parvenaient presque à dessiner les contours du passage, frôlant les murs, glissant le long des parois.

Près d'un soldat sur cinq portait une torche et cela fit bientôt un gigantesque halo lumineux dans la caverne. Les uns après les autres, ils découvrirent le décor étonnant qu'ils allaient traverser.

Les murs immenses étaient parfaitement lisses, découpés en multiples facettes comme la surface d'un diamant démesuré. La caverne était haute comme six ou sept hommes au moins, ce qui laissait deviner la taille incroyable des créatures qui avaient vécu là. Pour l'instant, il n'y avait rien d'autre autour d'eux que ce couloir cylindrique creusé dans la roche noire, mais sa taille était si impressionnante que tout le monde resta muet pendant un long moment. Les quelques femmes et enfants étaient vers l'avant du convoi, juste après les premières rangées de soldats. Les guerriers du Sid, habitués à l'obscurité, plus adroits et plus expérimentés, s'étaient répartis tout autour, comme une escorte gigantesque.

Erwan était passé derrière avec les derniers Tuathanns, et Tagor à l'avant suivait directement Finghin et Aléa. Quant à Kaitlin et Mjolln, ils étaient avec les femmes et les enfants tuathanns.

L'actrice semblait d'ailleurs plus émerveillée par ceux-ci que par le spectacle qu'offrait la caverne. Depuis l'arrivée des gens du Sid, elle n'avait pas encore vraiment eu le temps de les découvrir, et marcher parmi eux était l'occasion idéale. Tout comme les hommes, avec leurs crêtes et leurs peintures guerrières, femmes et enfants portaient dans leurs vêtements et leurs coiffures de nombreux signes tribaux. Leurs habits étaient faits d'une fourrure fine qui ne pouvait venir d'aucun animal de Gaelia. Sans doute les avaient-ils ramenés du Sid. Le cuir même, sur leurs chausses, leurs ceintures et dans leurs cheveux, n'avait pas non plus la couleur de celui qu'on tannait sur l'île. Leurs tenues n'étaient pas très colorées, car à part un peu de rouge et de bleu dans les longues boucles d'oreilles des femmes, on ne voyait que le brun et le fauve de la fourrure et du cuir. Leurs cheveux, attachés dans le dos, étaient décorés de plusieurs tresses fines. Mais c'était l'abondance de leurs bracelets, colliers et pendentifs, y compris sur les enfants, qui étonna surtout Kaitlin. Elle était notamment captivée par une petite fille qui ne devait pas avoir plus de trois ou quatre ans et qui, réfugiée dans les bras de sa mère, jouait avec les lanières de cuir nouées autour de ses poignets. Les enfants tuathanns étaient sans conteste les plus sages que Kaitlin ait vus de toute sa vie. En vérité, ils étaient tout le contraire des enfants cheminants, lesquels passaient leurs journées à gambader, chanter, crier, rire et désobéir. Tout comme cette petite fille silencieuse au regard si mûr, les enfants du Sid faisaient preuve d'un calme étonnant. Et dans ces circonstances, c'était sans doute un atout majeur. Mais aussi le signe d'une grande tristesse. Ce peuple était habité par une nostalgie qu'aucun habitant de Gaelia ne pourrait jamais saisir.

Soudain, Kaitlin réalisa que le convoi s'était arrêté.

*
* *

Comment dans une même journée le baron Alvaro Bisagni pouvait-il se vautrer dans la décadence d'une orgie débridée et tout à la fois donner à quelque adolescent des leçons sur l'art de la decenza, voilà bien l'un des mystères de Bisagne qu'aucun étranger n'aurait su expliquer.

Quand le messager vint réveiller le baron dans le grand salon du château de Farfanaro, sur les hauteurs de cette ville de bois, tout prêtait à penser qu'il avait passé une nuit dont les détails échappaient largement à la decenza enseignée dans les nobles écoles.

— Brrr, grogna le baron, si je continue de m'abandonner ainsi dans la liqueur de mes amis vignerons, un jour je me réveillerai avec la tête coupée sans savoir pourquoi.

— Si un jour on vous coupe la tête, cher baron, vous n'aurez plus à vous réveiller...

L'énorme Alvaro éclata de rire, et se laissa retomber sur le grand canapé où il avait plus ou moins fini sa nuit. Il y avait encore de nombreux hommes et de nombreuses femmes endormis tout autour de lui, les uns entièrement nus, les autres débraillés. Sur les meubles et le sol étaient éparpillées des carafes de vin à moitié vides, certaines renversées. Les tapis étaient jonchés de nourriture, de linges, de couvertures et de draps. Les nombreux domestiques du château n'avaient pas encore osé envahir les lieux...

— Que veux-tu, petit homme ? demanda-t-il au messager en fermant les yeux dans un geste de grande lassitude.

— Vous dire que la reine vient de s'autoproclamer Archidruide, qu'elle se fait maintenant appeler Aislinn la druidesse et que le Conseil a été rétabli dans la Tour de Lorilien au palais de Providence.

Le baron releva lentement la tête et haussa un sourcil.

— La druidesse ? Ha ha, ricana-t-il. Alors ça y est ! Sait-on maintenant quels sont précisément les membres du Conseil qui ont osé quitter Saî-Mina ?

— Henon, Kalan, Otelian et Tiernan. Plusieurs druides et leurs Magistels les ont suivis. Une trentaine.

Le baron éclata de rire à nouveau. Le messager resta silencieux. Sans doute ne saisissait-il pas la drôlerie de la situation. Alvaro se leva péniblement.

— Bien, marmonna-t-il en bâillant. Il va donc falloir que je parle de ça avec cette bande de plaisantins qui me servent de conseillers. Réunissez toute la bande dans mon office, demanda-t-il. Le capitaine Giametta, le bailli Stefano, cette grande folle de Pepo, et la pire de tous : ma fille.

— Ils vous y attendent déjà, baron.

— Ah.

Il renifla sans la moindre élégance, puis, grimaçant, partit vers la grande porte du salon. Il traversa le long couloir qui le séparait de son office, puis entra brusquement dans la pièce. Tous ses conseillers étaient là en effet, et tous avaient sursauté. Il lâcha un petit rire nerveux, gratta la barbe naissante sur ses joues, et partit s'asseoir dans son fauteuil habituel.

Comme toutes les pièces du château, et comme la plupart des maisons de Farfanaro, l'office était somptueusement décoré – ou exagérément selon certains... Il n'y avait pas un seul morceau de pierre visible dans la pièce, car tout était recouvert de bois. Hautes fresques et colonnades le long des murs, au plafond une voûte à clef pendante où chaque croisée d'ogives était déjà une œuvre d'art, et le parquet en marqueterie faisait comme un tableau immense... Les meubles enfin, incrustés de marbre blanc et noir, étaient tous des chefs-d'œuvre de sculptures et de frises.

— Mon père, vous êtes la honte de Bisagne, commença la jeune Carla en découvrant la mine du baron.

— Merci, ma fille, répondit Alvaro en souriant. Je fais de mon mieux.

Carla leva les yeux au plafond en secouant la tête.

— Vous avez appris la nouvelle ? demanda Giametta, le capitaine de la garde.

— Je ne serais pas là... railla le baron Bisagni.

— Allez-vous finir, oui ou non, par prendre position dans tout ce qui se passe sur notre île ? s'enquit la jeune fille d'un ton exaspéré.

— Je vous rappelle que j'ai envoyé un ambassadeur à la cérémonie où cette paysanne pucelle a si brillamment repoussé au zénith les frontières du grotesque, répliqua Bisagni. Je ne suis pas si naïf que vous voulez le croire, mon enfant.

En vérité, le baron était sans doute le moins naïf de

tous. Son amour du luxe et son goût immodéré pour la chair ne l'empêchaient pas d'être un fin politicien. Mais il était las. Fatigué par la bêtise de ses contemporains, par l'orgueil de ses proches et par les luttes absurdes que menaient les autres dirigeants du royaume.

— Pour l'instant, il n'y a rien à faire, reprit-il. Je pense qu'ils vont tous se jeter sur Sarre en espérant que nous resterons neutres, et pour tout vous dire, nous aurions bien tort de nous en priver !

— Si Harcourt ou Galatie s'empare vraiment de Sarre, notre poids politique n'en sera que davantage réduit, intervint le bailli, qui était le plus ancien conseiller du baron.

— Le conflit entre Harcourt et Galatie passera loin avant le nôtre, et quand ces deux imbéciles se seront affrontés, ils tiendront à peine debout. Alors, peut-être, nous pourrons aller jouer les charognards, comme nous avons toujours su si bien le faire, n'est-ce pas ?

— Les Bisagnais étaient jadis les meilleurs soldats de l'île et même de Brittia ! s'exclama le capitaine Giametta.

— Comme cela devait être ennuyeux ! se moqua le baron.

— En somme, soupira la fille Bisagni, vous ne voulez rien faire ?

— Ah si ! se défendit le baron, tout sourires. Nous pourrions organiser une énorme fête pour célébrer la bêtise de nos voisins.

Le capitaine de la garde se leva brusquement, dépité, et sortit de l'office sans ajouter un mot. Alvaro éclata de rire.

— Mon père, ce pays sera en miettes le jour où vous vous réveillerez de l'interminable ébriété où vous baignez depuis trop longtemps.

Le baron cessa aussitôt de rire. Il se leva à son tour, se pencha vers sa fille, et cette fois-ci, son regard était terrifiant.

— Écoute, petit morpion, depuis que je dirige cette baronnie, pas un seul homme n'a osé venir m'affronter. Et tu sais pourquoi ? Parce que la véritable force militaire

réside dans la menace et qu'il n'y a rien de plus menaçant qu'un pays neutre. J'épargnais déjà à cette baronnie
de nombreuses guerres quand tu n'étais encore qu'une
fabrique à linges sales dans les bras de ta défunte mère.
Alors avant de vouloir donner des leçons à l'homme qui
a commis l'unique faute de te mettre au monde, coupe
tes cheveux, fais-toi passer pour un homme et va à Mont-
Tombe te faire enseigner l'Histoire. Tu me parles de
honte, mais la seule honte que doive assumer la famille
Bisagni, elle est devant moi. C'est ton ignorance misérable.

Puis il se tourna vers les deux autres.

— Quant à vous, veules benêts, puisque vraiment
vous l'envie de voyager vous démange, portez à la reine
ce message : « Le baron vous félicite pour votre clairvoyance et applaudit votre choix de vouloir *exercer vos
pouvoirs exclusivement pour ce qui vous semblera être
le vrai bien*. »

Il dévisagea ses deux auditeurs un instant, puis son
rictus furieux se transforma à nouveau en sourire. Il fit
demi-tour et quitta la pièce en bâillant.

*
* *

Ils marchèrent ainsi de longues heures dans les profondeurs de la montagne. La descente semblait n'en
plus finir. Au fur et à mesure qu'ils s'enfonçaient au cœur
de la roche, la caverne paraissait s'élargir et l'obscurité
grandissait. Plusieurs torches s'étaient éteintes, et celles
qui restaient ne suffisaient plus à éclairer les parois du
gigantesque passage. Le manque de lumière et l'immensité de l'espace commençaient à devenir oppressants.
Les uns et les autres se faisaient de plus en plus silencieux, mais l'écho de chaque geste, de chaque chucho-
tement, lui, avait pris une ampleur déconcertante.

— Je n'arrive plus à sentir les parois sur les côtés,
murmura Finghin en se penchant vers Aléa.

— Moi non plus, avoua-t-elle en retour.

Derrière eux, le silence se fit. Les hommes qui les suivaient avaient probablement entendu leurs paroles, et cela ne devait pas les rassurer.

— Je devrais peut-être essayer d'éclairer la caverne pour que nous y voyions plus clair, suggéra Aléa. Je sens que l'angoisse de l'obscurité est en train de tous les gagner.

Finghin acquiesça. La jeune fille rassembla alors toute son énergie autour d'elle. Elle n'aurait pu vraiment expliquer ce qu'elle essayait de faire, et pourtant, son instinct la guidait. Elle allait transformer le Saîman en millions de petites particules lumineuses qu'elle enverrait autour d'elle. Quand elle sentit qu'elle avait atteint son niveau maximum de concentration, elle relâcha l'énergie en tendant les bras au-dessus d'elle.

Lentement, un rayon de lumière s'échappa de ses bras tendus. D'abord comme un couloir qui s'échappait de ses mains, puis le couloir se transforma en bulle et se mit à emplir l'espace alentour.

Les centaines d'hommes et femmes derrière elle poussèrent soudain des soupirs d'admiration et d'étonnement. Tous levèrent les yeux vers le spectacle incroyable qui se dessinait autour d'eux à mesure que grandissait le rayon de lumière.

Ils purent alors admirer l'immensité de la caverne. Sans doute étaient-ils arrivés au cœur même de la montagne. La grotte était démesurée, les parois inaccessibles, reculées à travers l'obscurité. Mais tout autour d'eux, les englobant comme une grande tente, ils découvrirent avec stupéfaction une structure gigantesque et étonnante. Comme de grands bras voûtés, fins, blancs, pointus, qui se refermaient au-dessus d'eux. Très vite, ils comprirent – non sans un certain malaise – qu'il s'agissait d'ossements. Ils étaient au milieu d'un immense squelette de dragon, enfoncé dans le sol ! Les grands arcs ivoirins semblaient les guider vers la suite du chemin.

— C'est incroyable ! s'extasia Finghin. Tu te rends compte, la taille que devait faire cette bête ?

— Oui. Difficile de s'imaginer comment Galiad a pu

un jour se battre seul contre une de ces créatures, répliqua Aléa.

— Elle n'était peut-être pas aussi grosse, supposa Finghin. C'était le dernier spécimen, et il n'avait certainement pas la taille de celui-ci.

— Dire qu'il n'en existe plus un seul !

— Oui. Il est des espèces qui sont ainsi appelées à disparaître...

Aléa tourna la tête vers son ami. Elle sourit. Cette dernière phrase était si lourde de sens. Finghin avait sûrement fait exprès. Elle acquiesça.

— Où est le crâne, à ton avis ? On l'a passé ou il est à l'autre bout ?

— Je pense plutôt, vu la courbure du squelette, qu'il est devant nous.

— Alors allons-y, proposa Aléa.

Tagor, derrière eux, ordonna aux soldats de se remettre en marche. Le grand convoi avança au milieu de ce couloir d'ossements, enjambant les grandes côtes qui quadrillaient le chemin et disparaissaient dans la terre.

Mjolln, qui était resté bouche bée pendant de longs instants, se mit à courir pour rattraper Finghin et Aléa à l'avant des troupes.

Il arriva essoufflé à côté de ses amis et prit le bras d'Aléa pour accaparer son attention.

— Dis-moi, lanceuse de cailloux, ahum...

— Oui ?

Le nain hésita. Il avait les yeux rivés à la voûte squelettique.

— Dis-moi, répéta-t-il, il n'y a pas une légende qui dit que les dragons gardent des trésors ?

La jeune fille sourit. Elle aurait pu deviner la question du nain.

— Une légende, oui, répondit Aléa. Mais la vérité est souvent très différente des légendes, n'est-ce pas ?

— Oui, mais tout de même, grimaça le nain.

— Nous verrons bien...

— Ah ça, oui, nous verrons bien, oui. Très bien. Ça brille, un trésor.

Le général Dancray tira légèrement sur les rênes pour faire passer son cheval au pas. Les soldats derrière lui l'imitèrent, les uns après les autres, faction par faction. Ils galopaient depuis le matin et les chevaux commençaient à montrer des signes de fatigue.

Dancray n'avait pris que trois mille hommes avec lui, uniquement des chevaliers, respectant son idée selon laquelle il fallait aller vite et ne pas trop éparpiller les troupes d'Harcourt. Mais à mesure qu'ils avançaient vers la capitale de Sarre, le général se demandait s'il n'avait tout de même pas été trop optimiste. Les Sarrois n'étaient certes pas une grande menace, mais renverser le pouvoir avec seulement trois mille hommes ne serait pas chose aisée.

— Mon général, je crois qu'une pause ne ferait en effet pas de mal ni aux chevaux ni aux hommes, suggéra le capitaine Danil, juste à côté de lui.

— Oui, oui. Arrêtons-nous là-bas, en retrait de la route.

Le capitaine acquiesça et fit passer l'ordre aux gradés. Puis il retourna auprès du général.

— À ce rythme-là, nous pouvons espérer arriver à Tarnea dans sept ou huit jours. Mais je ne suis pas sûr que les chevaux tiendront.

— Nous ferons une pause plus grande dans trois jours, dans une ville où l'on pourra s'occuper de nos chevaux. Mais en attendant, je veux soutenir un bon rythme. Il faudra même ce soir envoyer deux équipes d'éclaireurs en amont.

— Bien, mon général.

— Danil, reprit le vieil homme d'un air grave, pensez-vous que j'ai été trop présomptueux ?

Le capitaine parut surpris que son supérieur lui pose cette question. Dancray était réputé pour être le plus fin stratège d'Harcourt, en quoi l'avis d'un petit capitaine pouvait-il l'intéresser ?

— Pour prendre Tarnea, je pense que nous serons assez nombreux. Mais pour la tenir...

Le général acquiesça.

— Vous pensez donc comme moi.

Ils arrivèrent à l'endroit que Dancray avait indiqué et descendirent de cheval. Les cavaliers arrivaient les uns après les autres et se préparaient à installer un bivouac.

— Mais peut-être pourrions-nous reprendre l'armée de Sarre avec nous ? suggéra le capitaine Danil. On dit qu'ils sont lâches et mal entraînés, mais ils sont tout de même nombreux. Si nous pouvions hériter de l'armée de Sarre, au moins en partie, alors nous aurions assez d'hommes sur place pour tenir Tarnea.

— S'allier avec l'armée du pays qu'on envahit, c'est fort dangereux. Combien d'entre eux voudront saisir la moindre chance de se venger de nous ?

— N'est-ce pas un risque à prendre, mon général ? Tout réside dans notre capacité à nous attirer leur respect.

— Alors que nous viendrons de les attaquer ? Cela risque de ne pas être facile ! remarqua Dancray en attachant son cheval à un arbre.

— Peut-être justement devrons-nous trouver une stratégie d'attaque qui forcera leur respect et minimisera les pertes d'un côté comme de l'autre.

— Le comte ne m'a pas donné de latitude politique suffisante pour que je puisse négocier quoi que ce soit.

— Cela ne nous empêche pas d'essayer de leur prouver nos bonnes intentions. Nous pourrions aussi leur donner envie tout simplement d'être du côté des gagnants. Même si nous sommes souvent haïs, les Soldats de la Flamme bénéficient d'une excellente réputation militaire. En les aidant un peu, les Sarrois seront peut-être contents de rejoindre ce corps prestigieux.

— Peut-être, répondit le général. Mais je ne suis pas aussi optimiste que vous. En revanche, j'ai pensé à une autre stratégie.

— Laquelle ? s'enquit Danil alors que les soldats commençaient déjà à manger autour d'eux.

— Les druides ont quitté Saî-Mina pour rejoindre la reine à Providence.

— Pas tous...

— Non, mais suffisamment pour que la reine puisse décréter que Providence était le nouveau siège du Conseil.

— Certes.

— Or, si les druides ont quitté Saî-Mina, qui est proche de Sarre, et sont partis vers le sud, cela pourrait être ressenti comme une trahison par les gens de Sarre. L'ancien Conseil était beaucoup plus proche de leur région. Les Sarrois se rendaient souvent à Saî-Mina pour demander aux druides de résoudre leurs conflits, par exemple. À présent qu'ils sont à Providence et qu'ils ont rejoint la reine, les Sarrois vont peut-être se sentir abandonnés. D'autant plus qu'ils n'ont pas pour la reine le même respect qu'ils avaient pour les druides.

— Sans doute, mon général. Vous pensez donc que nous pourrions les rassurer ? Leur dire qu'après le départ et la trahison des druides, nous sommes leurs nouveaux défenseurs...

— Quelque chose comme ça. Cela mérite en tout cas d'y réfléchir, n'est-ce pas, capitaine ?

— Absolument. Mais, si vous le voulez bien, commençons par manger un morceau...

Le général acquiesça. Il leur restait encore quelques jours pour affiner leur stratégie. Ils partirent rejoindre leurs hommes, assis sur des troncs d'arbre ou à même le sol, pour manger avec eux et se reposer un peu avant de reprendre la route.

*
* *

Épuisée, Aléa relâcha un peu l'énergie du Saîman. Aussitôt, la lumière diminua autour d'eux. La grotte s'emplit à nouveau d'une obscurité inquiétante. Il n'y avait presque plus une seule torche allumée. Les hommes ralentirent le pas, marchant à tâtons pour ne pas tomber.

Les parois de la caverne s'étaient rapprochées. Le couloir devenait plus étroit. Le convoi était sorti de la grande cage d'ossements et ils marchaient à présent à côté de ce qui devait être le haut de la colonne vertébrale du dragon. Mais toujours pas de crâne.

La température avait chuté. L'air était de plus en plus humide. Une odeur acide emplissait l'atmosphère.

Soudain, un cri perçant déchira l'obscurité de la grotte. Puis ce furent des dizaines de cris et des claquements graves et secs qui résonnèrent entre les parois. La panique s'empara du groupe tout entier.

Aléa leva les yeux. En même temps que les autres, elle découvrit dans la pénombre la nuée de créatures qui semblait tomber du plafond de la caverne, comme une volée d'oiseaux géants. Des chauves-souris démesurées, noirâtres, la gueule longue, les oreilles pointues, des griffes crochues au bout des ailes.

L'une des créatures piqua soudain sur Aléa. La jeune fille poussa un cri d'effroi, se jeta au sol et l'évita de peu. Le souffle des deux grandes ailes battantes avait soulevé ses cheveux. Aléa se mit à genoux et essaya de se ressaisir. Tout le monde criait, et courait en tous sens, incapable de se défendre contre cette attaque inattendue.

— Retournez sous le squelette ! cria Aléa en se levant brusquement.

Elle se mit à courir, poussant les autres devant elle pour les aider à avancer, alors qu'elle entendait au-dessus de leurs têtes des battements d'ailes qui approchaient.

Les Tuathanns, armés de leurs piques, se défendaient tant bien que mal contre ces ennemis invisibles qui disparaissaient dans l'obscurité et réapparaissaient soudain sans prévenir, griffes en avant. Quelques chauves-souris tombaient par moments, transpercées par les coups des guerriers agiles, mais elles étaient si nombreuses qu'on avait l'impression que cela n'y changeait rien. L'attaque redoublait même d'intensité.

— Retournez sous le squelette ! répétait Aléa en hurlant et en se protégeant la tête.

Une nouvelle chauve-souris plongea vers elle et

attrapa ses bras. Aléa se débattit, essayant de se débarrasser des griffes crochues qui déchiraient sa chair. Mais plus elle baissait les bras pour se détacher, plus les griffes s'enfonçaient sous sa peau. Dans un sursaut de hargne, elle donna un violent coup vers le haut, un peu au hasard. Elle toucha vraisemblablement la chauve-souris en pleine tête car celle-ci lâcha prise en piaillant.

Je dois faire quelque chose.

Aléa se laissa tomber par terre. Ses bras étaient couverts de sang et sa peau déchirée. La douleur consumait sa chair. Les lèvres pincées, elle se recroquevilla. Elle plongea les mains dans la terre. Comme elle l'avait fait si souvent. Ses doigts se crispèrent sur la surface humide du sol. Puis elle eut l'impression de ne plus être vraiment consciente, de ne plus être vraiment là.

Je dois faire quelque chose.

Les cris des hommes et ceux des bêtes se mélangeaient dans sa tête. Tout semblait se confondre et s'éloigner. Elle ramena le Saîman à l'intérieur de son corps. Concentra l'énergie au plus profond d'elle. Lentement, ses mains s'enfonçaient encore plus loin dans le sol.

Je suis la Fille de la Terre. Nous ne sommes qu'une. Elle et moi. Je dois trouver la force.

Le Saîman avait atteint sa puissance maximum et commençait à lui brûler les veines.

Je suis le passé.

L'énergie remonta à l'intérieur de son corps, traversant ses organes comme une vague embrasée. Les yeux fermés, elle essayait de contenir encore ce pouvoir prêt à exploser.

Je suis le dragon.

Le Saîman se leva dans sa gorge. Aléa se mit debout. D'un seul bond. Et soudain, elle ouvrit la bouche et tendit la tête vers les chauves-souris. Le Saîman se transforma en incendie. De gigantesques langues de feu sortirent de sa gorge. Aléa hurlait, et les flammes jaillissaient comme des cris embrasés. Comme un dragon, elle envoyait toute son énergie devant elle pour brûler les créatures qui se mirent enfin à reculer. Leurs grandes ailes prenaient feu, puis leurs corps. Certaines s'enfuyaient en hurlant, d'autres s'écroulaient au sol où elles finissaient de se consumer en tremblant. Ce fut comme un feu d'artifice terrifiant. Par vagues successives, Aléa continuait de cracher de hautes flammes. Les parois de la caverne s'illuminaient à chaque nouvel assaut. Les corps des créatures se déchiraient dans des gerbes incandescentes.

Quand elle ne put plus réunir une seule goutte d'énergie, Aléa s'écroula sur le sol et perdit connaissance.

Mais les créatures étaient toutes parties depuis longtemps. Les cadavres de chauves-souris s'amoncelaient le long du grand couloir. Et parmi eux, ici et là, on voyait apparaître les corps sans vie de quelques Tuathanns, qui avaient lutté jusqu'au bout.

*
* *

Âgeric, le jeune fermier, attendait depuis plusieurs heures, allongé dans les hautes herbes à côté du chasseur de loups. De temps en temps, ils échangeaient quelques paroles, tout bas. Puis ils se taisaient quand l'un des deux entendait le moindre bruit alentour. Mais la plupart du temps, ce n'était qu'un lièvre ou un oiseau.

À l'orée d'un bois où l'Arpenteur avait repéré la veille une meute, ils avaient amené un jeune mouton, l'avaient égorgé et laissé là, dans l'espoir que l'odeur et le sang attireraient les loups. Ils s'étaient ensuite installés en retrait, aménageant un peu leur affût en faisant une petite butte de terre derrière laquelle ils se cachaient.

Mais pour l'instant, aucun loup n'était venu. Vigilants, les deux hommes ne pouvaient rien faire d'autre qu'attendre et espérer. Âgeric admirait la patience du chasseur. Comme le temps paraissait long, si loin des travaux de la ferme ! Mais comme c'était excitant, aussi ! Âgeric n'avait jamais regardé la campagne avec cet œil-là. Il ne l'avait jamais écoutée comme il l'écoutait maintenant. C'était comme s'il la découvrait pour la première fois, lui qui y vivait pourtant tous les jours.

— C'est amusant tous ces gens qui disent avoir vu un loup ou même avoir été attaqués, et quand on essaie d'en attraper un, on peut rester des jours, voire des semaines, sans jamais en voir un seul...

— Je dois vous avouer, répondit le jeune fermier en chuchotant, que je n'en ai jamais vu moi-même. À part celui que vous avez amené hier dans l'auberge.

— Tu n'en as donc jamais vu de vivant...

— Non.

— Tu vas voir, c'est l'animal le plus difficile à chasser. Les véneries organisées par les louvetiers durent souvent plusieurs jours tant le loup est méfiant. Et il court vite, l'animal. C'est pour ça que je préfère ma façon à moi de chasser. Mais il ne faut pas le rater. Il faut l'avoir dès le premier coup.

— Une seule flèche suffit ? s'étonna le fermier.

— Regarde ces flèches, dit l'Arpenteur en montrant son carquois au jeune fermier.

— Elles sont spéciales ?

— Oui. Pour le loup, j'utilise toujours ce fer aigu.

— Pourquoi ?

— Parce qu'il pénètre dans la chair malgré l'épaisseur de la fourrure. Alors que pour un lièvre, j'utilise plutôt des traits qui se terminent par une masse en plomb, pour l'assommer...

— Je vois. Et ces flèches-là suffisent à tuer le loup ?

— La plupart du temps, oui. Sinon, j'ai une deuxième chance, regarde, dit-il en montrant la pointe d'une de ses flèches.

Le fer avait été trempé dans un liquide poisseux.

— Du poison ? demanda Âgeric.

L'Arpenteur acquiesça en souriant. Il avait installé son arc devant lui, à l'horizontale, prêt à tirer. Une flèche était coincée contre la corde.

Âgeric, lui, n'avait pas pris d'arme. Pour l'instant, il voulait simplement regarder la technique du chasseur et voir si lui-même en serait capable.

Soudain, il y eut un mouvement dans la forêt, au-delà de la première ligne d'arbres. L'Arpenteur s'aplatit contre le sol. Il fit signe au fermier de ne pas faire de bruit, puis, lentement, il attrapa sa flèche et banda son arc.

Quelques feuilles se mirent à bouger. Puis, enfin, Âgeric aperçut le loup. Sa fourrure brune se fondait si parfaitement dans les teintes automnales des petits bois qu'il ne l'avait pas vu tout de suite, mais à présent, il admirait la silhouette extraordinaire de l'animal.

La queue basse, les oreilles dressées, le museau au ras du sol, il avançait prudemment vers le mouton. De ses magnifiques yeux roux il cherchait un autre prédateur, le propriétaire de cette dépouille abandonnée. Mais il semblait n'y avoir personne. Il s'approcha encore un peu. Hésitant. Craintif.

C'était un animal superbe aux membres longs et aux larges pattes. Sa crinière épaisse semblait douce et soyeuse. De taille adulte, il paraissait fier et fort, et il y avait de grandes chances que ce fût un dominant, à moins que ce ne fût un loup solitaire, ce qui eût expliqué sa présence seul à l'orée du bois.

Âgeric jeta un coup d'œil vers le chasseur. Il ne bougeait pas. Il devait avoir une force surprenante dans les doigts et les bras car il tenait son arc bandé depuis un bon moment déjà et n'avait pas bougé d'un cheveu. De la pointe de la flèche, sans faire de bruit, il suivait l'animal, le visant avec un calme imperturbable.

Le loup, prenant confiance, avança vers le mouton. Quand il fut au-dessus, il jeta un dernier regard alentour. Rien ne bougeait. Il renifla l'animal, donna un coup de dents, puis fit un pas en arrière et montra les crocs. Toujours rien. Il s'approcha à nouveau et commença son travail. En poussant des petits grognements, il s'acharnait sur la peau du mouton pour l'arracher. Le tissu se déchira petit à petit, et le prédateur put plonger son museau à l'intérieur pour entamer son déjeuner.

Le loup était à présent complètement accaparé par son mouton et ne se méfiait plus du monde autour de lui. Mais l'Arpenteur attendit encore. Il aurait pu tirer sa flèche dès maintenant, il aurait sans doute atteint le loup sans problème, mais il préférait que l'animal se gave, qu'il ait l'estomac plein, trop plein pour vouloir courir.

Âgeric retenait sa respiration. Les bruits de succion et de déchirement que faisait le loup en dévorant la pauvre bête le dégoûtaient quelque peu, et il admirait le calme de l'Arpenteur.

Enfin, le loup releva la tête. Son pelage était maculé de sang. Il avait complètement perdu sa nervosité. Il lança un regard vers l'ouest, se lécha longuement les babines, puis se mit à marcher pour aller se reposer un peu plus loin. Aussitôt, Âgeric entendit le claquement de la corde sur sa droite. Le sifflement de la flèche qui fendait l'air. Un seul instant.

Le loup eut tout juste le temps de pousser un petit cri et roula sur le côté, comme projeté par la force de la flèche. Elle l'avait atteint en plein flanc.

Âgeric releva la tête pour regarder le corps immobile du loup. La moitié de la flèche dépassait de ses côtes. Soudain, le loup se remit à bouger. Il se leva péniblement, fit quelques pas maladroits, tituba. Il poussait des gémissements plaintifs.

Et pourtant, il semblait à Âgeric que le loup était résigné. Il ne cherchait même pas d'où la mort était venue. Il n'essayait pas d'arracher la flèche. Il ne hurlait pas à la mort. Simplement, il faisait quelques pas. Et dans ces derniers pas il y avait une noblesse et une dignité que le jeune fermier ne pourrait jamais oublier.

Puis le loup s'écroula lourdement au milieu des herbes.

*
* *

— Aléa Cathfad, réveille-toi !

La jeune fille ouvrit lentement les yeux. Il faisait encore sombre mais elle découvrit le visage d'Erwan, qui tenait une des dernières torches. Le Magistel lui souriait. Il se pencha vers elle et déposa un baiser sur sa bouche.

— Allons ! intervint Mjolln debout derrière lui. Allons ! Sortons d'ici, ça, je n'y tiens plus ! Monsieur Erwan, aidez ma petite lanceuse de cailloux à se lever, et hop, ne perdons plus un instant, là, non, d'instant plus un seul !

Mjolln était à bout de nerfs. Il était certes inquiet pour son amie, mais il ne supportait plus l'obscurité ni l'étouffement.

— Ça va, petite sœur ? demanda Tagor en s'approchant à son tour.

— Ça ira, répondit-elle en se frottant le visage.

Sa tête lui faisait horriblement mal, mais elle essaya de se lever. L'obscurité ne lui facilitait pas la tâche. Erwan lui prit le bras et l'aida à ne pas perdre l'équilibre. Elle inspira profondément, essayant de reprendre ses esprits, mais ses jambes étaient encore faibles et les blessures sur ses bras la faisaient beaucoup souffrir.

— Allons-y, dit-elle cependant.

Elle aussi était pressée de sortir de cette caverne, et elle devinait que tous ceux qui la suivaient attendaient la même chose, qu'ils fussent Tuathanns ou Soldats de la Terre, adultes ou enfants. Ils se mirent donc en route, et Tagor donna l'ordre aux troupes de reprendre la marche.

La grotte, de moins en moins grande, résonnait au bruit de leurs pas.

— Combien d'hommes avons-nous perdus ? demanda Aléa à Erwan qui marchait avec elle.

— Trois seulement.

— C'est déjà beaucoup trop ! répliqua Aléa. Je n'aurais jamais dû nous faire passer par là !

— Nous en aurions perdu beaucoup plus si tu n'étais pas intervenue, affirma Erwan. Tu n'as rien à te reprocher, et tous ici te sont reconnaissants. Pour tout t'avouer, ils sont même très impressionnés. La plupart n'avaient jamais vu la magie des druides, et la tienne est encore plus étonnante !

— J'aimerais mieux les impressionner par ma sagesse que par ces horribles prouesses ! confia-t-elle en penchant la tête vers le Magistel.

— En ce qui me concerne, les deux me font beaucoup d'effet ! lança-t-il en souriant.

Aléa serra le bras d'Erwan qu'elle tenait contre elle. La présence du jeune homme lui donnait une force qu'elle n'avait pas jadis. Une force optimiste, qui l'obligeait à accepter son rôle, et à mieux assumer ce qu'elle était obligée d'infliger aux autres. Quand il était là, elle avait moins peur de ce qu'elle était devenue.

— Tu m'as appelée Aléa Cathfad, tout à l'heure ? murmura-t-elle.

— N'est-ce pas ton nom ? répondit Erwan.

— Si. Tu as raison. C'est mon nom. Tu es la première personne à y penser.

Soudain, Mjolln poussa un cri d'horreur. Pressé de sortir, il était parti en tête à côté de Finghin.

— Qu'est-ce qui se passe ? s'inquiéta Erwan en accélérant le pas.

Finghin et Mjolln s'étaient arrêtés de marcher. Debout l'un à côté de l'autre, ils regardaient le sol devant eux.

Aléa et Erwan arrivèrent à leur hauteur. Ils découvrirent alors ce qui avait fait crier le nain. Le crâne du dragon. Un immense crâne, long et plat, à moitié enfoncé dans le sol. De nombreuses protubérances s'alignaient depuis le haut du front jusqu'aux deux orbites.

— Mjolln, ce dragon est mort depuis très longtemps, je ne crois pas qu'il puisse nous faire beaucoup de mal... Allons, en route !

Mjolln fit quelques pas en avant, se baissa vers le crâne, hésita, puis il arracha une dent. Il l'amena près de la torche d'Erwan, poussa un sifflement d'admiration puis l'enfonça dans une poche.

Il fit volte-face et se remit en route. Les autres le suivirent en souriant.

Les cinq cents hommes passèrent en silence à côté du squelette, les uns à la suite des autres. Un jeune Tuathann fit remarquer qu'ils avaient finalement eu de la chance de ne devoir affronter que les immenses chauves-souris plutôt qu'une créature de la sorte.

Ils marchèrent ainsi encore longtemps, perdant la notion du temps, épuisés et affamés. La montagne semblait ne jamais vouloir finir.

Bientôt, il n'y eut plus qu'une seule torche à l'avant du convoi. Finghin essayait tant bien que mal de répéter ce qu'Aléa avait fait plus tôt, mais il ne parvenait pas à produire autant de lumière. On voyait péniblement. Tout juste pouvait-on deviner la silhouette des deux ou trois personnes devant soi. En tête du groupe, Finghin et Mjolln avançaient prudemment, les mains collées aux parois et les pieds tâtonnant.

Et soudain, alors que tous commençaient à perdre espoir, ils aperçurent au loin un rayon de lumière.

Chapitre 5

LA GRANDE VÉNERIE

Je vais chercher Kiaran. J'ai besoin de lui. Pour réflé-
chir. Je ne sais pas ce que les druides devront faire,
demain. Devrai-je les prendre avec moi ? Et quand j'aurai
fini, disparaîtront-ils comme la légende dit que disparaî-
tra le Saîman ?

Sans doute. Mais si tout cela doit disparaître, ces ins-
tants me manqueront. Ces rencontres dans le monde de
Djar...

Le voilà. Dans son costume de cheminant. Son sourire.
Son air rêveur. Qui le connaît aujourd'hui comme je le
connais ? Qui sait ce qu'il m'offre chaque fois que je le
retrouve ici ? Comment se souviendra-t-on de ce druide
quand il ne sera plus ? Il sera l'un de ces êtres silencieux
qui ont marqué l'histoire sans demander aucune gloire
en retour. Et les gens l'oublieront.

— Avez-vous vu ma louve, Kiaran, dans le monde de
Djar ?

— La louve blanche ? Non, je ne l'ai pas vue ici depuis
longtemps.

— Est-il possible qu'elle... qu'elle soit morte ?

— C'est possible. Mais il est possible aussi que ses
songes ne l'entraînent plus ici, tout simplement. Les êtres

qui ne contrôlent pas leur présence ici peuvent parfois rester des années entières sans faire aucune apparition.

— Elle me manque.

— C'est une louve, Aléa. Sa vie est meilleure loin des hommes.

— C'est juste. Et pourtant, elle me manque.

Kiaran me regarde. Il y a un peu de Phelim dans ses yeux. Je me souviens de ce regard.

— Où en est le Conseil ?

— Ernan a convaincu tous les frères que nous devions vous rejoindre, sauf un.

— Aengus ?

— Oui. Il nous a quittés à son tour. Sans préciser où il allait. Peut-être va-t-il rejoindre la reine.

— Sans doute.

La reine... Amine ! Comment nos vies ont-elles pu ainsi nous placer où nous sommes l'une et l'autre ? J'aimerais tellement comprendre. J'aimerais te voir, Amine. Voir ce qu'il reste des enfants que nous étions.

— Aléa, nous partons maintenant pour Tarnea. Ernan veut vous y rejoindre.

— Bien. Vous ne serez pas de trop. Vous garderez la ville avec les Soldats de la Terre et les Tuathanns.

— Pas vous, Aléa ?

— Non. Ma place est sur les routes, druide, vous le savez bien. Et je supporte mal d'être auprès de cette armée... de mon armée. Je sais qu'elle est nécessaire, je sais que j'ai besoin d'elle, mais j'ai aussi besoin d'être seule, juste avec quelques compagnons.

— Je comprends. Avez-vous réfléchi à la question que je vous ai posée la dernière fois ?

La question. Oui, bien sûr. Elle ne me quitte pas l'esprit une seule seconde.

— Quelle Gaelia je voulais construire ? Bien sûr, je ne pense qu'à ça, Kiaran, mais je ne crois pas que je puisse y répondre seule. Je sais de quelle Gaelia je rêve, mais je sais aussi que les rêves ne sont jamais la réalité et que je ne pourrai jamais y parvenir...

— Essayez au moins de vous en approcher.

— J'essaie, druide. Et j'essaierai toujours.

Ils étaient partis au petit matin, après une longue nuit d'un sommeil réparateur et réconfortant. La bonne humeur était revenue parmi les rangs depuis qu'ils étaient sortis des cavernes de Gor-Draka. Aléa et ses compagnons marchaient tous en tête du convoi, entourés d'une petite escorte où se mêlaient Tuathanns et Soldats de la Terre.

Ils avaient marché toute la journée quand ils arrivèrent enfin en vue du village de Chlullyn. La campagne se colorait du bleu de la fin du jour. Un doux vent d'automne venait caresser les herbes hautes, dessinant des vagues gracieuses sur l'horizon doré. Derrière eux, la chaîne de Gor-Draka s'éclairait d'un rose pâle, au sommet. Le ciel n'était pas encore noir mais on devinait déjà les premières étoiles.

— Aléa, veux-tu que nous campions ici ou que nous allions jusqu'au village ? demanda Erwan.

— Je ne pense pas que le village pourrait accueillir cinq cents hommes, répondit la jeune fille en souriant.

— Non, mais nous pourrions monter notre camp à proximité, suggéra le Magistel.

— Oui, je pense que c'est ce que nous avons de mieux à faire, admit Aléa. Cela nous permettra sans doute de recruter quelques hommes et de voir quelles sont les nouvelles du monde. Il y a peut-être un barde dans ce village.

— Bien. Je dirai aux soldats d'installer le camp près du village pendant que nous irons tous les six rencontrer les habitants. En te voyant de près, les villageois seront sans doute honorés.

Aléa acquiesça en soupirant. Le jeune Al'Daman lui fit un clin d'œil, puis il partit donner des ordres aux capitaines.

— Tu dis qu'il doit y avoir un barde dans ce village ? reprit Mjolln en s'approchant d'Aléa. Ahum, voilà qui ferait bien mon affaire, ça oui. Parce que, malgré ses belles promesses, notre ami druide ne m'a pas encore enseigné grand-chose! Promesse de druide! J'aurais dû, là, m'en douter.

— Je suis venu vous voir hier soir, petit homme, se défendit le druide derrière lui, je voulais m'entretenir un peu avec vous de ces choses-là, mais vous dormiez comme un nourrisson...

— Ça, que me vouliez-vous?

— Je voulais vous apprendre quelques triades bardiques, monsieur Abbac. Car pour devenir barde, il vous faut les connaître. Il ne suffit pas de savoir jouer de la cornemuse, ce que, soit dit en passant, vous faites déjà fort bien...

— Vrai, vous vouliez m'apprendre les triades? s'excita le nain. Eh bien, ça, il nous reste une petite trotte jusqu'au village, pourquoi ne pas m'en apprendre sur la route, mon bon druide? Ahum?

— Entendu, répondit Finghin.

Le druide entraîna donc Mjolln un peu à l'écart, ils marchèrent devant, et jusqu'à la fin du trajet on devinait de temps en temps les longues litanies que Finghin faisait répéter au nain. *« Trois obligations nécessaires de l'Homme – souffrir – changer – choisir. Trois contemporains primitifs – l'Homme – le Libre Arbitre – la Lumière. Trois garanties de la Science – cesser de parcourir chaque état de vie – se rappeler le parcours de tout état et ses incidents – pouvoir parcourir tout état à volonté. »* Le nain répétait chaque triade avec précision, et comme lorsque Faith lui apprenait jadis à jouer de son instrument, dans ses yeux brillait une joie merveilleuse.

Ils arrivèrent au début du soir devant les portes du petit village. Des enfants avaient couru jusque-là pour les voir approcher. Ils semblaient captivés par les costumes étranges des Tuathanns et par les bannières rouge et blanc des Soldats de la Terre. Mais, derrière eux, quelques miliciens regardaient le convoi avec un œil inquiet.

Pendant que Tagor donnait les ordres pour qu'on installe le campement en amont du village, Erwan partit seul vers ces miliciens. Les enfants s'écartèrent sur son passage, impressionnés par son armure de plates et son imposante carrure.

— Bonjour, Galatiens, je suis Erwan Al'Daman, fils de Galiad, Magistel de Finghin le druide et général des Soldats de la Terre. Voici l'armée d'Aléa Cathfad, celle que les druides nomment Samildanach.

— Bonjour, répondit simplement l'un des miliciens.

Les enfants pouffèrent en voyant à quel point celui-ci était mal à l'aise. Il était sans doute beaucoup plus sûr de lui – ou arrogant – quand il s'adressait aux gens du village et était probablement en train de perdre beaucoup de sa superbe...

— Nous sommes en route pour Tarnea, reprit Erwan, et nous allons passer la nuit près de votre village. Nous espérons ne pas troubler votre quiétude.

— Non, bien sûr. Soy... soyez les bienvenus, balbutia le jeune milicien en tendant la main au Magistel.

— Y aura-t-il de la place à dîner dans votre auberge pour le Samildanach et ses cinq compagnons ?

— Bien sûr. Nous ferons en sorte qu'une table soit préparée, général.

Erwan le remercia et retourna vers le campement qui s'installait déjà. Les enfants du village, enchantés, partirent en courant pour annoncer la nouvelle à leurs parents.

*
* *

L'une des louveteries les plus actives du pays était au sud de Fendannen, sur les terres du seigneur Germain de Gorbon. Le château de celui-ci était typique de l'est de Gaelia, simple mais robuste, et la vie de la région s'organisait autour de lui.

L'enceinte du château, construite d'une pierre aussi jaune que la terre de cette partie du royaume, était ponctuée de six larges tours de taille égale. À l'intérieur, plusieurs dépendances entouraient le bâtiment principal : les logements des valets, mais aussi tout ce qui permettait de s'occuper des animaux, écuries, chenils, bergerie et fauconnerie. Dans le corps central on trouvait la boulangerie, la cuisine et la grande salle à manger où les armes de Gorbon, quatre roues de bois sur fond bleu, décoraient de larges piliers. Ensuite venait la salle de justice où le seigneur réglait les conflits et jugeait les vilains – ceux qui volaient, violaient, tuaient, ou tout simplement ceux qui ne s'étaient pas acquittés des droits de blé dus au sénéchal ou de moutons dus au louvetier. À côté se trouvait la grande salle d'armes, qui était sans conteste la plus belle du château de Gorbon. C'était là que le seigneur recevait ses visiteurs et exhibait ses plus belles pièces. À l'étage se trouvaient enfin les nombreuses chambres à coucher.

Quand le chevalier Ultan arriva devant le château, il vit des paysans autour du château qui battaient l'eau du fossé avec des gaules. La châtelaine était en couches et Germain de Gorbon avait ordonné à ses manants de faire taire les grenouilles qui, en coassant, empêchaient la dame de se reposer...

Un serviteur vint accueillir le visiteur et le guida à travers la cour du château. Quand ils arrivèrent devant les écuries, Ultan enleva son heaume et descendit de cheval.

Le serviteur découvrit alors le visage sévère du chevalier. Des traits durs, un regard noir, de nombreuses cicatrices, mais surtout, cette étonnante chevelure blanche, coiffée vers l'arrière, qui retombait sur sa nuque épaisse.

— Le seigneur de Gorbon vous attend dans la salle d'armes, annonça le serviteur.

— Merci, je connais le chemin, répondit Ultan en se dirigeant vers le corps principal du château.

Il pénétra dans le bâtiment, traversa le long couloir qui menait dans la grande pièce. Là, un jeune valet lui ouvrit la porte.

La salle était beaucoup plus richement décorée que le reste du château. La plupart des murs étaient habillés de velours et de tentures. On avait disposé çà et là, sur de grands bahuts de bois sculpté, vaisselle et bibelots colorés. De grands piliers soutenaient les arceaux au plafond, et on y avait fixé armes et armures, bannières et pennons armoriés. Le mur opposé à l'entrée avait été blanchi à la chaux et orné de rosaces et de fleurons. Au milieu pendait une tapisserie de haute lisse où figurait une scène de la bataille d'Harcourt. Au pied de ce mur, un haut trône de chêne était entouré de nombreuses chaises à bras couvertes d'étoffes.

— Bienvenue à Gorbon, maître, déclara le châtelain en s'approchant d'Ultan.

— Vous avez soigné le décor de cette pièce, répondit Ultan en méprisant la main que lui tendait le seigneur de Gorbon.

— C'est ici que mes vassaux viennent me rendre hommage. J'aime à les accueillir dans une pièce qui est le reflet de la bonne santé du domaine.

— Bonne santé ? Combien de loups avez-vous tués dans le mois ?

— Maître, ma louveterie a le meilleur rendement de l'île, et...

— Combien ? le coupa Ultan en avançant vers le châtelain.

Germain de Gorbon se frottait les mains d'un air terrifié.

— Près de cent, répondit-il en reculant d'un pas.

Ultan lui envoya une grande gifle. Le châtelain fut projeté au sol par la violence du choc. Le métal des gants du chevalier avait entaillé sa joue. Du sang coulait jusque dans son cou. Il se releva en titubant.

Ultan traversa la pièce d'un pas exagérément lent. On entendait le cliquetis de son armure à mesure qu'il avançait. Puis il s'assit sur le trône de son hôte et regarda celui-ci, immobile et muet, qui se tenait la joue à l'autre bout de la pièce.

— Vous ne m'avez toujours pas répondu, Gorbon. Combien, exactement ?

— Quatre-vingt-douze, souffla le châtelain.

— Approchez.

Germain de Gorbon hésita un instant, puis il se résigna à avancer. Il ne parvenait pas à croire qu'Ultan pût venir ainsi l'humilier dans son propre château. Heureusement, aucun serviteur n'assistait à la scène. Mais il aurait peine à masquer la blessure sur sa joue.

— Vous savez qu'Il vous a demandé de tripler ce chiffre dès le premier mois, Germain ?

— Nous tuons déjà deux fois plus de bêtes que les autres louveteries.

— Le Maître n'attend qu'une seule chose de ses veilleurs, qu'ils Lui obéissent. Je ne vous demande pas si vous tuez plus de loups que vos voisins, je vous demande de satisfaire Ses exigences.

Le châtelain fit quelques pas vers le trône et, en baissant la tête, dit d'une voix pitoyable :

— Ultan, je dois vous avouer, au risque de m'attirer votre colère, que je ne pense pas qu'il soit possible de tuer trois cents loups en un seul mois !

Le chevalier se leva et s'approcha de Gorbon. Il l'attrapa par le menton pour le forcer à lever la tête. Son pouce ganté appuyait sur la blessure et le flot de sang se remit à couler.

— Gorbon, j'ai vu les manants dehors. Ils essayaient de faire taire les bêtes qui grouillent dans tes douves, n'est-ce pas ?

— Oui, balbutia le châtelain.

— Ta femme doit te donner un enfant ?

Gorbon acquiesça, ses yeux emplis de terreur.

— Comme c'est mignon, railla le Chevalier. Je vais aller voir ta femme, Germain. Et quelque chose me dit que tu vas changer d'avis.

Des larmes apparurent au coin des yeux du châtelain.

— Oui, quelque chose me dit que tu vas prendre cette chasse plus au sérieux, reprit Ultan en serrant de plus en plus fort le menton de Gorbon. Que tu vas envoyer plus d'hommes, organiser plus de battues, faire tendre plus de pièges, augmenter les primes... N'est-ce pas ?

Gorbon acquiesça en tremblant.

— Et tu verras alors que tu peux tuer bien plus de loups même qu'Il ne te le demande.

Ultan repoussa violemment le châtelain en arrière. Celui-ci s'écroula à nouveau. Le chevalier traversa la salle sans ajouter un mot, et Gorbon entendit au loin qu'il partait vers le premier étage.

* *

Finghin passa la soirée auprès de Kaitlin. Il était fatigué et, plutôt que de prendre part aux conversations, il se contenta, en retrait, d'écouter les autres ou de regarder l'actrice avec tendresse.

Il buvait ses paroles, admirait sa grâce, son sourire. Elle prenait part à toutes les discussions, et l'on voyait sa joie se communiquer aux convives.

Quelle liberté ! Kaitlin est la seule ici qui n'ait aucune obligation envers quiconque, et cela rend ses discours tellement plus sincères ! Je comprends mieux le sens de la philosophie des cheminants, à présent.

Nous sommes tous prisonniers de notre histoire, eux ne le sont pas : je suis prisonnier de mon appartenance au Conseil, j'ai besoin et envie de revoir Saî-Mina, de parler avec Ernan une nouvelle fois. Mjolln rappelle souvent qu'un jour il voudrait retourner dans ses collines, et en plus il veut maintenant rejoindre la caste des bardes. Tagor se doit aux Tuathanns. Aléa se doit à l'île tout entière. Mais Kaitlin, elle, est libre. Et toutefois, ce n'est pas un choix si facile. Je ne suis pas sûr que j'en serais capable...

Finghin prit la main de Kaitlin sous la table et la serra fort entre ses paumes. L'actrice lui adressa un sourire. Puis elle se retourna de nouveau et reprit sa discussion avec les autres.

L'auberge de Chlullyn était grande mais sans charme. On y servait des plats simples, pâté de narrois – un mélange de foie de morue et de poisson haché – ou petits pâtés, où quelques raisins secs venaient se mélanger à la viande. L'aubergiste faisait aussi des rôtis honorables, du bœuf jusqu'au cygne, des salades composées de légumes cuits, de pattes et de foies ou de cervelles de volaille. Au dessert, les compagnons se contentèrent de poires cuites avant de retourner auprès du feu où se réunissaient les habitants du village.

Finghin, qui était fatigué, se leva péniblement et partit s'asseoir derrière Kaitlin dans une grande chaire.

L'auberge n'avait sans doute jamais accueilli autant de clients en un seul soir. Tous les villageois avaient fait le déplacement pour venir voir Aléa, la jeune fille dont on parlait si souvent depuis quelque temps.

Comme l'avait espéré Aléa, il y avait bien un barde dans le village. Avendal avait partagé leur repas et discutait maintenant avec eux près du feu. C'était un homme âgé, mais à l'esprit vif et moqueur, et tous le trouvèrent fort sympathique.

Sait-il que Saî-Mina est divisée ? se demanda Finghin. *Que deviendront tous ces bardes et tous les druides qui restent dans les petits villages de l'île, loin des manigances du Conseil ? C'est en perdant le contact avec ceux-là que les Grands-Druides ont amorcé la ruine de Saî-Mina...*

— Les miliciens nous ont dit tout à l'heure que vous partez pour Sarre, c'est bien vrai ?

Voilà bien un vrai barde, s'amusa Finghin. *Il commence par vérifier ses informations. Bientôt, il pourra renseigner les siens et les nouvelles circuleront à travers le royaume.*

— Oui, nous allons à Tarnea, expliqua Erwan.

— Mais, c'est bien le seul endroit de l'île où il ne se passe rien ! s'étonna le barde. Il y a tant à faire à Galatie, en Terre-Brune ou à Harcourt !

Cherche-t-il à savoir si quelque chose se cache dans le choix de notre destination, ou est-il inquiet des guerres qui continuent de menacer ici ?

— Ce n'est pas tout à fait vrai, répliqua Aléa. Il se passe bien plus de choses dans le comté de Sarre que vous ne semblez le croire. Mais surtout, c'est finalement le comté le plus libre de l'île. Saî-Mina divisée, les druides n'auront plus sur Sarre le même pouvoir qu'avant. Pour l'instant, les chrétiens n'ont pas tenté d'y convertir tout le monde. Quant à Amine, elle s'occupe de Galatie et laisse tranquille le comté qui l'a vue naître. En somme, les Sarrois bénéficient d'une liberté que bien des Gaeliens pourraient leur envier. Et c'est non seulement pour préserver cette liberté que je veux aller à Tarnea, mais aussi pour que cette liberté rayonne depuis Sarre jusqu'au reste de l'île.

Finghin leva les yeux vers Aléa.

Elle exprime ses véritables souhaits pour la première fois... Elle est en train de comprendre ce qu'elle veut faire. Au fur et à mesure qu'elle parle, elle éclaircit sa propre pensée. Elle n'avait pas encore formulé cette idée jusqu'à présent. Et pourtant, voilà, c'est cela. C'est aussi simple que cela. La liberté naïve de Sarre. C'est cette liberté qu'Aléa veut retrouver et redonner à l'île. Bien sûr...

— Je ne suis pas certain que les Sarrois se sentent si libres et si heureux que vous semblez le croire, modéra le barde.

— Ils pourraient sûrement l'être davantage, certes, mais au moins, rien ne leur est sauvagement imposé pour le moment.

Elle est un peu dure avec les miens. Je ne crois pas que les druides aient jamais imposé quoi que ce soit sauvagement. Et pourtant, je dois peut-être regarder l'histoire autrement. Réapprendre, réinterpréter. Les doutes d'Aléa doivent me permettre de remettre en question ce que j'ai toujours cru acquis. Ce n'est pas facile. Mais je crois que c'est le sens de la venue d'Aléa. Elle est celle qui nous oblige à nous questionner nous-mêmes.

— Mais, cher barde, à vous de nous donner un peu des nouvelles du monde, reprit Aléa.

— Il se passe tant de choses ! répliqua Avendal.

— En Galatie ?

— Notre reine est sans doute le plus fin stratège dont pouvait rêver l'île ! s'exclama le barde.

Il est ironique. Mais il sait à qui il s'adresse. Il y a les villageois, qu'il ne veut sans doute pas choquer ni inquiéter, et il y a Aléa, dont il sait qu'elle comprend ce qui n'est que suggéré à demi-mot.

— Après avoir offert aux druides qui ont quitté Saî-Mina de s'installer dans la Tour de Lorilien, elle est parvenue à les convaincre non seulement de l'initier, mais aussi de la nommer Archidruide. N'est-ce pas formidable ?

— Je ne saurais dire si ça l'est, répondit Aléa, mais je dois avouer que l'ironie est plaisante, non ?

C'est la femme qui parle. La petite fille qui voulait apprendre à lire, celle qui écoutait aux portes du Conseil... Et oui, elle a raison. L'ironie, sinon plaisante, est au moins juste. Qu'avons-nous si longtemps écarté les femmes de nos institutions alors qu'Aléa et Amine sont la preuve que ni le Saîman ni la finesse politique ne leur sont inaccessibles ? Les conséquences de l'initiation d'Amine seront peut-être désastreuses au niveau politique, mais peut-être bénéfiques sur le plan culturel. C'est certain, la Gaelia dont rêve Aléa est un pays où hommes et femmes partagent équitablement le pouvoir. Mais est-ce seulement possible ?

— On raconte toutefois que Henon l'a initiée à contre-cœur, précisa le barde. Vous savez, pour nous les bardes, les choses sont moins compliquées. La caste des bardes a toujours été ouverte aux hommes comme aux femmes. J'ai toujours pensé qu'un jour une vate finirait par trouver le chemin du druidisme...

— Vous étiez bien clairvoyant, alors ! intervint Kaitlin. Et que vous dit cette clairvoyance aujourd'hui ? Amine sera-t-elle une bonne reine ?

Kaitlin le piège. Il ne saurait dire ouvertement du mal d'Amine, même s'il est évident que, comme la plupart des Galatiens je pense, il ne la porte pas dans son cœur. En lui posant cette question, Kaitlin le force à prendre position. Les cheminants aiment cela. Nous confronter à notre vérité. Mais le barde saura sûrement s'en sortir.

— Je crois que pour l'instant son souci est d'être une bonne druidesse ! répondit Avendal non sans sourire.

Kaitlin ne va pas le laisser s'en tirer comme ça.

— Voulez-vous dire qu'elle néglige son rôle de reine ? demanda en effet l'actrice.

Le barde grimaça. Il regarda autour de lui. Les miliciens étaient dans l'auberge, comme tout le reste du village.

— Pas si son action au Conseil sert le royaume.

— Le sert-elle ? insista Kaitlin.

Elle n'abandonnera pas. Ce pauvre barde est tombé sur plus fort que lui !

— Elle a déjà beaucoup agi en tant que reine. Il n'y a jamais eu autant de changements dans le royaume que depuis qu'elle est à sa tête. Quant à savoir si son histoire avec le Conseil pourra servir le royaume, n'est-il pas trop tôt pour en juger ?

— Si l'on ne devait juger nos dirigeants qu'après leurs erreurs, il y en aurait tant de commises qu'on ne pourrait jamais s'en sortir ! s'amusa Kaitlin.

— Mais comment les juger, alors ? Sur leur passé ? On ne sait pas grand-chose de celui de la reine.

Si ce n'est qu'elle a grandi avec Aléa !

— Peut-être ne s'agit-il pas de devoir les juger mais de ne leur donner que le pouvoir de bien faire, intervint Aléa.

— Ce jour-là, les bardes chanteront faux, ironisa Avendal.

Mjolln trouva la réplique amusante et tapa des mains.

— Quelles autres nouvelles du royaume ? demanda finalement Aléa voyant qu'il ne servait à rien de s'éterniser sur Amine.

— Le comte Meriande Mor est devenu le vassal direct du comte Feren Al'Roeg, et Aeditus l'a converti et baptisé en public à Méricourt.

— Les Brunois ont-ils depuis rejoint le christianisme eux aussi ? demanda Aléa.

C'est sûrement dans ce but en effet qu'Aeditus a baptisé le comte de Terre-Brune. Cet homme à lui tout seul a déjà réussi à convertir deux des cinq territoires de l'île. Sa religion va s'étendre sur Gaelia, et on ne pourra jamais revenir en arrière. Chaque avancée du christianisme fait disparaître la foi en la Moïra. Pourtant, je sais qu'elle existe.

— Oui, répondit Avendal. Par centaines, si ce n'est par milliers.

Il y eut un murmure de consternation dans l'auberge.

— Avez-vous d'autres nouvelles encore ?

Le barde haussa les épaules.

— Des dizaines sûrement, mais je ne sais lesquelles

vous intéressent. Il y a bien un fait étrange, cependant, dont j'entends de plus en plus parler et qui pourrait sans doute vous toucher.

— Oui ? le pressa Aléa.

— On dit, mademoiselle, que vous avez le pouvoir de parler avec les loups, est-ce que c'est vrai ? demanda le barde d'un air gêné.

— Non, ce n'est pas tout à fait exact. Mais pourquoi me parlez-vous de ça ?

— Trois seigneurs du sud de Galatie ont lancé de grandes campagnes de chasse aux loups, expliqua Avendal. Leurs fourrures sont vendues de plus en plus cher, et il semble que la chasse aux loups soit en train de devenir une mode.

Finghin vit les poings d'Aléa se crisper.

Les loups. Ses frères. C'est sûrement elle qu'on vise à travers eux. Mais qui a lancé ce mouvement ?

— Quel est le nom de ces trois seigneurs ? demanda Aléa, parvenant à peine à cacher sa fureur.

— Je ne connais que l'un d'eux. Germain de Gorbon.

Aléa se leva aussitôt, si brusquement que Mjolln sursauta à côté d'elle.

— Je vous remercie de votre accueil, dit-elle rapidement, à présent nous devons retourner au campement.

Elle sortit de la pièce d'un pas rapide, sous le regard médusé des clients de l'auberge. Finghin comprit que les dernières paroles de la jeune fille étaient un ordre, il se leva, fit signe aux quatre autres et, remerciant poliment les villageois pour leur accueil, les compagnons d'Aléa sortirent à leur tour.

*
* *

Meriande Mor avait accepté d'accompagner Aeditus dans le voyage qu'il faisait à travers Terre-Brune. Avec son aide, avait expliqué l'évêque, baptiser les Brunois en nombre serait chose bien plus aisée. Une cinquantaine de soldats seulement escortaient les deux hommes, ainsi que cinq prêtres venus d'Harcourt et une dizaine de séminaristes qui profitaient du voyage pour parfaire leur apprentissage.

Au soir du quatrième jour, l'évêque se trouva seul avec le comte dans le salon d'un petit manoir, à l'est d'Aiverhin, un village où ils avaient reçu un excellent accueil. Dégustant une infusion bouillante que leur avait préparée leur hôte, assis devant la cheminée, ils se retrouvaient seuls en tête à tête pour la première fois.

— Avez-vous la foi, Meriande ? demanda l'évêque très directement.

Le comte parut surpris.

— Je ne sais pas, monseigneur. Je ne suis pas bien sûr de comprendre ce que cela veut dire.

— Ressentez-vous en votre cœur la présence de Dieu ? traduisit Aeditus en souriant.

— Peut-on la sentir, de manière si sûre ? Faut-il avoir la foi pour être bon chrétien ?

L'évêque refusa de répondre à cette question. Il dévisageait le comte comme s'il essayait de deviner quelque chose de caché sous son regard.

— Quand vous avez demandé à être baptisé, l'avez-vous fait pour vous soumettre au comte d'Harcourt, ou l'avez-vous fait parce que vous étiez intimement convaincu de l'existence de Dieu ?

Meriande hésita. Tout s'était passé tellement vite. Il ne s'était jamais posé la question dans ces termes. La chose s'était imposée.

— J'avais dit à Al'Roeg que s'il parvenait à nous mener à la victoire, alors je croirais à la force de son Dieu. Quand nous avons remporté la bataille, j'ai tenu ma parole et annoncé que je voulais être baptisé...

— Oui, mais était-ce seulement pour tenir parole ou bien la victoire vous a-t-elle persuadé de l'existence de Dieu ? insista l'évêque.

— Je vois bien ce que vous voulez me faire dire, Aeditus.

— Je veux simplement que vous soyez sincère. N'ayez crainte, ce qui compte pour le moment, c'est que votre geste soit un exemple pour les Brunois. Vous pouvez parler librement.

— Une chose est sûre, monseigneur, c'est que je ne ressentais jadis pas plus la présence de la Moïra que je ne ressens aujourd'hui celle de Dieu. En réalité, je l'accepte, simplement.

— Alors vous n'avez pas la foi, Meriande le Bel.

Le comte se pinça les lèvres.

— Vous n'avez pas répondu à ma question, reprit-il.

— Laquelle ? demanda l'évêque.

— A-t-on besoin d'avoir la foi pour être un bon chrétien ?

Aeditus haussa les sourcils.

— Encore faudrait-il que l'on s'accorde sur ce que cela signifie d'être un bon chrétien. Et je crois que cela dépend fortement du contexte.

— Mais encore ?

— En ce qui vous concerne, être un bon chrétien consiste peut-être en votre pouvoir de conversion. Dieu n'attend peut-être pas de vous une foi entière, mais votre capacité à convertir votre peuple lui suffit certainement.

— Vous croyez ? Elle suffit à Dieu ou elle suffit à vos desseins ?

— Je n'ai d'autres desseins que de servir Dieu.

— Et vous, vous avez la foi, monseigneur ?

L'évêque éclata de rire.

— C'est bien la première fois qu'on ose me poser cette question !

— Et pourtant elle est légitime puisque vous dites que là n'est pas toujours l'obligation d'un bon chrétien !

Aeditus acquiesça en souriant.

— Alors, reprit Meriande qui, lui, ne souriait pas du tout, avez-vous la foi, monseigneur ?

— La foi n'est pas un objet qu'on acquiert et qu'on garde dans sa poche, Meriande. La foi est un combat de chaque instant. Une victoire quotidienne. Je l'ai perdue et retrouvée des centaines de fois, parfois je l'ai confondue, d'autres fois encore elle m'a trompé. Mais plus la foi est vivante, plus elle est la preuve que Dieu l'est aussi. Contrairement à la Moïra, figée, oubliée, et surtout mal comprise, Dieu est un compagnon de route, que l'on cherche, à côté duquel on marche parfois, que l'on peut perdre et à qui l'on peut tourner le dos mais qui toujours vous tendra la main.

— Alors je chercherai, monseigneur, je chercherai la foi. Mais pour l'heure je ne peux vous offrir que mon adhésion.

L'évêque sourit.

— C'est déjà amplement suffisant, cher comte.

*
* *

— C'est hors de question ! s'exclama Finghin dans la tente, en tapant de son bâton sur le sol de terre.

— Je partirai dès ce soir, répéta Aléa. Vous irez à Tarnea sans moi. Je dois arrêter tout de suite ces chasses aux loups ! Je le leur dois !

Elle tournait en rond sous le toit courbé de la grande tente, cherchant à se calmer au milieu de ses compagnons. Tous la regardaient d'un air gêné, hormis le druide qui, debout, essayait de la raisonner.

— Sans toi, notre voyage à Tarnea ne servira à rien ! Tu es notre seule chance de réussite !

— Vous n'avez pas besoin de moi !

— Au contraire, nous ne saurions même pas comment faire sans toi. Il faudrait probablement que nous utilisions la force pour nous faire entendre auprès du comte de Sarre, alors que c'est exactement le contraire de ce que tu cherches.

— Les loups ont bien plus besoin de moi. Ils étaient là quand j'ai eu besoin d'eux. Je n'ai pas le droit de les laisser se faire massacrer.

— Tarnea n'est plus qu'à trois ou quatre jours de marche. Nous avons risqué nos vies dans la montagne pour y parvenir, il est hors de question d'abandonner maintenant. La chasse aux loups n'a pas commencé aujourd'hui, elle dure déjà depuis quelque temps, cela peut bien attendre encore un peu !

— Pas un jour de plus ! hurla Aléa dont les yeux s'embuaient de larmes. Pas un seul jour de plus je ne tolérerai qu'on tue cet animal pour se venger de moi ! Trop

138

de gens sont déjà morts par ma faute, et à présent, les loups ? Non ! Je pars pour le sud !

Elle attrapa sa cape blanche et son bâton de chêne accrochés au bord de la tente et se dirigea vers la sortie.

Erwan se leva d'un bond et l'attrapa par le bras.

— Aléa, quand les loups ont attaqué les gorgûns, ils ont accepté de mourir pour toi. Ils ont accepté de mourir pour que tu puisses accomplir ce que tu dois accomplir. Par respect pour tous les loups qui sont morts ce jour-là, tu ne dois pas abandonner.

— Ils n'ont pas accepté de mourir pour que je puisse accomplir quoi que ce soit ! répliqua Aléa. Ils n'avaient conscience de rien du tout ! Les loups n'ont pas ce type de conscience, Erwan ! Ils ont suivi aveuglément ma louve, sans comprendre ce qui se passait réellement. Ils se sont battus par instinct, pas par raison !

— Eh bien justement, c'est l'instinct qui te pousse à vouloir partir quand la raison devrait te dicter de rester avec nous. Finghin a raison, sans toi, nous ne pourrons rien faire à Tarnea. Mais si vraiment tu veux aller t'occuper des loups, alors nous descendrons tous avec toi. Nous serons plus utiles à tes côtés que sans toi devant les portes de la capitale de Sarre.

— Non, j'irai seule cette fois-ci.

Erwan soupira. Il avait oublié combien Aléa pouvait être têtue. Il ne savait plus quel argument utiliser. Il tenait toujours le bras de sa compagne. Elle le fixait du regard. Un regard décidé. Il tourna les yeux vers les autres pour trouver un peu de soutien. Il vit alors Kaitlin qui se levait à son tour.

Aléa se retourna brusquement.

— Vous n'allez pas essayer de me convaincre chacun votre tour ! s'exclama-t-elle.

Kaitlin haussa les épaules.

— Ah non, répondit-elle. Moi je veux juste sortir de cette tente parce que si j'entends encore ta voix et les inepties que tu débites, je vais avoir envie de te gifler, et nous autres cheminants n'aimons pas violenter les enfants.

Aléa écarquilla les yeux.

— Quoi ? balbutia-t-elle, décontenancée.

— Aléa, tu m'ennuies ! Je sors...

Et l'actrice s'exécuta. Elle passa devant Erwan et Aléa, souleva le drap de la tente et sortit sans ajouter un seul mot.

Les autres restèrent silencieux un moment, échangeant des regards gênés, puis Aléa sortit à son tour et disparut dans l'obscurité qui englobait le campement.

*
* *

Maître Jehan était le Premier Batteur de la louveterie de Gorbon. C'était un homme fort laid, qui cachait une moitié atrophiée de son visage sous une capuche de cuir. Au chapeau il portait la plume blanche des louvetiers, et il était vêtu d'un habit de drap vert au parement et collet en velours cramoisi. Très grand et mince, il avait une démarche étrange, vive et maladroite à la fois. C'était un être aigri, qui aurait aimé prendre la place de Grand Veneur réservée à plus noble que lui. Mais Jehan devait se contenter de mener les battues, il n'avait pas le privilège de tirer ni même celui de guider les chiens.

Ce matin-là, il se leva avant le soleil pour préparer la journée exceptionnelle qui s'annonçait. Depuis plusieurs jours, le seigneur de Gorbon s'était montré de plus en plus pressant, exigeant que l'on augmentât encore le rendement de la louveterie qui était pourtant déjà fort bon.

Ainsi, Germain de Gorbon avait décidé de participer lui-même à la grande vénerie que devait organiser la louveterie en ce jour de la Moïra. Les travaux de campagne étaient désormais interdits tant que durerait la chasse, et tous les habitants du domaine avaient été prévenus.

Maître Jehan fut le premier levé dans la louveterie. Il commença par amener dans la grande cour les bâtons qu'il avait fait fabriquer la veille. Puis il partit réveiller le maître-chien qui devait s'occuper du chenil, et le Grand

Veneur qui allait mener la chasse. Enfin, il installa une grande table près de l'entrée du château où l'on pourrait accueillir les gens.

Comme le soleil se levait enfin, Jehan vit arriver les nobles et les manants en nombre dans l'enceinte du château. Avec l'aide de deux autres louvetiers, il partit accueillir les nouveaux arrivants. Selon qu'ils étaient paysans ou seigneurs, il devait les diriger soit du côté des batteurs, soit du côté des veneurs. On donnait à ces derniers arcs et flèches, ainsi que quelques lances et quelques dagues, bien plus difficiles à utiliser, certes, mais qui pouvaient s'avérer plus efficaces si les loups se mettaient à attaquer. Quant aux paysans, on leur donnait simplement les bâtons dont ils auraient besoin pour participer à la grande corvée de battue.

Quand tout le monde fut arrivé et que chacun eut été assigné à sa tâche, le maître-chien amena ses bêtes et les présenta aux batteurs qui allaient devoir marcher avec eux tout le jour et peut-être même davantage. Il y avait là une cinquantaine de chiens d'ordre, dressés à forcer le gibier, contrairement à la petite dizaine de limiers, restés au chenil, qui, tenus en laisse, cherchaient l'animal avant la chasse.

Le soleil était suffisamment haut à présent pour apparaître au-delà des remparts. Il était temps de se mettre en route. Juste avant le départ, le seigneur de Gorbon fit un bref discours.

— Je vous remercie tous d'être venus pour cette grande vénerie. Jamais nous n'avons organisé de chasse si grande, et je suis heureux d'y participer à vos côtés. Les batteurs, menés par maître Jehan, partiront les premiers avec les valets de chiens. Ils devront contourner le grand bois au sud du château et commencer la battue en remontant vers le nord. Pendant ce temps-là, mes chers seigneurs, nous formerons cinq groupes de veneurs et descendrons du nord vers le sud pour affronter les bêtes qu'auront traquées les chiens. Hier, le Premier Veneur et les valets de chiens ont fait le bois avec leurs limiers. Ils ont repéré au sud du château au moins deux meutes. La vénerie ne sera achevée que quand les deux meutes auront été abattues, soit une quinzaine de bêtes, et jusque lors, la reprise des travaux de campagne est formellement interdite. Quiconque sera surpris en train d'abandonner la chasse sera jugé et banni. En revanche, si les deux meutes sont décimées, tous les paysans qui auront participé seront dispensés le mois prochain de droit de blé et de fermage, et les veneurs recevront les honneurs de l'hallali et pourront se partager les peaux des loups.

Il y eut des cris d'acclamation dans la foule, puis maître Jehan, le Premier Batteur, fit signe aux manants de prendre leurs bâtons et de le suivre. Ils sortirent de l'enceinte du château et partirent d'un pas rapide vers le sud, précédés par les valets et leurs chiens d'ordre.

Jehan connaissait quelques-uns des paysans, mais il préférait ne pas leur parler. Il allait en tête, seul, essayant de garder le rythme de marche soutenu qu'imposaient les chiens à l'avant. Le maître louvetier n'aimait pas les hommes, pas plus que les bêtes d'ailleurs. La nature ne lui avait jamais rendu la vie facile, il n'avait pas l'intention de s'attendrir sur le sort de quiconque. Les batteurs discutaient entre eux derrière lui, mais lui ne disait pas un mot.

À cet endroit du domaine, les herbes étaient hautes et épaisses, ce qui rendait la marche plus difficile. Jehan commença déjà à se servir de son bâton pour couper l'herbe devant lui autant que possible, mais il ne voulait pas non plus trop fatiguer ses bras. La sueur coulait sur son front, le long de sa capuche brune. Les valets de chiens gagnaient de la distance. Il fit une halte, regarda les batteurs qui traînaient derrière lui. Il s'essuya du revers de sa manche, cracha par terre et se remit en route.

Bientôt, ils arrivèrent près du grand bois. Ils longèrent l'orée par l'ouest, se tenant à distance pour ne pas effrayer les bêtes tout de suite. Il fallait les rabattre vers le nord et donc attendre d'être le plus possible au sud du bois avant de commencer la battue. Jehan avait l'habitude des véneries dans la région, mais il n'avait jamais emmené autant d'hommes. Ils étaient près de quatre-vingts à le suivre, mais combien seraient capables de tenir jusqu'au bout ?

*
* *

Quand il arriva sur la petite colline, comme il l'avait espéré, Mjolln vit la silhouette d'Aléa, assise parmi les herbes, la tête entre les mains. Il s'arrêta à quelques pas, sans faire de bruit, et resta de longs instants immobile, à regarder l'ombre de la jeune fille qui se dessinait sur l'horizon étoilé du ciel nocturne. Elle avait l'air si seule, si démunie, peut-être plus encore que la première fois qu'il l'avait vue, sur les routes de Galatie, le jour où elle l'avait aidé à se défendre contre ce groupe de bannis.

Il s'en voulait tellement. Tellement de s'être si souvent montré égoïste alors que la petite devait porter sur ses épaules un poids que lui-même n'aurait jamais supporté.

L'histoire était en train de se jouer. Maintenant. Une seule fois. Il n'y aurait pas de deuxième chance. Aléa, elle, l'avait compris et l'assumait chaque matin, chaque jour, devant chaque épreuve. Gaelia devait changer. Mjolln devait l'accepter. Et accepter de participer à cette histoire. Et s'il n'y avait qu'une seule chose que le nain devait faire, c'était aider Aléa. Aider sa lanceuse de cailloux. S'il ne le faisait pas aujourd'hui, il ne pourrait jamais se le pardonner. Toute sa vie, il saurait qu'il n'avait pas saisi sa chance. Aléa avait besoin de lui, comme elle avait besoin de tous les autres. Et si un seul d'entre eux manquait à l'appel, elle ne pourrait jamais accomplir ce qu'il était évident qu'elle devait accomplir.

— Mjolln, laisse-moi seule. J'ai besoin de réfléchir.

Aléa n'avait pas bougé. Sa tête était toujours plongée entre ses mains. Elle l'avait entendu, simplement.

— Non, Aléa, répondit Mjolln en marchant vers la jeune fille. Ça non, tu n'as pas besoin de réfléchir. Maintenant, tout ce dont tu as besoin, ahum, c'est qu'un gros nain stupide vienne te tenir la main.

— Tu n'es pas gros et tu n'es pas stupide.

— Bon, peut-être, ahum, mais je suis bien un nain ?

Aléa haussa les épaules et secoua la tête. Mjolln vint s'asseoir à côté d'elle. Il resta un moment comme ça, juste près d'elle, sans bouger. Puis il cueillit une petite fleur devant lui et se mit à la faire tourner entre ses paumes.

— Aléa, dit-il finalement, j'ai peut-être une solution. Je crois que, oui, à Tarnea, tu es irremplaçable. Et je crois, quoi que tu en dises, que tu dois vraiment y aller. Tu ne peux pas abandonner, car ça, les Harcourtois, satanés Harcourtois, risquent de prendre Sarre si nous leur en laissons le temps.

— Je sais...

— En revanche, pour les loups, tu n'es pas irremplaçable. Quelqu'un d'autre que toi peut aller empêcher les chasses qu'on organise, ça, oui. Alors voilà ce que Mjolln Abbac te propose. J'irai, moi, m'occuper de ces mauvais chasseurs de loups pendant que tu iras, toi, à Tarnea. Ahum ?

Aléa releva la tête et regarda son compagnon.

— Non, Mjolln, dit-elle en soupirant. C'est une idée bonne, et surtout généreuse, mais j'ai bien réfléchi, et je ne vois pas ce que je pourrais faire en allant là-bas, de toute façon. Je ne vais pas aller tuer tous les chasseurs... Je ne vais pas mettre le feu aux louveteries... Cela ne servirait à rien. Et je ne peux pas non plus partir défendre tous les loups, je ne saurai jamais où donner de la tête. Non. Vous avez raison. Il faudra que je trouve une autre solution. Nous irons bien d'abord à Tarnea.

Mjolln attrapa la main de la jeune fille et déposa un baiser dessus, puis la garda contre lui.

— Là, voilà une bonne décision, Aléa, oui, je suis heureux.

Aléa lui sourit. Il vit qu'elle avait des larmes au coin des yeux.

— Tu sais, dit-elle en appuyant sa tête sur l'épaule de son vieux compagnon, le plus dur, c'est que je ne sais même pas si Imala est encore vivante. Elle a peut-être été tuée par les gorgûns, ou bien peut-être maintenant par les chasseurs.

— Je suis sûr qu'elle est en vie, répliqua le nain. Elle était, ça oui, forte et agile. Elle ne se laisserait pas faire. Il n'est pas né, ahum, le chasseur qui attrapera une louve pareille, ça, j'en mets ma barbe blanche à couper !

— Je l'espère.

Puis ils se turent, écoutant ensemble le chant discret de la nuit. Aléa resta un long moment la tête sur l'épaule du nain. Elle entendait battre son cœur. Son cœur si bon.

Soudain, ils entendirent un craquement derrière eux. Mjolln sursauta, et Aléa se retourna.

C'était Tagor. Il les avait aperçus et marchait vers eux. C'était un Tuathann, et s'il avait voulu, il aurait pu approcher sans faire de bruit, mais sans doute avait-il voulu se signaler afin de ne pas briser leur intimité. Aléa l'accueillit avec un sourire.

— Quand je vois la beauté de ce ciel, dit-il en venant s'asseoir près de sa sœur, ces milliers d'étoiles, je me demande comment nos pères ont pu accepter de descendre vivre sous la terre.

— Ça oui, répondit Mjolln, ça devait leur manquer. Sais-tu qu'il y a une étoile dans ce ciel que j'ai nommée Aléa il y a longtemps, quand j'ai rencontré ta sœur ?

Le Tuathann sourit.

— C'est une bonne idée. Aléa. Une étoile. Oui, bonne idée.

Puis il se tourna vers elle.

— Alors, petite sœur, as-tu pris ta décision ?

Aléa acquiesça.

— Oui. Je reste avec vous. Nous irons à Tarnea.

— Les Tuathanns te suivront, où que tu ailles.

— Il faudra bien un jour que je les quitte, Tagor. Il y a certaines choses que je dois accomplir seule.

— Je sais, répliqua Tagor. Mais ce jour-là, tu as intérêt à partir en secret, parce que mes frères refuseraient de te laisser partir.

— Je vous suis à tous très reconnaissante, Tagor.

— Nous te sommes redevables. Notre peuple a

chassé ta mère, jadis, et tu as grandi sans parents par notre faute. Nous voulons corriger cette faute. Nous sommes ta famille, petite sœur.

— Je sais. Merci.

Elle prit la main de son frère à droite, celle du nain à gauche et les invita à se lever.

— Retournons au camp. Nous allons avoir besoin de sommeil.

Chapitre 6

LA MORT DU LOUP

Aléa fut réveillée par un baiser d'Erwan sur son front.

— Debout, mademoiselle Cathfad, nous devons prendre la route, et il y a des villageois qui demandent à vous voir.

Aléa se frotta les yeux, s'étira et sourit au Magistel. Après sa petite conversation de la veille avec Mjolln et Tagor, elle avait dormi d'un sommeil profond. L'esprit apaisé, peut-être.

— J'arrive, promit-elle.

Le Magistel acquiesça et la laissa se préparer. Quelques instants plus tard, elle se présenta devant une dizaine de villageois qui l'attendaient en effet à l'entrée du campement.

Le soleil avait déjà commencé sa longue route et projetait de grandes ombres sur le parterre d'herbe jaune. En contrebas, le village de Chlullyn prenait vie, les gens sortaient de leurs maisons, les boutiques ouvraient leurs volets et installaient leurs étalages, les paysans s'éloignaient vers les champs, menant parfois les bœufs qui tiraient des charrues. Des équipes entières s'en allaient accomplir les travaux de la terre pendant que d'autres partaient défricher les collines plus au sud dans l'espoir d'agrandir encore le nombre d'arpents de la commune.

Dans le campement aussi, l'agitation battait son plein. Tuathanns et Soldats de la Terre mélangés rangeaient leurs affaires, préparaient leurs sacs. Certains fabriquaient de nouvelles torches, d'autres aiguisaient les armes...

Les villageois qui attendaient Aléa semblaient un peu perdus dans ce vacarme étonnant.

— Madame, commença l'un d'eux en voyant qu'Aléa s'approchait, nous sommes venus vous demander une faveur.

Aléa acquiesça en souriant. Elle n'avait pas l'habitude qu'on l'appelle Madame et trouvait cela plutôt amusant.

— Je vous écoute...

— Nous ne sommes pas nombreux, reprit-il, mais nous voudrions rejoindre votre armée.

Elle regarda les villageois. C'étaient essentiellement des hommes jeunes, à peine plus âgés qu'elle en vérité, mais que les travaux de la campagne avaient rendus déjà costauds. Et il y avait même une jeune femme d'une vingtaine d'années.

Aléa, surprise, s'avança vers elle. C'était une belle fille, de taille moyenne, ses cheveux bruns coupés courts comme un garçon, et qui se tenait droite, les mains croisées dans le dos.

— Toi aussi, tu veux entrer dans mon armée ? s'étonna-t-elle.

— Bien sûr, se vexa la jeune femme. Pourquoi ? Elle est interdite aux femmes ?

Aléa ne put s'empêcher de rire. Elle était prise à son propre piège.

— Non, non. Simplement, tu vas te sentir un peu seule, parmi tous ces guerriers...

— Et vous, alors ? répliqua la villageoise.

Aléa hocha la tête. La jeune femme avait l'air d'avoir largement assez de caractère pour supporter l'entourage masculin des Soldats de la Terre.

— Comment t'appelles-tu ?

— Pansora.

— Et tu sais te battre ? demanda Aléa.

— Mieux que ces dix imbéciles, répondit-elle en dési-

148

gnant les autres villageois. Les cheminants m'ont appris, quand j'étais jeune, à lancer les couteaux, et je n'ai jamais cessé de m'entraîner depuis lors. Je manie bien mieux les armes que les garçons !

— Je vois. Mais lancer des couteaux sur une belle cible en bois, ce n'est pas la même chose qu'entre les yeux d'un être humain qui pourrait être ton frère, tu sais ?

— Madame, j'ai bien écouté ce que vous disiez hier. J'ai réfléchi toute la nuit. Ma décision est prise : je veux vous accompagner.

— Pourquoi ?

— D'abord, parce que ce qu'on dit sur vous me donne envie de participer à votre combat, ensuite parce que... parce que j'ai beaucoup aimé votre réaction, hier, quand vous avez appris que des gens dans le sud chassaient les loups...

— Cela suffit à te donner envie de te battre ? s'étonna Aléa.

— Cela suffit à me donner envie de vous faire confiance. Et si vous estimez que Gaelia a besoin qu'on se batte pour elle, alors je veux être des vôtres.

Aléa lui tendit la main.

— Bienvenue, dit-elle simplement.

Puis elle invita les nouveaux venus à rejoindre Erwan qui s'occuperait de les équiper et de leur indiquer leur place dans le grand convoi. Encore de nouveaux volontaires... Aléa avait appris à accepter, maintenant, que l'on veuille rejoindre son armée. C'était le sens de son combat. De son espoir.

Quand tout le monde fut prêt, l'armée se mit en marche vers le nord-est. La route était encore longue jusqu'à Tarnea, et Aléa nourrissait même le secret espoir de faire une petite pause en chemin à Saratea, le village de son enfance.

*
* *

Maître Jehan donna l'ordre aux batteurs de se placer en ligne. Tous les paysans se mirent en formation, un bâton à la main, et attendirent que le louvetier donne l'ordre de commencer la battue. Les quatre valets et le maître-chien passèrent devant la ligne des batteurs, le long de la lisière du grand bois. Les chiens commençaient à s'agiter. Sans doute flairaient-ils déjà quelque gibier.

Quand Jehan vit que tout le monde était en place, il détacha la corne qu'il portait en bandoulière et sonna le départ de la battue. Les chiens furent aussitôt lâchés. Ils se précipitèrent comme des flèches au milieu des arbres, le museau au ras du sol, cherchant les loups à forcer.

Derrière eux, les batteurs se mirent en route et pénétrèrent dans la forêt. Il fallait empêcher les loups de passer à travers la traque des chiens.

C'était une forêt mixte où se mélangeaient plusieurs espèces d'arbres, hêtres, chênes, bouleaux, et même quelques ormes. Le sol était couvert d'un tapis de feuillage qui commençait déjà à se décomposer, et quelques mousses apparaissaient sur les souches ou les pierres qui dépassaient du niveau du sol. Les ramures des arbres étaient fort élevées pour la plupart, car dans la densité des bois ils allaient chercher un peu de soleil en hauteur et s'étiraient vers le ciel, allongeant leurs immenses troncs alignés.

Jehan partit vite, abandonnant derrière lui la longue ligne des batteurs. Il voulait essayer de suivre les chiens, mais ils avaient déjà pris beaucoup d'avance. Il aurait normalement dû rester avec les manants pour surveiller la battue, mais il préférait avancer seul et voir le travail des chiens. À présent, c'était la seule chose qui l'intéressait. En réalité, il espérait qu'un jour le seigneur de Gorbon finirait par lui accorder une place de maître-chien. Il se fichait de ces manants imbéciles, ils n'avaient qu'à se débrouiller seuls.

Quand il fut certain que les batteurs ne le voyaient plus, il se mit à courir. Ce n'était pas toujours chose facile, car certaines zones de la forêt étaient si denses qu'il était obligé de les contourner. Les chiens passaient à des endroits qui ne lui étaient pas toujours accessibles.

Par moments, il perdait leur trace. Puis, soudain, il voyait un mouvement derrière un arbuste, ou bien il entendait un aboiement, un gémissement, et il reprenait sa course. Difficile de dire si les chiens avaient trouvé leurs proies. La chasse aux loups était sans doute la plus compliquée de toutes, car ces animaux étaient aussi malins qu'habiles.

Les ruses des loups étaient nombreuses pour semer les chiens. Le « change », qui consistait à traverser une région où vivaient d'autres animaux afin de brouiller les pistes ; le « bat-l'eau », où les loups s'appliquaient à traverser un cours d'eau ou même un étang. Les chiens perdaient la voie et gaspillaient un temps précieux pour repérer l'endroit où leur proie avait repris pied. Les loups étaient même si rusés qu'ils étaient capables de doubler leur voie : ils revenaient sur leurs pas et prenaient une autre direction pour créer une deuxième piste et disperser les chiens.

Et plus simplement, les loups étaient aussi capables de courir très vite, pas toujours sur des distances très longues, mais suffisamment toutefois pour se forlonger : ils prenaient en un instant une avance si grande sur leurs poursuivants que ceux-ci perdaient leur odeur. Il fallait alors que les chiens se remettent à chercher une voie, le museau contre terre et le pas plus lent.

Maître Jehan comprit soudain que les chiens avaient enfin trouvé une piste. Ils s'étaient mis à aboyer de plus en plus fort, de plus en plus souvent, et il entendait même le bruit de leur course soudaine à travers la forêt. Il accéléra le pas pour essayer de voir quelque chose. Voir comment les chiens procédaient. Voir si vraiment ils avaient trouvé un loup ou s'ils poursuivaient par malheur un autre animal. Le louvetier en sueur enleva sa capuche de cuir – ce qu'il ne faisait jamais en public tant il avait honte de son visage mal formé –, s'essuya le front et se mit à courir vers le nord.

Soudain, alors que les aboiements des chiens se faisaient de plus en plus proches, Jehan vit un mouvement brusque à travers les troncs d'arbres loin devant lui. Il se précipita en avant pour voir ce qui s'était passé et découvrit une scène étonnante. Un loup pourchassé par trois chiens venait de traverser cette zone de la forêt, et il voyait encore l'animal, changeant brusquement de direction pour semer ses poursuivants.

Le louvetier courut aussi vite qu'il put pour ne rien perdre de la scène, mais il fut évidemment distancé en quelques instants. Bientôt loup et chiens avaient disparu à travers les arbres. Si seulement il avait eu un arc ! Il aurait peut-être pu tirer la bête, et alors, revenant le soir devant le seigneur avec un loup sur les épaules, la gloire lui aurait peut-être valu la promotion dont il rêvait tant !

Mais pour l'heure, il n'était que batteur, et il devait se contenter d'un bâton.

*
* *

Après trois jours de marche, l'armée d'Aléa arriva à proximité du petit village que la jeune fille avait reconnu de loin. Qu'elle connaissait si bien. Ses toits, ses cheminées... une image si claire dans son souvenir. Saratea. Depuis le matin, Aléa n'avait pas prononcé une seule parole. Elle redécouvrait la lande et l'horizon vallonné avec émotion. Elle avait passé tant de temps dans la lande ! Elle s'était enfuie si souvent de ce village pour y revenir finalement, irrésistiblement attirée par ses petites ruelles sombres. Il lui semblait reconnaître chaque arbre, chaque pierre, comme les détails d'une peinture qu'elle regardait chaque soir en secret.

L'herbe avait cédé la place au sable de la lande, et des nuages de poussière se soulevaient au passage des soldats. Au nord-ouest, la forêt de Sarlia prenait les couleurs dorées de l'automne.

Aléa se laissa submerger par une nostalgie déchirante. À quelques pas d'ici, elle le savait, se trouvait l'endroit précis où elle avait découvert la bague du Samildanach, au doigt d'Ilvain Iburan. Là où tout avait commencé.

Elle regarda autour d'elle. Personne ne pouvait comprendre ce qu'elle ressentait. Pas même Mjolln, qui pourtant l'avait rencontrée quelques jours plus tard. Le seul qui aurait pu partager cet instant étrange avec elle était Phelim, l'homme qu'elle n'avait jamais eu le temps d'appeler « père ».

Aléa poussa un long soupir. Puis elle essaya d'oublier le passé et de s'accrocher au présent. Ou plutôt, au futur. Elle tourna la tête et vit Finghin sur sa droite. Le druide continuait à enseigner à Mjolln les triades bardiques. Le nain les connaissait maintenant presque toutes, il ne lui restait plus qu'à les comprendre, ce qui n'était pas toujours la partie la plus simple de l'apprentissage, comme aurait pu en témoigner le jeune druide.

Aléa sourit. Elle voulait se contenter de cela, de ces petites choses simples. Elle était heureuse de voir vivre ainsi ses amis. Elle savait que c'étaient des moments précieux. Une armée de souvenirs dans lesquels elle se replongerait certainement un jour avec bonheur.

Soudain, Erwan donna l'ordre aux troupes de s'arrêter. Puis il s'approcha d'Aléa et lui demanda :

— As-tu pris une décision ? Veux-tu qu'on s'arrête ici ? Dans ton village ?

— Je ne sais pas trop, avoua la jeune fille d'un air désolé. Ceux que j'aurais aimé y voir ne sont plus là. Et en même temps, j'ai tellement de souvenirs... Toutefois, cela nous ferait sans doute perdre du temps.

— Nous pouvons nous permettre de passer la soirée ici, Aléa. Et tu pourrais y aller seule, si tu le désires.

Mais à ce moment-là, ils furent interrompus par un jeune Soldat de la Terre.

— Général, glissa timidement le jeune homme essoufflé, il y a un convoi qui arrive par le nord !

Erwan se retourna, les sourcils froncés.

— Des militaires ? demanda-t-il.

— Je n'ai pas l'impression. Je crois plutôt que ce sont de simples paysans. Mais ils sont nombreux, il y a des chevaux, des charrettes...

— Ce ne sont pas des cheminants ? demanda Aléa.

— Non, je ne pense pas.

— Envoyez tout de suite un éclaireur, ordonna Erwan.

Le jeune soldat acquiesça.

Le Magistel fit signe aux troupes de se regrouper et

de préparer leurs armes. Si ces nouveaux venus n'étaient pas des militaires, rien ne prouvait que ce n'était pas un piège. Erwan avait appris de son père à être méfiant en toutes circonstances. -

L'éclaireur fut rapidement de retour. Aléa et ses compagnons écoutèrent son explication.

— Ce sont des habitants de Tarnea et sa région, souffla-t-il péniblement après sa course. Ils disent qu'ils ont fui après une attaque des Soldats de la Flamme.

— Harcourt ? s'exclama Aléa. Déjà ?

Elle poussa un cri de rage et se mit en route vers le convoi de Sarrois. Erwan fit signe à tout le monde de reprendre aussi la marche et ils partirent à la rencontre des habitants en fuite.

Aléa arriva bientôt auprès d'eux, et sans attendre ses compagnons elle questionna les pauvres gens.

Ils étaient une centaine, peut-être plus. Femmes, hommes, enfants, jeunes et vieux, paysans ou commerçants, c'étaient des habitants de tous types, partageant dans leurs yeux la même peur. Leurs vêtements, leur peau, leurs affaires et leurs sacs amassés en vitesse sur les charrettes étaient couverts de sable. Ils avaient dû fuir à la hâte, avaient traversé une partie de la lande le plus vite possible, et à en juger par leur fatigue, ils n'avaient pas dû prendre le temps de se reposer.

— Que s'est-il passé ? demanda Aléa en s'approchant d'une femme d'une trentaine d'années qui tirait derrière elle un âne chargé de sacs lourds et volumineux.

— Vous êtes Aléa ? demanda la Sarroise, les yeux écarquillés.

— Oui. Que s'est-il passé ? insista la jeune fille.

Un sourire se dessina sur le visage de la femme et de plusieurs autres gens autour, comme si rencontrer ici Aléa leur redonnait espoir, une première lumière dans leur terrible fuite.

— La nuit dernière, ils sont arrivés. On dit que le comte a refusé de les recevoir. Qu'il a refusé de négocier. Alors ils ont attaqué.

— Combien étaient-ils ?

— Trois ou quatre mille, nous a-t-on dit, peut-être

plus, et tous montés à cheval. C'est le général Dancray qui a mené le combat. Il paraît que c'est le plus terrible de tous les généraux d'Harcourt...

— Et l'armée du comte n'a pas résisté ?

— Ils n'ont pas eu le temps. Les Soldats de la Flamme sont redoutables, mademoiselle. Ils ont massacré aveuglément les habitants de Tarnea, qu'ils soient militaires ou non ! Nous autres avons fui à temps. Beaucoup ici sont blessés, d'autres brûlés. Ils ont incendié nos maisons. Je n'ai pas pu tout voir. Je suis partie avant que cela soit fini. J'ai perdu mon mari. Je n'ai pas eu le courage de rester. Mais je pense qu'ils ont pris possession du château à l'heure qu'il est.

Les yeux brillants, elle parlait de plus en plus vite, et l'on entendait presque des sanglots dans sa voix.

— Vous devez faire quelque chose, nous voulons retrouver nos terres. Vous devez nous venger !

Aléa s'approcha et prit les mains de la femme au creux des siennes.

— Calmez-vous, madame. Nous allons trouver une solution.

Elle se tourna vers Erwan qui venait d'arriver derrière elle.

— Installons un campement près de Saratea. Soignons ces pauvres gens. J'irai ce soir à Saratea. Nous allons avoir besoin d'hommes et de chevaux.

*
* *

Le loup sauta par-dessus un large tronc d'arbre mort qui lui barrait la route. Malgré la fatigue, il était encore capable de s'élancer haut et loin, poussé par l'aboiement des chiens de plus en plus proches.

C'était un jeune loup gris, à la robe tachetée de noir, de fauve et de roux. Pourchassé par les chiens, il s'était éloigné de sa meute et s'était perdu dans cette partie de la forêt qu'il ne connaissait pas. Il était parvenu à semer ses poursuivants par deux fois, mais ces habiles chasseurs avaient retrouvé sa piste et semblaient se relayer pour soutenir un rythme que lui-même, malgré sa plus grande force, peinait à garder à présent. Les chiens étaient si proches qu'il arrivait maintenant à les sentir, et les rares fois où il avait tourné la tête, il avait même vu leurs pelages noirs ou bruns à travers les arbres et les buissons.

Il tenta à nouveau de changer sa trajectoire et de passer dans une zone plus dense de la forêt. Il espérait distancer les chiens, mais la course devenait de plus en plus rude. La langue pendante, il perdait de la vitesse et chaque nouveau bond que lui imposaient les nombreux obstacles au sol était un peu plus pénible. Soudain, alors qu'il essayait de franchir un amas confus de feuilles, de branches et de pierres, il se prit la patte dans une tige noueuse et perdit l'équilibre.

Le loup gris s'écroula sur le côté, roula plusieurs fois sur le sol avant de se relever. Par chance, il ne s'était pas cassé la patte, mais il avait perdu du temps et les chiens étaient presque sur lui. La queue basse, il se mit à courir de plus belle, de toutes ses forces. Les arbres défilaient sur ses flancs. Ses pattes semblaient à peine effleurer le parterre de feuillage. Les oreilles en arrière, le cou tendu, il fendait l'air comme un trait. Et pourtant, les aboiements des chiens étaient encore plus proches. Bientôt, il entendit leur souffle et leurs grognements juste derrière lui. Un seul petit écart.

Mais la course avait duré trop longtemps. Il avait passé la journée à fuir. Les chiens n'abandonnaient jamais. Ils étaient dressés pour ça. Forcer, épuiser leur proie.

Quand il comprit qu'il ne pourrait plus fuir, le loup fit soudain volte-face et montra les crocs en poussant un grognement féroce. La crinière hérissée, le dos rond, il se faisait aussi grand, aussi menaçant que possible.

Les chiens s'immobilisèrent aussitôt, puis se disposèrent prudemment autour de lui. Chacun leur tour, ils aboyaient, faisant de petits bonds menaçants vers le loup gris qui se crispait, babines retroussées, et se préparait au combat. Mais les chiens n'attaquaient pas encore. À force d'aboiements et de menaces, ils augmentaient leur pression, poussant à bout la pauvre bête qui sentait sa fin proche.

Soudain, le loup, qui avait retrouvé son souffle et peut-être un peu d'énergie, tenta de s'enfuir une nouvelle fois. Bondissant sur le côté aussi vite qu'il put, il s'engouffra dans la seule brèche que ses adversaires avaient laissée. Mais il eut à peine le temps de faire quelques pas qu'un chien lui tomba dessus sans même qu'il l'ait vu venir.

*
* *

La plupart des habitants de Saratea accueillirent Aléa comme une héroïne, l'acclamant aussitôt qu'elle entra dans la ville et certains vinrent même la serrer dans leurs bras.

Elle reconnut de nombreuses personnes avec lesquelles elle aurait aimé régler quelques comptes, mais l'heure n'était pas aux petites vengeances, et après tout, il y avait aussi des habitants du village qui auraient pu lui rappeler ses nombreux larcins... Elle avait bien des choses à se reprocher, elle aussi.

Erwan et Tagor essayaient tant bien que mal de tenir cette foule hystérique à distance, et Aléa se força à sourire pour exprimer au moins sa reconnaissance. Elle ne put toutefois répondre à toutes les questions qu'on lui posait. Quand enfin les villageois se calmèrent un peu, elle leur demanda :

— Où est le capitaine Fahrio ? Je voudrais lui parler !

Il y eut un mouvement dans la foule. Les gens s'écartèrent. Aléa reconnut tout de suite le chef de la garde. Il portait toujours son armure de cuir, avec sur son plastron le blason du comté de Sarre, une hirondelle.

— Bonjour capitaine ! lança-t-elle.

— On te reconnaît à peine, Aléa, répondit Fahrio en la dévisageant.

— J'ai besoin de vous parler tranquillement, reprit-elle sans attendre.

Il acquiesça.

— Allons dans la caserne, proposa-t-il.

Il demanda aux villageois de se pousser et se mit en route vers la grande porte de Saratea. Erwan et Tagor escortèrent Aléa derrière lui, et ils se retrouvèrent tous les quatre à l'intérieur de la caserne, dans le silence retrouvé, à l'abri des regards incrédules des villageois.

Fahrio les invita à s'asseoir à la grande table au centre de la pièce principale. Il n'y avait que trois gardes permanents à Saratea, avec lui cela ne faisait guère que quatre occupants pour la caserne, mais elle avait été prévue pour recevoir bien plus de soldats et la place ne manquait pas.

— La dernière fois qu'on t'a vue ici, commença Fahrio en s'asseyant à son tour, tu t'enfuyais comme une voleuse... À vrai dire, tu *étais* une voleuse...

Aléa sourit.

— Ce n'est pas tout à fait juste, corrigea-t-elle. La dernière fois qu'on m'a vue ici, je travaillais dans l'auberge de Tara et Kerry...

— C'est vrai. Tu t'étais un peu rachetée sur la fin. Quoi qu'il en soit, j'étais loin de m'imaginer qu'un jour tu reviendrais et que les villageois t'acclameraient comme si tu étais la reine de Galatie...

— Et pourtant, la reine de Galatie aussi vient de ce village ! répliqua Aléa.

Fahrio ne put s'empêcher de sourire à son tour.

— Oui ! C'est vrai ! Comme quoi, Saratea est un village très formateur, n'est-ce pas ?

— Fahrio, j'aimerais pouvoir passer du temps avec vous pour vous raconter tout ça, j'aimerais pouvoir prendre le temps de souffler maintenant que je suis revenue, mais malheureusement, ce n'est pas pour cette raison que je suis ici. Je vous dois beaucoup, Fahrio. Le jour où j'ai trouvé la bague et où je me suis disputée avec Almar, en me conseillant d'aller chez Tara et Kerry vous avez changé ma vie. Vous m'avez parlé comme à une adulte, ce jour-là, vous avez essayé de me faire confiance, et je l'ignorais à l'époque, mais cela a changé beaucoup de choses pour moi. Je vous remercie.

— Ça va, Aléa, je n'ai fait que mon travail...

— Quoi qu'il en soit, si je suis ici ce soir c'est pour

vous demander votre aide. Êtes-vous au courant de ce qui s'est passé à Tarnea ?

— Non, avoua le capitaine en fronçant les sourcils.

— Harcourt a envahi notre capitale, Fahrio.

Le chef de la garde écarquilla les yeux.

— Quand ? la pressa-t-il, incrédule.

— Hier. Les Soldats de la Flamme ont attaqué le château d'Albath Ruad.

— Par la Moïra ! souffla-t-il.

— J'étais justement sur le point de rallier Tarnea. Je suis accompagnée de mon... de mon armée, mais elle ne compte aujourd'hui que cinq cents hommes, alors que les Soldats de la Flamme seraient au moins trois mille.

— Trois mille seulement ? Ils n'ont envoyé que trois mille hommes pour prendre notre capitale ?

— Oui. Cela en dit long sur l'estime qu'ils ont pour l'armée de Sarre. Et il faut croire qu'ils ont eu raison, hélas...

Le capitaine poussa un long soupir. Il n'arrivait pas à y croire, et il semblait abattu. Après tout, il appartenait lui aussi à l'armée de Sarre...

— Fahrio, reprit Aléa, je vous présente Tagor. Il est le chef des derniers Tuathanns, et il est mon frère.

— Ton frère ?

— Mon demi-frère, en tout cas. Nous avons la même mère.

— Tu connais ta mère ? s'étonna le capitaine.

— Plus ou moins. Je vous expliquerai tout cela un jour, Fahrio. Pour le moment, ce n'est pas ce qui compte. Voici Erwan Al'Daman...

— Vous êtes le fils de Galiad Al'Daman ?

— Oui, répondit le Magistel en souriant.

— Alors toutes les rumeurs qu'on entend sur toi ne sont pas fausses, Aléa ! C'est à peine croyable ! J'avais entendu dire que les Tuathanns s'étaient ralliés à toi, et que tu voyageais avec tout un tas de personnages étonnants, dont le fils d'Al'Daman... On dit aussi que l'un des Grands-Druides du Conseil de Saî-Mina est à tes côtés, c'est vrai ?

— Oui, Finghin. Vous le verrez tout à l'heure. Fahrio, si je suis venue vous voir, c'est parce que j'ai besoin que vous m'aidiez à recruter d'autres hommes pour que nous puissions aller libérer Tarnea. Avec cinq cents soldats, même si certains sont de valeureux guerriers tuathanns, je n'ai aucune chance.

Le capitaine hocha lentement la tête.

— Recruter des hommes... Il n'y a pas beaucoup de soldats par ici. À Saratea, nous sommes quatre. Et la situation est la même dans les villages voisins, tu le sais bien...

— Il y a environ cinq villages alentour, cela représente déjà une vingtaine de soldats professionnels, c'est mieux que rien, et je suis sûre qu'il y a aussi de nombreux hommes prêts à se battre.

— Tu n'en feras pas des soldats du jour au lendemain !

— Dans l'urgence, pour sauver notre comté, tout le monde doit être prêt à prendre les armes. Les gens ici sont braves, quoi qu'en disent les mauvaises langues, et avec l'aide des Soldats de la Terre, ils apprendront vite l'essentiel. La plupart des soldats qui me suivent sont de simples paysans qui ont voulu entrer dans mon armée de leur propre volonté.

— Je vois... Je ne suis pas sûr que cela soit très efficace, mais je veux bien t'aider à recruter les Sarrois de la région, et je ne devrais avoir aucun mal à convaincre les soldats des autres villages, si ton but est vraiment de libérer notre propre capitale.

— Je savais que je pouvais compter sur vous, capitaine.

Fahrio poussa un soupir.

— J'aurais préféré te revoir en d'autres circonstances. Mais je suis heureux tout de même. Et fier de ce que tu fais. Les gens ici parlent de toi tous les jours. Ils disent que tu vas changer leur vie. Que tu vas changer toutes nos vies...

— Évitez de trop me parler de ces choses-là, ça ne me met pas vraiment à l'aise, confia Aléa en souriant.

Erwan lui adressa un clin d'œil.

— Attendez, intervint soudain Fahrio alors qu'il s'apprêtait à se lever. Aléa, dans combien de temps comptes-tu attaquer Tarnea ?

— Je ne compte pas attaquer Tarnea, Fahrio, je compte la libérer !

— Oui, bien sûr... J'espère bien ! Dans combien de temps ?

— Le plus vite possible. Demain, après-demain...

— Si tu étais prête à attendre davantage, il y a à Sarban une garnison de quatre cents soldats de Sarre.

Aléa fit une grimace.

— Quatre cents soldats ? répéta-t-elle. Ce n'est pas négligeable. Mais le temps nous est compté... On pourrait peut-être envoyer un messager et leur dire de nous rejoindre au plus vite à Tarnea...

— Si ce sont des soldats de Sarre, intervint Erwan, il y a de grandes chances que le comte Albath Ruad, quand il s'est vu attaqué, ait envoyé des messagers pour les prévenir. Auquel cas, ils sont peut-être déjà en marche...

— Nous verrons, conclut Aléa.

— Capitaine, reprit Erwan, toute l'armée de Sarre n'était quand même pas enfermée à Tarnea. S'il y a une garnison à Sarban, il y en a sûrement d'autres ailleurs.

— Pas à l'ouest du comté, non. Aussi incroyable que cela puisse paraître, il n'y a jamais eu beaucoup d'hommes de ce côté de l'île. Il faut dire qu'il n'y a jamais eu d'invasion par ici. La plupart des soldats de Sarre sont au centre et à l'est.

— Dommage. Espérons seulement qu'ils auront été prévenus eux aussi et qu'ils rejoindront la capitale...

— Il ne faudrait pas non plus que toutes les campagnes se vident de leurs soldats, répliqua le capitaine. Rien ne nous dit qu'Harcourt ne va pas envoyer une seconde vague pour prendre aussi le contrôle des petits villages.

— Il faudra se méfier, en effet, mais je pense que s'ils n'ont envoyé que trois mille hommes, c'est parce qu'ils veulent conserver l'essentiel de leur armée pour un autre ennemi beaucoup plus menaçant : Galatie.

C'était donc la première fois que Germain de Gorbon participait à une vénerie. Contrairement à la plupart des seigneurs de Gaelia, il n'avait jamais été très intéressé par la chasse, ni même par la guerre ou les grands tournois de chevalerie qu'on organisait plus au nord. Seul le pouvoir le motivait vraiment, aussi estimait-il que la vénerie était une perte de temps.

Mais cette chasse revêtait une tout autre importance. Si le chevalier Ultan était venu jusque-là, c'était sans doute que, de loin, le Maître gardait un œil sur ses activités. Et s'il y avait une seule personne que Gorbon ne voulait pas décevoir, c'était Maolmòrdha.

Le parcours de ce petit seigneur de Galatie était peu ordinaire, et même des plus mystérieux. Car Germain n'était pas né de famille noble. Et si personne ici n'avait jamais connu les ancêtres du seigneur de Gorbon, c'était tout simplement parce qu'il se gardait bien de révéler leur identité.

Il était arrivé un matin dans cette région pauvre du sud de Galatie, et nul ne savait d'où il était venu. La tête pleine d'ambition, il était parvenu par la ruse à se faire passer pour noble dans les petits bourgs où ne vivaient alors que quelques fermiers tranquilles. En prodiguant de bons conseils et en réglant ici et là les conflits des manants, il avait fini par gagner leur confiance. Mais pour parvenir à ses fins et faire construire le château qui lui offrirait un véritable statut, il n'avait pu se contenter de sa ruse et de sa bonne réputation. C'est alors qu'il s'était tourné vers un allié facile, le seul sur l'île qui pût vraiment l'aider en échange d'une allégeance éternelle. Maolmòrdha, le Porteur de la Flamme des Ténèbres. Il avait suffi d'un pacte pour que celui-ci donne à Gorbon les moyens de sa réussite. En quelque temps, Germain put construire son domaine, y attirer de nouveaux paysans et même, après quelques années, inviter plusieurs jeunes seigneurs à qui il confiait certaines parties de ses terres.

Tout cela en échange d'un seul serment : servir toujours le Maître.

Depuis l'ouverture des louveteries, Gorbon avait enfin l'occasion de tenir parole. Et même si la violence d'Ultan l'avait terrorisé, il continuait d'espérer que le Maître apprécierait le zèle qui le poussait à participer lui-même à cette grande vénerie.

Il avait choisi de suivre l'équipe de tireurs dirigée par maître Saury, le Grand Veneur. Du haut de son cheval, il les suivait avec peine, peu habitué à monter ainsi dans les bois. Il fallait se baisser pour éviter les branches, se pencher en arrière quand les chevaux descendaient dans des petits fossés, et s'accrocher fermement quand ils passaient au galop pour en ressortir.

Ils employèrent ainsi toute la matinée et le début d'après-midi à parcourir les bois à la recherche des loups que la battue devait mener vers eux. Mais aucun animal ne se montra, et le seigneur commença à trouver le temps long. Son dos lui faisait mal, et la dureté de sa selle ne lui assurait pas le plus grand confort.

Soudain, ils entendirent au loin les aboiements des chiens.

— On approche ! s'exclama Saury en attrapant son arc dans son dos. Seigneur ! Voulez-vous passer devant ?

— Non, non, répondit Gorbon sans hésiter. Non, je préfère vous suivre, je n'ai pas grande habitude de la chasse, vous savez bien.

Le Grand Veneur acquiesça en souriant. Il n'avait demandé que par courtoisie...

— Allons-y ! ordonna-t-il en donnant de grands coups de talons à son cheval pour le faire partir au galop.

Et la chasse commença vraiment. Les chevaux avaient l'habitude et fonçaient d'eux-mêmes vers l'endroit d'où venaient les aboiements des chiens. Le seigneur de Gorbon manqua plusieurs fois de tomber de sa monture. Il n'avait même pas pris le risque de se saisir de son arc, persuadé qu'il serait incapable de tirer juste, et bien heureux de pouvoir profiter pleinement de ses deux mains pour s'agripper à la crinière de son cheval.

Les yeux mi-clos, la mâchoire serrée à s'en faire mal, il n'espérait qu'une chose : que cette course démoniaque prenne fin.

À cet instant, le Grand Veneur cria qu'il voyait le loup. Les chevaux purent alors prendre le relais des chiens et pourchasser l'animal déjà fort épuisé.

Le loup changea de direction et s'engouffra vers l'ouest à travers les arbustes. On voyait bien à son rythme qu'il courait depuis longtemps et si les chiens ne l'avaient pas encore rattrapé, c'était sûrement qu'eux aussi fatiguaient. Mais les chevaux, eux, étaient en pleine forme et la vue du loup semblait les exciter.

*
* *

Au matin du deuxième jour, il fut décidé qu'on lèverait le camp et qu'on partirait enfin pour Tarnea. Erwan, Tagor et Fahrio – qui avaient recruté près de cent Sarrois et une cinquantaine de soldats de la région, ce qui portait l'armée d'Aléa à six cent cinquante hommes environ – auraient sans doute aimé avoir plus de temps pour préparer les troupes comme les armes, et former un peu mieux ceux qui n'avaient jamais connu la guerre, mais Aléa insista pour qu'on ne perde plus un instant.

Un messager était revenu pendant la nuit pour annoncer que la garnison de Sarban dont avait parlé Fahrio était effectivement déjà en route, et qu'il serait possible de les retrouver à mi-chemin. Ils n'étaient après tout que quatre cents soldats et donc bien heureux, semblait-il, de pouvoir trouver en route de nouveaux alliés avant de rejoindre la capitale.

Au milieu de la matinée, donc, l'Armée de la Terre – tous ceux qui suivaient Aléa à présent étaient donc désignés ainsi, y compris les Tuathanns – se mit en route vers la grande ville du comté de Sarre. Les habitants de Saratea les acclamèrent en les regardant partir, mais dans leurs yeux se lisait une évidente inquiétude. Jamais l'avenir du comté n'avait été si incertain.

Les gens de la région avaient fourni à l'Armée quelques chevaux, mais l'essentiel des soldats devait encore marcher à pied et l'on n'avançait pas aussi vite qu'Aléa l'aurait voulu.

Les troupes progressèrent ainsi jusqu'en fin d'après-midi, sans même s'arrêter pour déjeuner. Aléa demanda qu'on se contente de ramasser quelques baies en marchant, et expliqua qu'on attendrait le soir pour manger.

Pendant que les trois guerriers, Erwan, Tagor et Fahrio, encadraient de leur mieux les différentes formations du convoi, Aléa chevauchait en tête, entourée de Kaitlin, Mjolln et Finghin. Ils n'avaient pas prononcé une seule parole de la journée, mais le nain avait joué plusieurs fois de la cornemuse sur un mode joyeux, espérant tenir ainsi le rôle du barde qui encourage les guerriers avant la bataille. Il n'était pourtant pas pressé, lui-même, que cette guerre arrivât...

Quand le soleil commença à descendre à l'horizon, Erwan vint au galop à côté d'Aléa.

— Nos éclaireurs ont aperçu la garnison de Sarban un peu plus loin, vers le nord.

— Parfait. Envoie-leur un messager pour leur dire de nous retrouver au plus vite sur cette colline, dit Aléa en pointant son doigt vers l'est. Je pense que c'est à une heure de marche d'ici. C'est là que nous monterons notre camp. Et de bonne heure, car nous devrons nous réveiller au milieu de la nuit.

— Tu veux attaquer avant le lever du soleil ? demanda Erwan.

Aléa acquiesça.

— Est-ce bien utile ? Je pense qu'ils savent déjà que nous sommes là. Ils ont sûrement laissé de nombreux guetteurs tout autour de la capitale, et je ne crois pas que nous pourrons profiter d'un quelconque effet de surprise.

— Il ne s'agira pas de les surprendre, Erwan, mais de profiter de l'obscurité.

Le Magistel approuva. Il n'avait certainement pas envie de la contredire devant les soldats et faisait de toute façon confiance à l'instinct de la jeune fille. Il retourna vers les combattants pour envoyer un messager à la garnison de Sarban.

Un peu plus d'une heure plus tard, l'Armée de la Terre arriva en effet sur la colline qu'avait choisie Aléa. On installa le camp sur le flanc ouest pour ne pas être trop directement exposé aux guetteurs de la capitale. Dancray enverrait sans doute des espions, c'était inévitable, mais il ne servait à rien de leur faciliter la tâche.

Quand la garnison de Sarban arriva à son tour au point de rendez-vous, Aléa demanda à Fahrio de les accueillir en premier afin de les mettre en confiance, puis elle vint à leur rencontre. Elle resta sur son cheval et salua les nouveaux venus. Il y avait en effet quatre cents hommes, portant les couleurs du comté de Sarre, et bien mieux équipés pour la guerre que la plupart de ceux qui avaient déjà rejoint l'armée d'Aléa. Ils s'étaient assemblés en arc de cercle et attendaient avec une visible impatience le discours de la jeune fille.

— Vous avez sans doute entendu parler de moi, dit-elle en parlant haut et fort dans l'espoir que tous puissent l'entendre. La moitié de tout ce qu'on vous a dit à mon sujet est probablement faux. Une autre moitié est peut-être vraie. Mais ce que vous devez savoir de moi, aujourd'hui, se résume en une chose : je veux libérer Tarnea.

Un homme sortit du rang des soldats. Il portait un casque de capitaine. Aléa en déduisit qu'il devait être le chef de la garnison de Sarban.

— Alors pour le moment, dit l'homme en s'avançant vers elle, nous voulons la même chose que vous. Mais après ?

— Que voulez-vous dire ?

— Avez-vous l'intention de prendre le pouvoir ? Car si c'est le cas, nous devons le savoir. Nous devons savoir si nous vous aidons simplement à libérer Tarnea, ou si vous nous demandez en réalité de vous aider à prendre le pouvoir dans notre comté...

— La paix, monsieur le capitaine, m'intéresse beaucoup plus que le pouvoir... Le pouvoir, j'en ai aujourd'hui beaucoup plus que je ne le voudrais et si je pouvais m'en débarrasser – cela vous paraîtra sans doute incroyable – mais j'en serais fort heureuse...

— Attendez, intervint le capitaine de Sarban en fronçant les sourcils. Vous avez dû mal me comprendre. Nous ne nous inquiétons pas à l'idée que vous preniez le pouvoir. Nous l'*espérons*.

— Comment ça ? s'étonna Aléa.

— La route depuis la côte nous a permis de réfléchir et de débattre, madame. Et nous en sommes tous arrivés à la même conclusion. La seule chance pour Sarre de s'en sortir, c'est que vous en preniez la tête. C'est pour vous mener à la place du comte que nous voulons nous battre, pas pour remettre en place celui qui nous a déjà amenés à notre perte !

Aléa ne put s'empêcher de sourire.

— Moi qui avais peur que vous refusiez de vous allier à nous ! avoua-t-elle. Écoutez, je vais être franche avec vous. Non, je n'ai pas l'intention de *prendre* le pouvoir. Ce n'est pas mon ambition, et j'espère que quelqu'un le fera à ma place. En revanche, je veux défendre Sarre et mettrai mon armée au service du comté. Nous aurons l'occasion de reparler de tout ça. Pour le moment, j'ai besoin de votre aide, et si vous le voulez bien, je serais heureuse de vous accueillir dans les rangs de l'Armée de la Terre.

— Ce sera un honneur ! assura le capitaine.

Et Aléa vit dans le visage des hommes derrière lui que la garnison tout entière partageait en effet son sentiment.

*
* *

Le loup parvint à courir encore pendant un temps qui parut une éternité au seigneur de Gorbon. Mais les chevaux ne lâchaient pas prise et le moment vint où l'animal ne put continuer, tant les forces lui manquaient. Les pattes tremblantes, la langue pendante et la bave aux lèvres, il était épuisé, à bout, résigné sans doute à mourir. Dans un dernier sursaut de bravoure, il se tourna face à ses poursuivants et se mit à grogner sans grande conviction.

Maître Saury arrêta aussitôt son cheval. Les autres veneurs l'imitèrent, ainsi que le châtelain, fort heureux que le galop s'arrête enfin. Les chevaux, eux, étaient encore excités et semblaient vouloir avancer vers le loup.

Le Grand Veneur attrapa une flèche dans son carquois. Il la passa dans son arc et banda la corde. Le loup, devinant le danger, fit quelques pas en arrière. Mais il était trop tard.

La flèche fendit l'air en un seul instant. Le loup sursauta et parvint de justesse à l'éviter, à la grande surprise de maître Saury. L'animal fit demi-tour, terrifié, et recommença à courir. Mais avant qu'il ait pu prendre la moindre distance, une autre flèche s'envola et se planta dans le flanc de l'animal.

Le loup s'écroula sur le sol alors que le sang commençait à se répandre sur sa robe grise.

— Bravo ! s'exclama Saury en saluant le veneur qui avait tiré après lui, puis il descendit de cheval.

Attrapant la corne à sa ceinture, il sonna l'hallali sur pied. Les autres veneurs descendirent de cheval à leur tour.

Germain de Gorbon, quelque peu dérouté, les rejoignit devant l'animal blessé.

Le loup respirait encore. Son flanc se soulevait péniblement, et l'on voyait battre ses paupières. Le seigneur de Gorbon fit une grimace en voyant le sang poisseux qui s'écoulait sur le feuillage.

Maître Saury s'approcha alors du châtelain et lui tendit un bâton.

— Qu'est-ce que c'est que ça ? s'inquiéta Gorbon sans oser attraper l'objet qu'on lui donnait.

— Seigneur, expliqua le Grand Veneur, le loup vit encore, vous devez l'achever. C'est à vous que revient l'honneur.

— L'achever ? s'exclama Gorbon. Avec ça ? Pourquoi ne lui tranchez-vous pas la gorge, simplement ?

— Il risquerait de mordre.

— Vous pourriez lui envoyer une autre flèche, répliqua Germain.

— Ce n'est pas la coutume, monseigneur.

Le châtelain resta immobile et silencieux. Il regardait Saury droit dans les yeux. Et il était sûr de comprendre ce que ces yeux disaient. *Vous êtes le seigneur du domaine, c'est vous qui avez ordonné cette vénerie. Vous devez l'assumer. Vos sujets ne vous respecteront plus si vous n'avez pas le courage d'achever vous-même cette bête.*

Et c'était la pure vérité. Aussi répugnante qu'elle lui parût.

Lentement, il attrapa le long bâton. Il avala sa salive et s'approcha de l'animal. Tous les veneurs lui souriaient. On aurait dit qu'ils l'enviaient. Et pourtant, rien ne pouvait l'écœurer davantage.

De sa vie, Gorbon n'avait jamais tué. Pas même le plus petit animal. Mais aujourd'hui il n'avait plus le choix. Tous les yeux étaient tournés vers lui. S'il faiblissait, s'il échouait, il se couvrirait de ridicule et perdrait probablement tout son crédit. Il voyait bien dans les yeux du Grand Veneur que la situation amusait celui-ci, et cela le rendait encore plus furieux.

Mais il n'avait pas le choix.

Lentement, les mains tremblantes, il souleva le bâton au-dessus du loup qui gisait devant lui. Il inspira profondément. Il savait exactement quel geste il devait faire, un geste d'une simplicité enfantine, et pourtant une force invisible retenait son bras. Il anticipait le bruit du choc. Le cri de la bête. Peut-être le craquement du crâne ou la gerbe de sang. Et l'idée le paralysait.

L'instant s'éternisait. Il devinait les regards des veneurs. Le mépris qui naîtrait dans leurs yeux s'il ne parvenait à abattre le bâton.

Ce qui lui faisait le plus peur, c'était de n'avoir point le courage de taper assez fort. Pour être sûr de tuer la bête sur le coup, il fallait de toute évidence cogner aussi fort que possible. Il n'y aurait rien de pire que de devoir taper une seconde fois. Et pourtant, il savait déjà qu'il n'oserait pas y mettre toute sa force. Le dégoût du geste le freinerait au moment même où il trouverait le tout petit instant de courage nécessaire.

Les pattes du loup firent de petits mouvements nerveux. Le seigneur sursauta. Il voyait les yeux de l'animal. C'est là qu'il devait frapper. Juste derrière les yeux. Sur le haut du crâne. Mais ces yeux étaient si tristes, et si vivants ! Comment pourrait-il trouver le courage ?

— Allez-y, monseigneur ! le pressa un veneur sur sa gauche.

Gorbon souffla. Il baissa lentement le bâton au-dessus du crâne du loup pour ajuster la trajectoire, puis il le releva à nouveau. Frapper. Juste frapper. Un geste si simple. Il ferma les yeux, puis, les poings fermés, la mâchoire serrée, il abattit enfin la grande canne.

Le choc fut sec et brutal. La canne vibra sous ses doigts. Des gouttes de sang giclèrent jusqu'à son visage.

Mais le coup n'avait pas été assez fort. Germain avait ouvert un œil au moment de l'impact, et il vit l'animal sursauter. Ses pattes se mirent à trembler de plus belle. Le crâne était légèrement enfoncé, mais il vivait encore. Il gémissait même.

Gorbon fit une grimace de dégoût. Les pleurs du loup étaient insupportables. Mais il ne pouvait hésiter. Il ne devait pas. Il fallait frapper encore. Il souleva le bâton une nouvelle fois. Ses doigts tremblaient. Son ventre se nouait. Il lança un regard plein de haine au Grand Veneur, puis, inspirant un grand coup, il frappa l'animal à nouveau, les yeux grands ouverts cette fois. Puis une troisième fois. Le loup bougeait encore. Une quatrième. Une cinquième. Il frappait de toutes ses forces. De toutes les forces que lui donnaient son dégoût et sa haine. Puis, quand il vit que le loup était mort, il jeta son bâton par terre et fit plusieurs pas en arrière.

Il avait envie de vomir. Des bouts de cervelle apparaissaient sous le sang, derrière le crâne défoncé de la bête. Le châtelain ferma les yeux un instant pour chasser les larmes qui s'obstinaient à monter.

— Bravo, seigneur ! s'exclama le Grand Veneur en s'agenouillant derrière le cadavre du loup.

Saury sortit de son sac un grand couteau de chasse

et commença à dépecer la bête. On voyait qu'il avait une grande habitude de la chose. Il rassembla les bas morceaux sur la peau étendue de l'animal, pour que les chiens viennent se nourrir, puis il découpa le pied avant et le postérieur droits. La lame allait et venait contre les os du loup, découpant avec peine les pattes épaisses.

Quand il eut fini, il prit les deux pattes et s'approcha du seigneur de Gorbon.

— Tenez, monseigneur, l'honneur vous revient.

Mais le châtelain s'écarta des deux trophées ensanglantés.

— Non merci, répondit-il, j'en ai assez vu pour aujourd'hui !

Chapitre 7

AUX PORTES DE LA VILLE DE PIERRE

Bely, le conseiller d'Amine, entra dans le grand bureau de la reine de Galatie. Le valet qui attendait à côté de la porte l'annonça, mais Amine, assise sur un fauteuil, ne bougea pas et resta silencieuse. Comme si elle ne les avait pas entendus. Le valet adressa à Bely un regard gêné, mais celui-ci lui fit signe de les laisser seuls. Le valet s'inclina et sortit discrètement.

Bely poussa un long soupir. Cela faisait plusieurs jours que le comportement de la reine était de plus en plus étrange. Elle était capable de rester plusieurs heures sans parler, et parfois on l'entendait murmurer, comme si elle discutait tout bas avec un interlocuteur invisible.

Bely traversa le bureau et vint s'asseoir en face d'elle.

— Vous m'avez appelé, majesté ? demanda-t-il en posant les mains sur les accoudoirs dorés.

Mais Amine ne le regardait pas. Les yeux fixés sur le sol, elle semblait ne pas le voir. Bely attendit sans rien dire. Depuis qu'elle avait été initiée par les druides, l'humeur de la reine semblait se dégrader de jour en jour. Au début, Bely s'était demandé si les druides n'allaient pas lui prendre sa place auprès de la reine. Il avait eu peur que son rôle à la cour ne soit plus que représentatif, mais à présent, son inquiétude était tout autre : la reine était-elle en train de devenir folle ?

— La porte est-elle fermée ? demanda Amine sans lever les yeux.

Bely, bien qu'il en fût sûr, tourna la tête pour vérifier.

— Oui, majesté, elle est fermée.

— C'est vous qui l'avez fermée ? insista-t-elle.

— Non, c'est le valet en sortant.

— Alors j'aimerais que vous alliez vérifier qu'elle est bien fermée. Cela ne vous dérange pas ?

Bely se leva, partit vers la porte, l'ouvrit et la referma en s'appliquant à faire suffisamment de bruit pour que la reine entende.

Il revint s'installer en face d'elle.

— Voilà, majesté, elle est bien fermée, à présent.

— Tant mieux.

Puis elle redevint silencieuse. Elle n'avait pas bougé. Son regard était tellement figé qu'on avait l'impression qu'elle ne clignait jamais des yeux. Mais ce n'était pas la première fois que Bely la voyait dans cet état. Alors il essayait de ne pas s'inquiéter. Il essayait de se faire croire que tout était normal.

— Vous avez entendu parler d'Aléa, Bely ?

Le conseiller se redressa sur son fauteuil. Il avala sa salive.

— Oui. Bien sûr.

— Pourquoi bien sûr ? s'étonna la reine en levant enfin les yeux vers son interlocuteur.

— Mais, parce qu'on parle beaucoup d'elle dans le royaume, majesté...

Amine acquiesça.

— Oui. Beaucoup d'elle. Vous croyez que les gens connaissent mieux Aléa qu'ils ne me connaissent moi ?

— Vous êtes la reine de Galatie ! répliqua-t-il.

— Ce n'est pas une réponse, Bely...

Le conseiller se racla la gorge.

— Les gens vous connaissent, ils savent que vous êtes la reine et que vous êtes la première druidesse, majesté, alors qu'Aléa, personne ne la connaît vraiment, c'est plutôt une légende...

— Oui. Peut-être. Moi, je la connais, rétorqua Amine en baissant à nouveau les yeux.

Bely resta silencieux. Il avait en effet entendu des rumeurs à ce sujet – Aléa et Amine Salia, reine de Galatie, auraient grandi dans le même village – mais il n'y avait jamais vraiment prêté attention.

— J'étais sa meilleure amie, vous savez. Nous étions inséparables, Bely. Plus proches encore que deux sœurs jumelles. Mais vous ne pourriez pas comprendre.

Elle poussa un long soupir.

Bely croisa les mains devant sa bouche, les coudes posés sur ses genoux. Il regardait la reine. Il essayait de la voir avec un peu de compassion. Il aurait voulu comprendre. Elle était si jeune. Si jeune et déjà tellement abîmée par la vie.

En même temps que sa santé mentale, son apparence s'était aussi dégradée dans les derniers jours. Elle n'attachait plus ses longs cheveux blonds. Parfois, elle ne changeait pas de vêtements pendant plusieurs jours. Elle portait d'horribles robes froissées. Elle qui était si délicate ! Si gracieuse ! Elle qui en arrivant au palais de Providence aimait à se promener nue au balcon de sa chambre pour montrer à la cour combien la femme du roi était belle. Il aurait tant voulu comprendre...

— Amine, dit-il timidement. Amine, que vous arrive-t-il ?

La reine se redressa. Appuyée droite contre le dossier de son fauteuil, elle dévisagea Bely un long moment.

— Le Saîman, chuchota-t-elle enfin.

— Oui ?

— Les druides avaient raison...

Elle ferma les yeux et inspira profondément.

— ... Je ne peux pas toucher le Saîman.

*
* *

Quand tout le monde eut mangé et que les soldats de la garnison de Sarban se furent intégrés au reste des troupes, alors que la plupart partaient déjà vers leurs couches afin de pouvoir se lever tôt, Aléa emmena Finghin, Tagor, Fahrio et Erwan à l'écart.

— Je veux aller cette nuit en secret dans Tarnea pour voir quelle est la situation, leur dit-elle d'un ton solennel. J'ai longuement hésité à y aller seule sans vous prévenir, mais je me suis dit que si vous découvriez mon absence, vous vous mettriez à paniquer. Je préfère donc vous prévenir, et éventuellement que l'un de vous m'accompagne.

— Tu veux espionner Dancray ? s'étonna Finghin. Ce n'est pas très prudent. Ne peut-on pas envoyer un ou deux soldats à ta place ?

— Non, Finghin. Je crois que je suis la mieux placée pour ce genre de mission.

— Vraiment ?

Aléa poussa un soupir. Elle posa un regard circulaire sur les hommes assemblés autour d'elle. Elle ne voulait pas discuter. Pas de cela. Elle en avait assez de devoir se justifier tout le temps, et qu'on veuille ainsi la protéger chaque fois qu'elle prenait une décision.

— Je me suis longuement débrouillée seule, Finghin, sans armée. Et il m'est même arrivé d'avoir à jouer les espionnes, dans un Conseil que tu connais bien, d'ailleurs. Je m'en suis plutôt bien sortie...

— Je vois, répliqua le druide en grimaçant.

— J'irai donc ce soir à Tarnea. Inutile de discuter.

— Je vais t'accompagner, petite sœur, proposa Tagor.

— J'aimerais venir aussi, ajouta Erwan aussitôt.

— Je connais déjà Tarnea, intervint le capitaine Fahrio. Je pourrais te guider dans la ville.

Aléa se mit à rire.

— J'en étais sûre ! Ils veulent tous venir maintenant ! Merci, les amis, mais je pense sincèrement que nous serons bien assez à deux...

— Dans ce cas, reprit Finghin, il vaut peut-être mieux que ce soit Fahrio qui t'accompagne, en effet. S'il connaît la ville, vous gagnerez du temps.

Aléa acquiesça.

— Allez vous préparer, capitaine.

Le garde hocha la tête et partit chercher ses affaires. Finghin et Tagor retournèrent vers le campement, mais Erwan, lui, resta devant Aléa. Il prit la jeune fille dans ses bras.

— Je suppose qu'il est inutile que je te demande de faire attention ? murmura-t-il à son oreille.

— Ce n'est pas inutile. C'est toujours agréable de sentir que quelqu'un tient à soi...

— Des gens qui tiennent à toi, Aléa, ce n'est pas ça qui manque !

Elle sourit et déposa un tendre baiser sur la bouche du Magistel. Puis elle fit volte-face et partit rejoindre Fahrio. Elle avait déjà tout planifié dans sa tête.

Ils s'éclipsèrent le plus discrètement possible du camp, non pas pour se cacher des Soldats de la Terre, mais plutôt dans l'espoir que les guetteurs qui les espionnaient probablement ne les verraient pas partir.

Ils s'étaient l'un et l'autre entièrement couverts de vêtements sombres et avaient passé sur leur visage un peu de charbon pour se noircir la peau. Tenant leurs chevaux par les rênes, ils firent un long détour par le sud pour contourner la zone où les guetteurs étaient vraisemblablement postés. Quand ils estimèrent qu'ils étaient assez loin, ils montèrent sur les deux grands étalons noirs et partirent au galop, fonçant droit devant eux pour aborder la capitale par le sud.

Ces chevaux étaient sans doute les deux plus rapides que les Sarrois avaient offerts à l'Armée de la Terre, et l'impression de vitesse que procurait la course à travers cette nuit noire d'automne était grisante. Aléa réalisa qu'elle avait le sourire aux lèvres. Le vent faisait pleurer ses yeux, mais elle avait en vérité le cœur léger. Elle regarda autour d'elle, essayant toutefois de ne pas perdre l'équilibre. Il n'y avait que Fahrio, sur sa droite. Personne d'autre. Cette solitude, au fond, lui faisait un grand bien. Elle se sentait libre, débarrassée de son armée, de ses responsabilités. Ce n'était que pour un court moment, mais c'était bon. C'était confortable. Oublier juste le temps d'un galop les mille hommes qu'elle emmenait au combat. Les mille regards. Et les pires souvenirs. Les amis perdus... Oublier tout ça et ne penser qu'au moment présent. Il n'y avait qu'elle et le vent. Le bruit simple des sabots qui battaient la terre. Le grincement du cuir. Les coups sourds de son cœur.

Son esprit flottait comme dans un rêve quand soudain Fahrio se mit à tirer sur les rênes de son cheval pour l'arrêter. Se ressaisissant aussitôt, Aléa l'imita. Les deux étalons s'arrêtèrent péniblement tant ils avaient pris de vitesse. Ils passèrent d'abord au pas, puis ils s'immobilisèrent l'un à côté de l'autre en soufflant bruyamment.

— Tarnea est juste de l'autre côté de cette colline, expliqua le capitaine. Laissons les chevaux ici et finissons à pied.

Aléa descendit aussitôt de son cheval en hochant la tête. Le capitaine mit pied à terre à son tour, prit une corde à l'arrière de sa selle et partit attacher les deux étalons à un arbre en retrait.

Ils avancèrent prudemment vers le sommet de la colline. Ils étaient encore loin de Tarnea, mais il y avait sûrement des postes de garde tout autour de la ville et mieux valait ne pas être repéré. Leur expédition était fort dangereuse ; Aléa ne pouvait se permettre de se faire prendre par l'ennemi. L'Armée de la Terre aurait probablement perdu sa cohésion sans elle. Essayant de ne faire aucun bruit, ils cherchaient le chemin le plus discret, passant derrière les futaies et les quelques rochers qui s'étalaient sur la colline du Puy.

Contrairement aux autres capitales, Tarnea n'avait pas été construite en hauteur mais dans le creux d'une vallée, entourée de petites collines d'où l'on pouvait l'admirer.

La nuit était fort sombre et on ne voyait pas grand-chose. Mais c'était plutôt un avantage car Aléa et Fahrio espéraient ne pas être vus. Dans leur costume noir, ils espéraient profiter de cette obscurité. Ils arrivèrent bientôt en haut de la colline et entamèrent la grande descente qui plongeait sur la ville en accélérant le pas.

Soudain, dépassant un bosquet touffu, ils aperçurent la capitale en contrebas. Malgré le peu de lumière on distinguait cette mer de vieux toits couverts de tuile canal. Et au centre, émergeant des rouges couvertures, la tour élégante du château de Tarnea. C'était autour de ce vieil édifice que la ville avait été construite et qu'elle s'étendait au nord du Cele, rivière au lit de roches. On avait érigé plus tard un grand mur fortifié qui encerclait la vieille cité

177

et qu'on appelait le Quai, puis à mesure que la population s'était accrue, trois nouveaux faubourgs étaient venus se coller à l'enceinte ; le faubourg d'Aujou à l'ouest, celui du Pin à l'est, et au sud, de l'autre côté de la rivière, on pouvait rejoindre le faubourg Martin par le pont du Griffoul.

— À votre avis, Fahrio, par quelle porte la ville est-elle la plus vulnérable ?

Le capitaine réfléchit un instant.

— Dancray a sûrement pris le château. C'est là que nous devrons le battre. Or le château est au sud de la ville, presque au bord du Cele. On pourrait donc attaquer par le sud s'il n'y avait cette rivière qui est un obstacle trop grand. Tous nos hommes seraient obligés de passer par le pont du Griffoul et seraient bien trop exposés. Non. Je crois que le mieux serait d'attaquer par l'est, par le faubourg du Pin. La Porte qui s'y trouve est la plus proche du château.

Aléa acquiesça. Elle n'avait jamais visité la capitale, pourtant proche de son petit village, et elle avait du mal à se rendre vraiment compte. Elle était obligée de faire confiance au capitaine.

— Le seul problème, reprit Fahrio, c'est le canal qui traverse le faubourg en venant de l'Estang, à l'est du château, par la Porte du Pin.

— Pourquoi est-ce un problème ?

— Il nous barrerait la route si jamais nous devions fuir.

Aléa fit une grimace.

— À moins, au contraire, qu'il puisse être un atout. Emmenez-moi voir ce canal, demanda Aléa.

*
* *

Almar Cahin avançait seul à travers Gaelia comme un être sans vie. Le regard perdu, le visage blafard, les gestes lents, maladroits presque. Maolmòrdha l'avait transformé, et Almar n'en avait peut-être pas tout à fait conscience. Il se laissait porter par sa nouvelle condition, marchait tout droit sans penser.

Au premier soir, il n'éprouva aucune fatigue. Incapable de trouver le sommeil, il décida de reprendre la route et marcha toute la nuit. Puis la journée du lendemain. Au soir du deuxième jour il se rendit compte qu'il n'avait pas mangé. Et pourtant il n'avait pas faim. Encore une fois, il ne put trouver le sommeil, ses yeux refusant de se fermer, et il reprit la route.

Il ne s'arrêtait jamais, ne parlait à personne, foulant la terre le regard fixe, ne sentant ni la chaleur du soleil ni le souffle froid du vent. Il ne pensait qu'à avancer.

Après plusieurs jours toutefois, en plein milieu d'un après-midi ensoleillé, il s'écroula sur le sol. Il tenta de se relever, mais ses membres ne répondaient pas. Il attendit un instant, le visage écrasé contre la poussière de la lande, puis il parvint à se redresser. Assis par terre, il s'essuya instinctivement le visage. Quand il regarda sa main, il vit alors une trace de sang. Il se toucha le front, et sentit le liquide poisseux sous ses doigts. Il s'était ouvert le crâne dans sa chute. Mais il n'avait rien senti. Il ne souffrait toujours pas. C'était comme si ses sens avaient disparu, ou s'étaient séparés de son corps, incapables de l'entendre, de le comprendre.

Ses muscles étaient en réalité épuisés. Sans force. Mais il ne le sentait pas. Son organisme tout entier avait besoin d'un sommeil régénérateur. Mais il ne le sentait pas. Sa gorge irritée demandait la douceur de l'eau. Mais cela non plus, il n'en avait pas conscience.

Maolmòrdha avait fait de lui un être dépourvu de sensations. Un vivant dans un corps mort. Quand il comprit enfin ce qui lui arrivait, Almar éclata de rire. Son rire se transforma en toux et il se mit à cracher du sang.

Seul au milieu de la lande, il se demanda s'il ne devenait pas fou. Ni douleur ni plaisir. Avancer seulement. Il resta un long moment assis dans le sable gris. Le sang avait coulé sur un de ses yeux qu'il ne parvenait plus à ouvrir. Le monde semblait tourner autour de lui.

Soudain, il crut apercevoir au sud deux cavaliers qui approchaient au galop. Il cracha par terre et perdit connaissance.

Quand il se réveilla, il était allongé sur un petit lit de

bois, dans ce qui ressemblait à un abri de berger. Un homme à côté de lui était en train de préparer à manger dans l'âtre d'une cheminée, et un autre, assis sur un banc, semblait faire une sieste.

Almar se redressa. Il vit que ses mains étaient propres. Il passa les doigts sur son front et sentit un bandage. Les deux hommes l'avaient soigné.

— Restez couché ! lui conseilla l'homme devant la cheminée. Vous êtes encore bien pâle ! Je vous prépare une soupe qui devrait vous remettre sur pied.

Almar regarda le récipient dans lequel cuisinait l'inconnu. Il en sortait une fumée épaisse. La soupe dégageait sûrement une odeur délicieuse, mais il était bien incapable de la sentir.

Le boucher se leva, approcha de l'inconnu en boitant et prit le récipient qui pendait au-dessus du feu.

— Vous êtes fou ! s'exclama le pauvre homme. Vous allez vous brûler !

Almar ne lui adressa même pas un regard et avala la soupe bouillante d'une seule traite.

Le deuxième inconnu fut réveillé par les cris terrifiés de son compagnon.

— Que se passe-t-il ? balbutia-t-il à moitié endormi.

Almar jeta le récipient par terre et sortit de l'abri sans dire une seule parole et sans se retourner. Comme si les deux hommes n'avaient pas été là.

Puis il repartit vers le nord, les yeux rivés sur l'horizon, entendant à peine les insultes que lui jetaient les bergers derrière lui.

À présent il savait. Il devait manger et se reposer, malgré lui. Soit. Mais cela ne changerait rien.

Le boucher avançait vers Providence.

*
* *

Le capitaine Fahrio et Aléa coupèrent à travers champs pour rejoindre au sud-est de la ville le pont du Pin où ils pourraient traverser le Cele.

Une grande ferme et un hôpital s'élevaient juste avant le pont, et Fahrio proposa de faire le tour par l'est.

— Il y a sûrement des chiens dans la ferme, je ne voudrais pas les faire aboyer, expliqua le capitaine en faisant signe à Aléa de le suivre.

Le dos courbé pour se faire les plus petits possible, ils traversèrent un grand champ de blé, passèrent de l'autre côté du chemin qui longeait la rivière et s'approchèrent de l'eau.

— On va marcher le long de la berge jusqu'au pont.

Aléa acquiesça en silence. Elle suivait le capitaine sans rien dire, faisant attention à chacun de ses pas. Ils marchèrent au bord de l'eau, se faufilant entre les buissons.

Quand ils arrivèrent au pied du pont du Pin, Fahrio fit signe à Aléa de l'attendre un instant. Il grimpa sur la butte et disparut derrière le muret qui longeait le chemin au-dessus d'eux.

Il réapparut bientôt et tendit la main à Aléa.

— La voie est libre !

La jeune fille escalada à son tour, aidée par le capitaine, et le rejoignit sur le pont. Il lui fit signe de s'accroupir. Recroquevillés, ils avancèrent l'un derrière l'autre sur le grand pont de pierre. On entendait en dessous le bruit de la rivière qui s'écoulait vers l'ouest.

Quand ils furent à mi-chemin, le capitaine s'immobilisa soudain et posa une main sur l'épaule d'Aléa pour l'inciter à se courber encore plus.

— Baisse-toi ! Voilà quelqu'un ! chuchota-t-il.

Mais c'était trop tard. L'homme de l'autre côté du pont les avait sûrement aperçus. Il avançait vers eux d'un pas hésitant.

— Qu'est-ce qu'on fait ? demanda Fahrio, embêté. On se débarrasse de lui ou on s'enfuit ?

— Il y a peut-être une autre solution, suggéra Aléa. Nous ne sommes pas sûrs que c'est un ennemi...

Elle leva la tête pour regarder l'inconnu par-dessus les épaules du capitaine.

— Ça n'a pas l'air d'être un Soldat de la Flamme.

Et sans demander son avis au capitaine, elle se leva.

— Qui va là ? s'exclama l'inconnu en faisant un pas en arrière.

— Nous sommes sarrois, répondit Aléa qui avait reconnu l'accent de la région dans la voix de son interlocuteur.

Il marcha vers eux. Cela ne servait plus à rien de se cacher et Fahrio se leva en poussant un soupir.

— Est-ce bien l'hirondelle, sur votre plastron ? demanda l'inconnu en plissant les yeux pour mieux voir à travers l'obscurité.

— Oui, répondit Fahrio, je suis un garde de Sarre.

— Mais que faites-vous là ? s'inquiéta aussitôt le citadin. Vite, suivez-moi, il faut vous mettre à l'abri !

Il fit demi-tour et leur intima de l'accompagner. Aléa haussa les épaules, regarda le capitaine, et décida de faire confiance à l'inconnu.

Ils se précipitèrent derrière lui et le suivirent de l'autre côté du pont, jusqu'à un petit bâtiment où visiblement on réparait les bateaux. Il y avait çà et là des coques, des mâts, des voiles, de grandes planches de bois, des outils, tout un chantier de construction et de réparation.

— Vous êtes complètement fous ! s'exclama le Tarnéen quand ils furent tous les trois à l'abri. Il y a un poste de garde à quelques pas d'ici, les Soldats de la Flamme ne cessent de faire des rondes !

— Alors vous nous avez peut-être sauvé la vie, répondit Aléa en souriant.

— Mais qui êtes-vous et que faites-vous là ?

Aléa hésita à répondre. Devait-elle vraiment faire confiance à cet homme ? Certes, il les avait emmenés à l'abri, craignant que les Soldats de la Flamme ne les surprennent. Mais cela pouvait être une ruse. Pourtant, Aléa ne sentait aucune mauvaise intention chez le Tarnéen. Elle décida qu'il ne servait à rien de se méfier.

— Je suis Aléa Cathfad, fille de Phelim le druide et chef de l'Armée de la Terre.

— Vous ? Aléa ? Mais qu'est-ce que vous faites au beau milieu de la nuit sur ce pont ?

— Je pourrais vous retourner la question.

— Moi... Moi, je n'arrive pas à dormir. Savoir que la ville dans laquelle je vis depuis ma naissance est passée en une seule nuit dans les mains d'un envahisseur, cela me rend fou !

— Je comprends, répondit Aléa. Comment vous appelez-vous ?

— Cadrige.

— Eh bien, Cadrige, nous allons essayer de vous rendre votre ville.

— À vous deux, tous seuls ? s'étonna le Tarnéen.

— Non, répliqua Aléa en souriant. Mon armée est postée au sud-ouest d'ici. Nous sommes venus en reconnaissance.

Cadrige fit un large sourire et tendit la main à Aléa.

— Eh bien, si je peux vous aider...

Aléa serra sa main.

— Voici le capitaine Fahrio.

Le Tarnéen salua le militaire.

— Et oui, reprit Aléa, vous pouvez nous aider. Vous connaissez les positions des Soldats de la Flamme ?

— Par la Moïra ! répondit Cadrige en écarquillant les yeux, mais ils sont partout !

— Ils ont pris le château ?

— Oui.

— La caserne ?

— Bien sûr, et tous les postes de garde. La petite citadelle, au nord, le collège des druides... La plupart des habitants sont partis et d'autres partent encore.

— Et le comte ? s'inquiéta Fahrio.

Le Tarnéen fit une grimace désolée.

— Son cadavre est exposé au centre de la place de la Raison.

— Ils ont osé tuer le comte ! s'exclama le capitaine, incrédule.

— Oui. Il a été pendu par les Soldats de la Flamme parce qu'il refusait de coopérer. Finalement, ce vieux fou était plus courageux qu'on ne le pensait !

— On nous a dit qu'ils étaient trois ou quatre mille hommes, est-ce que cela vous paraît juste ?

— Oui.

— Et les soldats de Sarre, ils se sont rendus ?

— Vous plaisantez ! Ceux qui n'ont pas péri dans la

bataille ont été exécutés sur-le-champ. On raconte que Dancray avait espéré prendre la ville en douceur et que la résistance inattendue des Sarrois l'a rendu fou furieux.

— C'est en effet pure folie, soupira Aléa.

Ils restèrent silencieux un long moment, parce qu'aucune parole ne pouvait exprimer ce qu'ils ressentaient tous les trois. Mais la nuit avançait et Aléa savait qu'il n'y avait pas de temps à perdre.

— Cadrige, je voudrais voir le canal. Pourriez-vous nous y emmener sans risque, en évitant les postes de garde des Soldats de la Flamme ?

— Bien sûr, répliqua le Tarnéen. Enfin, nous pouvons essayer, en tout cas !

— Alors allons-y.

*
* *

— La reine est en train de prendre beaucoup plus de pouvoir que n'en avait Eoghan. Si nous ne nous rendons pas utiles dès aujourd'hui, elle nous écrasera sans aucune hésitation.

Maintenant que les druides sont avec elle, je me demande même s'il n'est pas déjà trop tard.

Carla Bisagni avait réuni en secret les deux conseillers de son père qui, comme elle, s'inquiétaient pour l'avenir de la baronnie : le capitaine Giametta et le bailli Stefano. Isolés dans une petite pièce obscure de l'aile ouest du palais de Farfanaro, ils pouvaient comploter sans risque.

— Si nous laissons mon père gouverner Bisagne de la sorte, reprit la jeune fille, nous disparaîtrons bientôt sous la bannière de la reine.

Et mes chances de me retrouver à la tête de la baronnie seront réduites à néant.

Le capitaine Giametta acquiesça, les mains crispées par l'angoisse.

Giametta est un lâche. Il est terrifié à l'idée que mon père découvre que nous complotons dans son dos. Mais j'ai tout de même besoin de lui. Sa fierté de soldat ne peut que l'opposer à mon père, et je peux utiliser cela comme une force.

— Nous courons à la catastrophe. Je crois en effet que le baron est devenu incapable de gouverner. Ma chère Carla, je dois avouer que je suis effondré de le voir ainsi passer plus de temps dans les orgies grotesques qu'il organise qu'à s'occuper de son peuple...

— Et de son armée, surenchérit Carla sournoisement.

Je dois lui montrer que je suis moi aussi attachée à l'armée de Bisagne. Je dois le rassurer. Faire en sorte qu'il se sente dans mon camp.

— Tout cela est fort juste, certes, mais que faire ? demanda le bailli à l'autre bout de la table.

Carla le fixa droit dans les yeux. Puis lentement, elle déclara :

— Nous devons tuer mon père.

Elle n'avait pas sourcillé. Froide. Dure. Comme si l'idée avait eu le temps de s'installer tranquillement dans son esprit depuis longtemps déjà. Tuer son père. Tuer le baron Bisagni.

Et prendre sa place. Je la mérite tellement plus que lui ! Après tout, Gaelia est en train de passer aux mains des femmes. Aléa. Amine... Pourquoi pas moi ?

— Vous n'y pensez pas ! s'exclama le bailli Stefano, outré. Votre père est peut-être devenu un dirigeant pitoyable, mais il reste un ami ! Il est hors de question que je participe à un crime de la sorte !

Il se leva brusquement, manquant renverser sa chaise.

Je sais, bailli, je sais. Tu n'es pas encore mûr. Mais quand je t'aurais laissé apercevoir ce que nous pourrons faire sans mon vieux goret de père, l'idée te paraîtra moins choquante. Tu verras.

Le capitaine Giametta rattrapa le bailli par le bras et le força à se rasseoir.

— Du calme, Stefano. Du calme. Nous n'avons pris encore aucune décision, nous sommes là pour discuter. Carla exagère un peu... Il n'est pas question de tuer le baron.

— Vous ne discuterez pas avec moi du meurtre d'Alvaro ! répliqua le bailli en dégageant son bras des mains du capitaine.

— C'est entendu, Stefano, répondit Giametta, alors calmons-nous et trouvons ensemble une autre solution.

Carla lança au bailli un regard amusé. Nul dans la baronnie ne détestait le vieux Bisagni autant que sa propre fille, à tel point qu'elle avait davantage envie de le tuer que de prendre vraiment le pouvoir. Mais cela, elle ne pouvait l'avouer ici.

— Avant de savoir ce que nous devons faire vis-à-vis du baron, reprit le capitaine, il est important que nous sachions quelle politique nous voulons mener exactement.

N'importe quelle politique qui m'amènera au pouvoir et me permettra de me débarrasser de mon père, pauvre imbécile !

— Il faut se rapprocher de la reine tout en renforçant notre poids politique, proposa Stefano qui s'était visiblement calmé.

— En nous opposant à ses ennemis ? demanda Carla.

— Pourquoi pas ? répliqua le capitaine. Nous pourrions forcer la guerre entre Galatie et Harcourt et briser notre légendaire neutralité pour prendre part aux combats contre les chrétiens.

Voilà. Je savais que ce serait son point faible. L'armée de Bisagne. La guerre. Il n'attend que ça.

— Cela nous rapprocherait peut-être de la reine, intervint le bailli, mais je ne vois pas en quoi cela renforcerait notre poids politique.

Carla Bisagni répondit d'un ton assuré.

— Parce que cela rappellerait aux Gaeliens que notre armée de mercenaires est de loin la plus puissante de l'île, malgré ce que certains semblent croire.

— Évidemment ! ajouta le capitaine, sans comprendre qu'il venait de tomber dans le piège de la fille du baron.

— En êtes-vous si certains ? s'inquiéta le bailli.

— Mon père a fait bien des erreurs dans sa carrière, mais il y a une chose sur laquelle je dois reconnaître qu'il a toujours eu raison. Le pouvoir de l'argent. La force de l'armée d'Harcourt se base sur la foi religieuse des combattants. C'est certes une grande force. Mais ce n'est rien à côté de celle que confère l'appât du gain. Celui qui croit en l'argent est bien plus puissant que celui qui croit en Dieu.

— Cela reste à prouver, modéra le bailli.

— De toute façon, intervint le capitaine Giametta, notre présence au côté de la reine sera un atout décisif. Mes mercenaires peuvent lui garantir la victoire, et c'est ainsi que nous pourrons retrouver notre poids politique. C'est aussi simple qu'une partie de fidchell...

— Absolument, continua Carla. Nous devons la forcer à engager le combat, et ensuite, mettre en balance notre participation pour que la reine reconnaisse notre importance.

Et que Gaelia tout entière sache que c'est moi qui tiens les rênes de Bisagne.

— Prenons garde, c'est une décision qui pourrait entraîner la mort de milliers de gens, dit le bailli d'un air grave.

— C'est surtout une décision qui pourrait redonner à Bisagne une splendeur perdue, répliqua Carla.

— Nous ne pourrons jamais convaincre le baron d'agir de la sorte.

— Nous ne lui laisserons pas le choix, riposta la jeune femme.

— Je vous répète qu'il est hors de question que je participe au plan macabre auquel vous pensez.

— J'ai bien compris. Mais rien ne nous oblige à le tuer, rétorqua Carla. Nous pouvons – dans un premier temps – nous contenter de l'écarter du pouvoir.

— Comment ?

— J'en fais mon affaire, déclara la jeune femme en se levant.

Elle quitta la pièce sous le regard inquiet du bailli. L'appétit de pouvoir de la jeune femme lui faisait de plus en plus peur. Mais il espérait avoir au moins échappé au pire.

*
* *

Erwan fit signe aux Soldats de la Terre de s'arrêter. C'était à présent une armée de mille hommes, et leurs chances de passer inaperçus quand ils franchiraient la colline étaient quasiment nulles. Pour que le plan d'Aléa puisse fonctionner, il allait falloir respecter ses instructions à la lettre.

La jeune fille était revenue au milieu de la nuit avec Fahrio, et ils avaient réveillé tout le campement pour préparer l'attaque. Pendant que les soldats s'habillaient et vérifiaient leur équipement, Aléa avait réuni en vitesse ses compagnons pour leur expliquer la stratégie à laquelle elle avait pensé, puis elle avait donné à chacun des consignes précises.

Ensuite, elle était partie avec Finghin pour prendre de l'avance et se placer à l'endroit où ils pourraient ensemble exécuter leur partie du stratagème. Elle avait donc laissé à Erwan le soin de diriger les troupes.

Le Magistel garda le bras tendu en l'air jusqu'à ce qu'il n'entende plus un seul bruit derrière lui. Le vent se faufilait sur la crête de la colline, à travers les armures des soldats, et faisait claquer la bannière rouge et blanc du Samildanach au bout des grandes lances. En bas de la vallée, on devinait les contours de la capitale plongée dans la nuit.

À présent, il fallait attendre le signal. Aléa avait promis au Magistel qu'il ne pourrait pas se tromper. Il s'attendait au pire. Quand il verrait le signal, il comprendrait, avait-elle dit. Et alors il faudrait qu'il charge. Que l'Armée de la Terre tout entière dévale la pente de la colline pour attaquer la ville par le flanc ouest, par la porte de Cavalia. Il suffisait d'aller toujours tout droit. Après la porte, une longue rue rectiligne les mènerait sur la place de la Raison, au pied du château de Tarnea. Si le plan d'Aléa fonctionnait, ils auraient alors peut-être des chances de l'emporter, malgré leur infériorité numérique.

À quelques lieues de là, à l'exact opposé de la ville, Finghin et Aléa rejoignirent le canal de l'Estang. Ils dépassèrent le pont du Pin pour remonter plus haut encore, aussi loin de la ville que l'était à l'ouest l'Armée de la Terre.

Quand Aléa estima qu'ils étaient remontés assez loin en amont, ils s'installèrent chacun d'un côté du canal et se concentrèrent pour assembler le Saîman dans leurs corps. Ils fermèrent les yeux en même temps. Aléa se tenait les tempes et Finghin avait les mains croisées devant la bouche. Pour parvenir à leurs fins, ils allaient devoir réunir beaucoup d'énergie, et Aléa était bien heureuse de pouvoir bénéficier de l'aide du druide, car elle n'aurait sans doute pas pu réussir seule.

Elle fut la première à rouvrir les yeux. Le Saîman bouillait dans son corps, prêt à exploser. Lentement, avec grâce, elle tendit les mains devant elle, au-dessus de l'eau du canal. Le Saîman glissa le long de ses veines, au bout de ses doigts. La surface de l'eau se mit à clapoter. De petites secousses progressives, comme si un vent avait commencé à souffler dans le sens contraire du courant. Puis les petites secousses se firent vaguelettes, et les vaguelettes se firent vagues. Les bras d'Aléa tremblaient à présent. Elle ferma les yeux de nouveau pour ne pas perdre sa concentration. Le geste, le transfert lui demandait tant d'énergie que cela en devenait douloureux.

À cet instant, Finghin leva les bras à son tour. Les mains tendues, les doigts crispés, il envoya le flot de Saîman à la surface de l'eau. La force d'Aléa était considérable. Avant même qu'il n'intervienne, elle avait déjà réussi à arrêter le courant, et l'eau commençait lentement à remonter dans l'autre sens. Le bruit du Saîman, qui frottait la surface de l'eau, se fit de plus en plus fort. De plus en plus sourd. Et bientôt, ce fut comme si une tempête se déchaînait tout au long du cours d'eau.

Aléa sentit la présence de Finghin. Le Saîman du druide qui soufflait avec le sien. L'eau du canal était de moins en moins résistante. Le courant commençait à prendre. Des gouttes de sueur coulaient sur le front de la jeune fille, glissaient jusque dans ses yeux. Mais elle ne pouvait s'essuyer. Il ne fallait pas qu'elle lâche. La force commençait à lui manquer. Mais ils étaient loin d'avoir réussi. Elle essaya de chercher encore plus profondément les ressources nécessaires. Puis, alors que ses jambes se mettaient à trembler elles aussi, elle redoubla l'intensité de son énergie. Donna toute la force qui habitait ses veines. Le Saîman poussa l'eau comme un ouragan. Bientôt, le courant fut encore plus fort en sens inverse qu'il ne partait vers l'est en temps normal. L'eau se mit à claquer contre les parois de pierre du canal. Les vagues plongeaient vers l'avant, se soulevaient comme une mer déchaînée.

Aléa ouvrit les yeux et vit que de nombreuses torches s'étaient allumées au loin dans la ville. Son plan avait marché. L'Estang était sans doute en train de déborder, et l'eau continuait d'arriver, s'insinuant dans les rues du quartier, envahissant la grande place comme un raz de marée. Mais Aléa ne relâcha pas tout de suite son emprise. Sans arrêter, elle tourna la tête vers Finghin et cria :

— Maintenant !

Finghin, épuisé lui aussi, relâcha ses mains un instant, inspira profondément, puis il leva les bras vers le ciel. Il rassembla un peu d'énergie avec les forces qui lui restaient, puis en hurlant envoya vers le ciel une boule de feu qui partit exploser au-dessus de la ville.

Le druide s'écroula sur le sol. La nuit s'illumina d'une lueur dorée. Puis des milliers de petites particules lumineuses se mirent à tomber lentement sur Tarnea. Comme autant de lucioles englobant la capitale.

Le signal.

De l'autre côté de la ville, Erwan hurla :

— Alragan !

Et tous les Soldats se mirent à dévaler la colline en criant, armes levées, poings serrés, le cœur battant au rythme de la peur et de l'exaltation.

*
* *

Amine – qui refusait à présent qu'on l'appelle reine et exigeait qu'on s'adresse à elle sous le nom d'Aislinn la druidesse – était seule dans la petite pièce exiguë en haut du palais de Providence, devant la fenêtre même où Eoghan, son mari, avait succombé quelques semaines plus tôt en buvant le poison qu'elle avait glissé dans son verre.

Debout devant la fenêtre, les yeux perdus dans le lointain, elle riait. Et c'eût été un rire ordinaire s'il ne s'était accompagné de larmes. De grosses larmes qui coulaient de ses yeux.

— Tais-toi ! hurla-t-elle soudain en se tenant la tête.

Son cri s'étouffa entre les murs de la petite pièce.

Elle se mit à rire de nouveau, puis ce rire s'éteignit lentement, se terminant enfin par une quinte de toux. Amine pencha la tête. Elle tendit l'oreille. Les yeux écarquillés, elle semblait écouter un son distant. Un murmure lointain.

— Pardon ? chuchota-t-elle.

Elle plissa les yeux, comme pour mieux entendre.

— Tu me parles, Eoghan ?

Le rythme de sa respiration se mit à accélérer. Sa poitrine se soulevait et se baissait nerveusement.

Elle entendait une voix dans sa tête. Une voix qui se noyait dans un écho insupportable. C'était *sa* voix. Celle d'Eoghan. Eoghan parlait dans sa tête.

Petite catin ! Regarde par terre ! Regarde par terre, Amine, regarde !

Elle baissa les yeux, puis elle poussa un cri en découvrant sur le plancher une tache de sang. Une petite flaque rouge, poisseuse. Amine fit un pas en arrière. La tache de sang était en train de grandir. Amine recula encore un peu. Mais le sang continuait de se répandre sur le sol, dans les veines du bois.

Alors, quoi ? La vue du sang te fait peur, maintenant ? Mais c'est toi qui l'as fait couler, ce sang, Amine ! Regarde.

La tache ne cessait de grandir. Amine fit un nouveau pas à reculons. Ses lèvres et ses mains tremblaient. Ses joues étaient pâles comme celles d'un mort. Des gouttes de sueur glissaient sur son grand front.

— Non ! cria-t-elle, mais le sang continuait d'avancer, de s'étendre lentement.

Il remplissait à présent un quart de la pièce.

Mais c'est mon sang, Amine. Et tu sais, petite catin, tu sais, il est empoisonné. Si tu le touches, tu meurs.

Elle recula encore. Soudain elle heurta un tabouret

derrière elle et tomba à la renverse. Son dos percuta violemment le sol. Pendant un instant, elle crut qu'elle avait perdu connaissance. La voix s'était tue dans sa tête. Elle ne voyait plus. Elle sourit. Elle imaginait qu'elle était morte, libérée. Puis, lentement, la lumière apparut à nouveau. Le plafond se dessina au-dessus d'elle, mais il semblait tourner comme un manège.

Tu vas toucher le sang, Amine.

Elle pencha la tête. La tache rouge avançait vers son visage. Inexorablement, elle progressait sur les planches du parquet, et dans un instant elle serait sur elle.

Amine poussa un cri et roula sur le côté. Elle se releva péniblement et se réfugia sur un fauteuil. Elle s'assit en tailleur pour ne plus toucher le sol.

Tu ne sais plus où te réfugier, Amine. Tu ne sais plus que faire. Tu as cru que tu pourrais te débrouiller sans moi, n'est-ce pas ? Mais maintenant, maintenant que les druides t'ont faite leur, maintenant que mon meurtre t'a faite reine, maintenant, que vas-tu faire, Amine ? Quel rêve défends-tu ? Quel combat ? Et qui te succédera, Amine, toi qui n'as plus d'époux pour te donner un enfant ?

Tu as vraiment cru que tu pourrais te débrouiller sans moi ?

Les bras serrés autour de sa taille, les yeux fermés, tout son corps tendu d'angoisse, elle essayait de chasser la voix de sa tête. Mais la voix était de plus en plus forte. Plus rien ne pourrait l'éteindre.

Quand elle ouvrit les yeux à nouveau, elle vit que la tache de sang avait rempli toute la pièce et commençait maintenant à monter le long des murs, en bas des meubles. Elle baissa les yeux et vit la vague rouge qui gagnait les pieds de sa chaise.

Le sang empoisonné montait vers elle.

De l'autre côté du couloir, dans la grande blanchisserie, une servante entendit soudain un hurlement strident.

Chapitre 8

AUX SOURCES DU SAÎMAN

Le général Dancray fut réveillé par les cris de panique qui montaient depuis la cour. Il se leva d'un bond et se rua vers la fenêtre pour voir ce qu'il se passait. Il ne s'attendait pas à une attaque si rapide mais, en entendant les hurlements et les bruits de course dans le château, il imaginait mal que ce pût être autre chose. En vérité, la première hypothèse à laquelle il songea – et qu'il avait d'ailleurs envisagée – était un incendie. Il n'était pas impossible qu'un habitant de Tarnea, dans un élan de rage folle, en vînt à vouloir mettre le feu à sa propre ville pour résister à l'envahisseur.

Mais quand il se pencha par la fenêtre, Dancray comprit qu'il s'agissait de tout autre chose. La cour du château était inondée. Des flots gigantesques entraient par toutes les portes de l'enceinte, remontaient par les caves et envahissaient déjà l'édifice. Soldats et serviteurs couraient en tous sens pour essayer de stopper la catastrophe, mais ils ne savaient pas vraiment comment faire.

Le général Dancray pesta. Il ne manquait plus que ça ! Il enfila en vitesse un pantalon de toile, une chemise et une courte veste en cuir. Il s'assit sur son lit et, tout en enfilant ses bottes, essaya d'analyser la situation. Il tourna soudain la tête vers la fenêtre et regarda le ciel nocturne. Il ne pleuvait pas. Pas une seule goutte de pluie. Comment l'Estang ou le Cele avaient-ils pu déborder s'il ne pleuvait pas ? Il comprit aussitôt que c'était un piège. Il se leva brusquement, repartit vers la fenêtre et se mit à hurler vers la cour :

— C'est un piège ! C'est un piège !

Mais personne ne pouvait l'entendre dans le vacarme et la panique. Tous, en bas, étaient trop occupés à essayer d'arrêter les trombes d'eau pour réfléchir à la cause possible de l'inondation.

Au même moment, une boule de feu explosa au-dessus de la ville. Le général sursauta. Il se demanda s'il pouvait s'agir d'un éclair. Non, bien sûr. Cela faisait partie de l'attaque. Des petites braises descendaient à présent lentement dans le ciel. Comme une pluie de lumière qui éclairait la cour du château. Le général put alors contempler l'ampleur de la catastrophe.

Imbéciles ! pensa-t-il. Toutes les portes du château étaient ouvertes à présent, et certains serviteurs se faisaient même emporter par le courant.

— Fermez les portes ! hurla Dancray en frappant du poing sur le rebord de la fenêtre. Fermez ces maudites portes !

Mais ses cris ne servaient à rien. Furieux, il fit volte-face et fonça vers le couloir. Au moment où il sortit, l'un de ses soldats arriva en courant vers la porte et ils se percutèrent sur le seuil.

— Excusez-moi, mon général, balbutia le jeune homme. Je venais vous chercher. Il y a une inondation...

Dancray fulminait.

— Ce n'est pas une inondation, imbécile, c'est un piège !

Il bouscula le soldat et se précipita vers l'escalier qui menait au rez-de-chaussée. En se retournant, il cria au jeune homme :

— Allez me chercher le capitaine Danil ! Dites-lui de me rejoindre à la grande porte immédiatement !

Il n'attendit même pas la réponse du soldat et dévala les marches jusqu'au vestibule, dont le sol était déjà complètement submergé. Courant péniblement dans l'eau, il sortit dans la cour et partit tout droit vers la grande porte. Chaque fois qu'il croisait un homme, il lui criait :

— Aux armes ! Aux armes ! C'est un piège !

Les soldats couraient dans tous les sens. Les reflets de la lune dans l'eau dansaient au rythme des vagues et des éclaboussures. Petit à petit, les soldats se passaient le mot du général, et bientôt on les entendit à leur tour appeler leurs semblables aux armes.

— Fermez les portes, fermez les portes ! hurla le général en approchant de la grande arcade qui ouvrait le château.

Plusieurs soldats essayèrent d'exécuter son ordre, mais il y avait bien trop d'eau pour qu'ils puissent y parvenir.

C'est à cet instant précis que le général entendit en haut des remparts le cri qu'il redoutait.

— Armée en vue ! hurla une sentinelle depuis le chemin de ronde. Une armée est en train de passer la porte de Cavalia !

Dancray poussa un hurlement de rage.

— Je veux qu'on me ferme ces portes ! répétait-il en retournant vers le centre de la cour.

Il courait d'un soldat à l'autre pour leur ordonner d'aller prêter main-forte à ceux qui essayaient désespérément de fermer les immenses battants de bois.

— Là-haut ! cria-t-il à la sentinelle. Dépêchez-vous. Préparez-vous à actionner le système de fermeture !

Le soldat leva les bras d'un air désolé. Tous les soldats n'avaient pas encore eu le temps de se familiariser avec le château et celui-ci visiblement ne savait pas de quoi parlait Dancray.

— Derrière l'assommoir, là ! cria Dancray en indiquant la section des remparts juste au-dessus de la grande porte. Actionnez ce maudit système, imbécile !

Le vigile partit en courant vers l'assommoir, cherchant le mécanisme.

— Général !

Dancray fit volte-face. C'était le capitaine Danil. Une quinzaine de soldats le suivaient déjà.

— Général, reprit le capitaine, c'est la bannière d'Aléa.

— Évidemment ! rétorqua Dancray. Qui vouliez-vous que ce soit ? D'où croyez-vous que viennent ces braises qui tombent du ciel ? Faites monter des archers sur les remparts, faites installer de l'huile bouillante et de la poix dans les bretèches, s'il est encore temps, et disposez des piques le long des courtines, il y en a plus qu'il n'en faut dans l'armurerie !

— Tout de suite, mon général.

Danil se retourna et transmit les ordres à ses hommes. Puis il s'adressa de nouveau à Dancray.

— Je pense que nous devrions rassembler des cavaliers dans la basse-cour, mon général. Si l'ennemi parvient à rentrer, il faudra être prêt à les accueillir.

— Faites, Danil, agréa Dancray.

— Quant à vous, il serait sans doute plus sage que vous montiez au donjon.

— Pas pour le moment. Ces imbéciles ne sont pas capables de défendre le château sans nous, Danil, nous devons rester ici tant que la panique régnera. Envoyez vite des messagers dans les postes de garde, tout le monde doit se rallier au château. Des combattants à nous sur le parvis ne seront pas de trop, cela obligera l'ennemi à supporter deux assauts de front.

— Entendu.

Danil s'exécuta aussitôt, se précipitant vers l'aile ouest de la haute-cour.

Dancray partit à son tour pour rejoindre les escaliers qui menaient aux courtines. Au fur et à mesure qu'il montait les marches, les cris de l'assaillant au-dehors se faisaient de plus en plus forts.

Quand il arriva en haut, il constata avec horreur que toutes les meurtrières n'étaient pas encore occupées par ses soldats.

— Plus vite ! hurla-t-il en voyant les hommes qui couraient derrière lui.

Il se pencha pour regarder dans la cour. Alors que les soldats en contrebas étaient enfin parvenus à faire avancer les deux battants de la grande porte et qu'ils étaient sur le point de pouvoir la refermer, les premiers Soldats de la Terre apparurent, hurlants, épées levées, et le combat commença.

*
* *

Finghin se précipita vers Aléa pour l'aider à se relever. La jeune fille tremblait. Elle s'appuya sur l'épaule du druide en le remerciant.

La boule de feu s'était éteinte, et les dernières braises étaient tombées. Mais le ciel commençait déjà à s'éclaircir, les étoiles à disparaître. Le matin arrivait. Derrière eux, le sens du courant dans le canal avait repris son cours normal. Mais le flot était si agité qu'ils recevaient des éclaboussures.

— Tu penses que ça a marché ? demanda Aléa, fébrile.

— Je l'espère. Je vais aller voir. Toi, tu restes ici, il faut que tu reprennes des forces.

Aléa commença à protester mais le druide posa sa main sur la bouche de la jeune fille.

— Pas un mot, Aléa ! Tu n'es pas en état de te battre ! Si tu es tellement stupide et bornée que tu veux vraiment venir, promets-moi au moins d'attendre quelques instants. Tu ne tiens même pas debout ! Assieds-toi, et attends un peu.

Aléa acquiesça en poussant un soupir. Le druide lui lança un regard dubitatif, puis il partit en secouant la tête.

Il se mit à courir le long du canal, traversa une première porte qui menait au faubourg du Pin, passa un pont sur sa gauche, longea la rangée de fermes et de maisons, puis aperçut un homme au milieu du chemin qui courait vers lui.

Finghin ralentit le pas, méfiant.

— Druide ! cria l'inconnu à bout de souffle. Druide ! Vous êtes avec Aléa ?

Finghin fronça les sourcils.

— Qui êtes-vous ? demanda-t-il.

— Cadrige, répondit l'homme en tendant la main au druide. C'est moi qui ai guidé Aléa et le capitaine Fahrio cette nuit. J'attends depuis tout à l'heure à l'endroit même où je les ai rencontrés. Je veux me rendre utile.

Finghin acquiesça.

— Ils m'ont parlé de vous.

— Vous voulez entrer dans la ville ?

— Oui.

— Je m'en doutais. Il ne faut pas que vous passiez par là, druide, il y a un poste de garde juste devant la porte du Pin. Suivez-moi, je vais vous amener un peu plus haut, il y a un petit passage qui donne sur la rue du Clos, je ne crois pas qu'il y ait de Soldats de la Flamme là-bas.

— Allons-y, répondit Finghin sans attendre.

Le Tarnéen hocha la tête et partit d'un pas vif vers la ville. Ils longèrent encore le canal jusqu'à ce qu'ils arrivent à un croisement. La route principale continuait tout droit vers la porte du Pin, et une petite rue en pente montait vers le nord. Cadrige se précipita dans celle-ci en faisant signe au druide de le suivre.

La pente était assez raide, et Finghin commençait à fatiguer. La manipulation du Saîman l'avait épuisé et, même s'il avait dépensé beaucoup moins d'énergie qu'Aléa, il n'était pas au mieux de sa forme.

Ils arrivèrent enfin à un nouveau croisement et obliquèrent sur la gauche, dans une rue qui ne montait plus. Finghin fit une halte, reprit son souffle en s'appuyant sur ses genoux, puis voyant que le Tarnéen ne s'était pas arrêté, il se remit à courir.

— C'est par là ! s'écria Cadrige en pointant vers le bout de la rue. Il y a une petite ruelle qui mène à l'intérieur !

Ils passèrent encore quelques maisons et l'enceinte de la ville apparut enfin au-delà des toits. Le Tarnéen s'arrêta au bout de la rue et fit signe à Finghin de se dépêcher. Le druide était à bout de souffle. Il ralentit le rythme de sa course pour faire les derniers pas en marchant, s'appuyant contre le mur de la maison à sa droite.

Soudain, il entendit un sifflement devant lui. Il leva la

tête et découvrit le visage horrifié de Cadrige. Les yeux écarquillés, le Tarnéen tomba sur ses genoux en geignant. La pointe d'une flèche sortait de sa poitrine. Puis tout son corps tomba en avant. Sa tête heurta violemment le sol pavé.

Finghin se précipita contre le mur. Il y avait un tireur en haut des remparts. Le souffle court, les jambes tremblantes, le druide n'arrivait pas à quitter le corps de Cadrige des yeux. La flèche qui avait traversé le cœur du Tarnéen aurait été pour lui s'il était arrivé seul. Aurait-il pu l'éviter ? Aurait-il vu l'archer à temps, ou serait-il mort à cet instant ? Il essaya de chasser cette question de son esprit et releva la tête pour voir s'il pouvait apercevoir le tireur.

Il se pencha un peu en avant, et aussitôt il entendit le souffle d'une seconde flèche décochée. Il eut tout juste le temps de se plaquer contre le mur de la maison derrière lui et la flèche le manqua de peu, pour se planter dans la porte de la maison suivante.

Finghin n'osait plus bouger. Le dos collé à la pierre, il retenait sa respiration. Il resta ainsi un moment puis, quand il entendit un bruit vers les remparts, il glissa le long du mur pour contourner la maison et ressortir de l'autre côté. Pas à pas, il progressa latéralement sans faire de bruit, passa le coin de la maison et se précipita derrière le mur opposé aux remparts. Là, il souffla un instant. Il jeta un coup d'œil à la façade de la maison. Il n'y avait aucune fenêtre. Il ne pourrait pas passer par l'intérieur. Il allait bien devoir faire le tour. Il partit vers l'autre côté du bâtiment et se positionna juste derrière le coin. Il suffisait qu'il penche la tête et il pourrait voir les remparts. Mais le tireur se doutait certainement que le druide allait apparaître de ce côté-ci.

Finghin se retourna. Il rassembla un peu de Saîman au bout de ses doigts, et envoya une toute petite boule d'énergie vers le coin opposé, pour faire du bruit à l'endroit même où il était l'instant d'avant, espérant que cela tromperait l'attention du tireur.

Aussitôt, il se pencha pour regarder de l'autre côté de la maison. Il vit alors une meurtrière. Une ombre derrière qui armait une flèche. Le druide n'hésita pas un seul instant. Il puisa au fond de lui l'énergie bouillonnante et tendit le bras vers la meurtrière. Il y eut un grand éclair bleu, bref et brillant, puis quelques étincelles sur la pierre, et Finghin entendit le bruit d'un corps qui tombait. Il avait touché le tireur. Mais il y en avait peut-être un deuxième. Le druide, pourtant, tenta sa chance. Il se précipita vers les remparts.

Il courut aussi vite qu'il put. À chaque nouveau pas, il s'attendait à recevoir une flèche, à être arrêté dans sa course par un trait fatal. Mais il arriva finalement au pied de l'enceinte sans aucun problème.

Il reprit son souffle, passa par la petite ruelle que lui avait indiquée Cadrige et entra dans la capitale. Il vit que le sol était trempé, mais l'eau était déjà repartie. Il fit quelques pas pour arriver à un croisement. Là, il aperçut au sud-ouest le haut d'un donjon. Le château n'était qu'à quelques rues de là.

Il se mit à courir, essayant de rester près des murs pour profiter de l'ombre et éviter un nouveau tireur, traversa une rue plus grande, et s'engouffra dans une autre ruelle. Il vit en passant des citadins et même quelques soldats qui couraient dans la rue, mais ceux-ci ne semblèrent pas le remarquer, sans doute grâce à l'obscurité et à la panique qui régnait dans la ville. Il entendait déjà les bruits des combats. Il espérait seulement que le plan d'Aléa avait marché.

Il arriva bientôt devant le canal, le suivit jusqu'à l'Estang et aperçut la grande place où était érigé le château.

Ce qu'il vit alors l'épouvanta. D'un seul coup d'œil il comprit la situation. L'Armée de la Terre était en train de se faire massacrer.

Les portes du château étaient refermées. Des archers postés dans les coursives décochaient des milliers de flèches sur leurs assaillants. Quelques Soldats de la Terre qui essayaient de grimper le long de la paroi se firent ébouillanter. Leurs corps tombèrent du haut des remparts et s'écrasèrent lourdement sur le pavé de la ville. Des centaines de corps s'amoncelaient sur la grande place. Au milieu de celle-ci, le corps du Comte de Sarre, pendu à une potence, se balançait encore au-dessus de ce champ de morts.

Finghin tomba à genoux, horrifié. Il y avait tellement de victimes ! Tellement d'innocents ! Erwan lui-même avait-il péri ? Kaitlin ? Des larmes montèrent à ses yeux. Il prit sa tête entre ses mains. Il lui semblait qu'il allait s'évanouir. Mais il n'avait pas le droit. Non. Aléa comptait sur lui. Il était un Grand-Druide. Il ne devait pas se laisser abattre. Il inspira profondément et essaya de se ressaisir.

Et, comme si la Moïra l'avait entendu, quand il leva les yeux il aperçut Erwan de l'autre côté de la place. Son Magistel. Son meilleur ami. Finghin se releva d'un bond. Erwan était debout. Il criait à ses hommes de se replier.

Finghin n'hésita pas un instant. Dans un élan de bravoure insensée, il se précipita sur la grande place. Plié en deux, il la traversa en courant, enjambant les cadavres, oubliant les flèches qui sifflaient autour de lui.

Erwan l'aperçut.

— Finghin ! Finghin ! hurla-t-il. Dépêche-toi ! Tu es fou !

Il ne restait que quelques pas. Le druide accéléra. Il chercha dans le Saîman un peu de force supplémentaire. Ses pieds semblaient voler au-dessus du sol.

Tout se passa en un seul instant. Il était presque arrivé. Trois ou quatre pas à peine. Les choses se passèrent si vite qu'il ne sut s'il entendit d'abord la voix d'Erwan ou le sifflement de la flèche.

— Couche-toi !

La voix du Magistel résonnait dans sa tête comme en songe. Le druide plongea en avant. Il eut à peine le temps de voir la pointe de la flèche qui fonçait vers son crâne.

Il s'étala de tout son long sur le pavé trempé de la place. Son corps roula sur le côté. Puis ce fut l'obscurité. L'obscurité totale. Mais un instant seulement. Ou une éternité.

Il ouvrit les yeux. Il vit le visage du Magistel au-dessus de lui. Erwan l'attrapa sous les épaules et le tira en arrière pour l'emmener à l'abri.

— Ça va ?

Finghin se redressa péniblement. Il passa une main sur son crâne chauve. Il sentit le liquide poisseux sur ses doigts.

— Ce n'est rien, le rassura Erwan, la flèche n'a fait que t'effleurer. Mais qu'est-ce qui t'a pris de traverser la place comme ça ? Tu es complètement fou !

Le druide avala sa salive. Puis il souffla un bon coup.

— J'ai bien cru que j'allais y passer.

Le Magistel secoua la tête.

— Kaitlin ? demanda le druide.

— Elle est là, quelque part, avec Mjolln.

Finghin jeta un coup d'œil derrière lui. La plupart des soldats avaient quitté la place et s'étaient réfugiés comme eux dans les rues voisines. Les autres étaient morts au pied du château.

— Que s'est-il passé ? demanda Finghin en grimaçant. Ça n'a pas marché ?

Erwan serra les poings. Il avait le regard fixé sur la grande place et les centaines de morts.

— Ça a marché, si, mais pas longtemps. La surprise n'a pas duré. Nos premières troupes sont parvenues à rentrer, je ne sais pas combien d'hommes, mais ils sont bien entrés. Puis les Soldats de la Flamme ont réussi à refermer les portes. Les autres doivent tous être morts à l'intérieur, maintenant... Et nous, ici, ne pouvons plus rien faire. Ils ont tout refermé. Et nous n'avons aucune machine pour passer à l'assaut. Pas de baliste, pas de bélier, pas de beffroi, rien. Nous sommes perdus, Finghin.

*
* *

Comme chaque année au milieu de l'automne, Alvaro Bisagni avait fait venir une troupe de cheminants dans le grand théâtre de Farfanaro. C'était une tradition à laquelle tenaient les habitants de Bisagne, et où les nobles de la baronnie pouvaient se livrer à leur jeu favori, la decenza. Les femmes venaient y montrer leurs plus belles robes, les hommes leurs plus belles femmes, et les gens du peuple, debout sur les balcons en hauteur, admiraient le spectacle qui se donnait autant sur scène que dans la salle.

Pour ouvrir le premier soir, la troupe de cheminants donna l'une des pièces les plus célèbres de Gaelia, *L'Épreuve*, chef-d'œuvre du barde O'Hanlon. L'interdiction de l'écriture imposée depuis la nuit des temps par les druides limitait de fait le nombre de pièces qui circulaient dans les répertoires des acteurs de l'île, car les textes ne se transmettaient qu'oralement, ce qui réduisait grandement leur diffusion. C'était davantage sur l'interprétation que l'on jugeait la pièce, et les spectateurs aimaient alors à se livrer au grand jeu des comparaisons.

Comme la plupart des gens de son rang, le baron connaissait bien sûr cette pièce par cœur, mais il se devait d'être là pour la première représentation afin d'inciter les Bisagnais à venir au théâtre. Maintenir l'édifice coûtait cher à la ville, la publicité qu'assurait la présence du baron n'était donc pas un luxe. Pour les nobles, c'était la soirée où l'on se devait de paraître, et pour la population, c'était celle où l'on pouvait voir le plus de nobles !

Alvaro Bisagni, vêtu de l'un de ses costumes les plus extravagants, avait donc pris place dans la loge somptueuse qui surplombait la scène, accompagné du bailli Stefano et de l'un de ses serviteurs. Appuyé sur sa canne dans l'ombre de l'avant-scène, il regardait la pièce avec intérêt. Il regrettait certes un peu que les acteurs n'aient pu proposer une pièce moins connue – il existait notamment d'autres textes remarquables du même barde qu'on ne jouait presque jamais – mais il fut toutefois agréablement surpris par l'interprétation des cheminants et, à la fin du premier acte, il se leva pour applaudir, imité par toute la salle qui acclama les acteurs.

— C'est un ravissement ! lança-t-il au bailli qui se contenta de lui répondre par un sourire.

C'était donc à présent le moment de l'entracte qui, pour la plupart des nobles, était le point culminant de la soirée. L'occasion de partager un verre avec le baron ou d'offrir aux autres spectateurs leurs premières impressions.

Bisagni fit un petit tour au rez-de-chaussée du théâtre afin de serrer quelques mains et de féliciter le directeur du théâtre.

— C'est un ravissement ! répéta-t-il en embrassant le vieil homme. Un ravissement !

Le directeur fit une révérence fidèle aux règles de la decenza, et tous les curieux amassés dans le couloir l'applaudirent chaleureusement.

Quelques instants plus tard, dans le brouhaha des conversations, la cloche annonçant la reprise imminente de la pièce retentit. Alvaro Bisagni regagna sa loge avec le bailli, montant péniblement les marches en marbre du grand escalier en s'appuyant sur sa canne.

Quand tout le monde eut regagné sa place, on éteignit les torches dans le public. Le grand rideau rouge s'ouvrit pour la seconde fois. Les acteurs apparurent au milieu des nouveaux décors.

Mais alors que les cheminants entamaient la première scène, le Baron entendit un bruit à l'arrière de sa loge. Fronçant les sourcils, il se retourna, s'imaginant que c'était son serviteur. Il découvrit devant lui la silhouette obscure d'un homme qui tenait dans sa main un poignard. Le baron sursauta. Il se releva sur sa chaise, ses mains tremblantes cherchant l'appui des accoudoirs.

Il tourna la tête pour voir si le bailli Stefano, sur sa droite, l'avait vu lui aussi. Mais le bailli, immobile, avait la gorge tranchée.

Une fois la stupeur passée, Bisagni essaya de hurler mais l'intrus l'en empêcha aussitôt, pressant sa main sur la bouche du baron en l'attrapant par-derrière. Bisagni commença à se débattre, terrifié, mais il ne pouvait pas lutter. Pas se battre. Il n'en avait plus l'âge ni la force.

En bas, la scène continuait. Personne ne semblait avoir remarqué le drame qui se nouait dans la loge du baron. Et d'une certaine manière, c'était pour lui encore plus effrayant. Il allait mourir seul. Lui qui avait vécu dans le nombre. Ne plus jamais croiser le regard de ses sujets. Leurs regards admiratifs, jaloux, craintifs. Ne plus jamais voir sa propre gloire qui se reflétait dans leurs yeux. Mourir dans le dos de tous ces gens qui n'avaient d'yeux que pour la scène. Qui ne l'entendraient même pas souffler son dernier râle.

Soudain, Alvaro sentit le métal froid de la lame sur son cou. Lentement, le couteau s'enfonça dans sa chair. C'était comme une morsure gelée. Puis la lame glissa le long de sa gorge. Un geste rapide. Si simple. Un si petit geste.

Le baron se vida de son sang et mourut en silence. Le liquide rouge coulait abondamment de sa gorge, se répandant sur son corps et sur le large fauteuil.

Pendant ce temps-là, un peu plus bas, les cheminants continuaient de jouer leur pièce devant un public ébahi.

*
* *

— Mais qu'est-ce que c'est que ça ?

Erwan, désespéré, était sur le point d'ordonner à ses troupes de quitter la ville pour se réfugier dans la colline quand il entendit l'exclamation surprise de Finghin derrière lui.

Le Magistel se retourna, et il s'ébahit à son tour en découvrant ce qui se passait sur la grande place.

Les yeux écarquillés, il n'arrivait pas à croire à ce qu'il voyait. En plein milieu de l'esplanade, juste au-dessus du sol, une boule de feu était en train de grossir, tournant sur place, se gonflant progressivement et envoyant tout autour d'elle des vagues de chaleur que l'on ressentait jusqu'au bord de la place. Erwan, bouche bée, fit un pas en arrière, comme pour se protéger. Il aperçut alors le groupe réuni de l'autre côté de l'esplanade.

— Regarde, balbutia-t-il en attrapant le bras de Finghin. Aléa est avec Saî-Mina !

Finghin acquiesça. Il venait de les apercevoir lui aussi. Ernan, Kiaran, Shehan, et tous les autres... Cinq Grands-Druides et au moins une cinquantaine de druides étaient assemblés avec Aléa devant le grand étang. Tous ensemble ils unissaient leurs forces pour faire croître cette incroyable boule de feu qui se mettait à présent à avancer lentement vers l'immense porte du château de Tarnea.

Erwan poussa un cri de joie, serrant le bras de Finghin dans ses mains. Petit à petit, les Soldats de la Terre amassés derrière lui s'approchaient eux aussi. Les uns après les autres, ils découvraient la scène avec stupéfaction.

Et soudain, dans un grand éclair jaune, la boule de feu accéléra et alla s'écraser contre les deux battants de bois qui fermaient le château. Il y eut une explosion assourdissante. La porte fut pulvérisée en milliers de morceaux et des pans entiers de remparts s'écroulèrent. Un nuage de fumée et de poussière se souleva autour du point d'impact, noyant l'ensemble du château sous un grand voile opaque.

Erwan lança à Finghin un regard médusé.

— Tu... tu as vu ça ? bafouilla-t-il, incrédule.

Mais Finghin ne répondit pas. Il se contenta de sourire.

Lentement, la fumée commença à se dissiper. Les flammes avaient envahi une bonne partie de la façade du château. Des poutres et des pierres continuaient de tomber, projetant des gerbes d'étincelles. Mais surtout, Erwan découvrit avec surprise que l'énorme boule de feu était en train de se reconstituer à l'intérieur de la cour. Il jeta un coup d'œil de l'autre côté de la place et vit en effet qu'Aléa et les druides continuaient de se concentrer, préparant sans doute un deuxième assaut, contre le donjon cette fois.

Sans hésiter, le Magistel se retourna et ordonna aux troupes de se préparer.

— Dès que vous entendrez une deuxième explosion, s'exclama-t-il, je veux que vous chargiez à nouveau le château ! Soldats, la victoire est à nous !

Il espérait simplement que cela n'entrerait pas en conflit avec les plans des druides. Mais il fallait saisir l'occasion, profiter de l'avantage. Les Soldats de la Terre avaient repris confiance. Dans leurs yeux brillait à nouveau l'espoir de la victoire. Après l'échec de leur premier assaut, ils avaient à présent une seconde chance. Une chance de se venger.

L'explosion contre le donjon fut encore plus impressionnante que la première. De larges pierres se décrochèrent de la haute structure, furent projetées en l'air et retombèrent jusque sur la grande place dans un vacarme assourdissant.

— Alragan ! s'écria Erwan en se jetant sur l'esplanade, brandissant devant lui Banthral, l'épée de son père.

Les Soldats de la Terre, Tagor en tête, se précipitèrent derrière lui, lançant à leur tour son fameux cri de guerre. Ils traversèrent la place en courant sans qu'une seule flèche ne soit tirée du château. Les deux explosions avaient sans doute tué beaucoup de soldats à l'intérieur, et les survivants étaient sûrement trop sonnés et abasourdis pour reprendre tout de suite leurs esprits.

Finghin laissa passer les premiers soldats, et, sur la pointe des pieds, chercha Kaitlin alentour. Les Soldats de la Terre se bousculaient, courant vers la grande place, et il avait du mal à reconnaître quiconque. Mais soudain il aperçut l'actrice.

— Kaitlin ! cria-t-il en tendant le bras au-dessus de la foule.

La cheminante leva les yeux et le vit. Elle traversa le flot des soldats, un grand sourire aux lèvres et se jeta dans les bras du druide. Finghin se laissa embrasser, mais il ne put empêcher le rouge de monter à ses joues.

— Je suis heureuse de te voir, dit enfin Kaitlin en lui caressant la joue. Allez, reprit-elle en pointant le doigt vers le château, il faut que j'y aille ! Nous devons tous y aller !

Et elle partit en courant derrière les Soldats de la Terre. Mjolln arriva à son tour, brandissant devant lui Khadel, l'épée que Phelim lui avait jadis offerte. Finghin les regarda s'éloigner, un peu perplexe, puis il partit rejoindre Aléa et les druides de l'autre côté de la place.

Les Soldats de la Terre arrivèrent devant le château en un instant, enjambèrent les décombres et les cadavres qui s'amassaient sous les restes de la voûte de pierre, et se précipitèrent dans la cour sur les Harcourtois médusés.

Prendre possession du château fut alors beaucoup plus aisé. Les Soldats de la Flamme tombaient les uns après les autres, désemparés, débordés, ne comprenant sans doute pas tout à fait ce qui se passait.

Rapidement, la bataille tourna en la faveur de l'armée d'Aléa et le château tomba à leurs mains. Courtine après courtine, tour après tour, les soldats prenaient les bâtiments les uns après les autres, et bientôt ce fut le tour du donjon.

Erwan fut parmi les premiers à monter dans la haute tour, se battant vaillamment, donnant l'exemple, brillant par sa maîtrise de l'épée et par sa fougue, par la confiance qu'il avait retrouvée.

Il enfonçait d'un grand coup de pied les portes de toutes les pièces qu'il croisait. Car en vérité, il ne cherchait qu'une seule chose. Ou plutôt, une seule personne. Dancray.

Quand il arriva au dernier étage du donjon, Erwan ouvrit lentement la grande porte en bois qui terminait l'escalier. Elle donnait sur une pièce ronde, richement décorée. Mais il n'y avait personne à l'intérieur. Prudemment, le Magistel fit quelques pas en avant. Se glissant sur le côté, en garde, il vérifia que personne n'était caché derrière la porte. Mais la pièce était bien vide. Il aperçut alors de l'autre côté de la porte un petit escalier de pierre. Sans doute donnait-il sur le toit du donjon.

Erwan s'approcha lentement des marches. Au même instant, deux de ses soldats apparurent à la porte derrière lui. Il leva la main pour leur faire signe de ne pas bouger. De ne pas faire de bruit.

En haut du petit escalier, la porte était ouverte.

Le Magistel monta les marches une à une, silencieusement. Il arriva en haut. Tenant fermement son épée devant lui, il se pencha pour essayer de voir de l'autre côté de l'ouverture. Rien. Il sentait battre son cœur.

Il s'approcha encore du seuil, inspira profondément, resserra ses doigts sur la poignée de son épée et se précipita sur le toit à travers l'ouverture.

Il eut tout juste le temps de se retourner pour parer le coup du soldat qui l'attaquait à l'épée. Levant Banthral devant lui, il arrêta la lame de son assaillant, puis le repoussa de toutes ses forces vers l'arrière. Le soldat tomba à la renverse, allant rouler un peu plus loin sur les vieilles pierres lisses.

Erwan en profita pour analyser la situation. Ils étaient trois sur le toit du donjon. Lui, le soldat qui l'avait attaqué, et, à l'opposé, un homme qui avait le dos tourné et semblait regarder le vide devant lui. Dancray.

Le soldat – qui n'était autre que le capitaine Danil – s'était relevé et revint à l'assaut. Mais Erwan ne lui en laissa pas le temps. Avec son aisance de Magistel il exécuta une volte, pivota sur le côté, arma un revers et donna un violent coup de taille dans la hanche de son attaquant avant même que celui-ci n'ait pu soulever son arme. Le choc fut si violent que l'épée traversa le haubert en cotte de mailles vernie, déchira le gambison rembourré et s'enfonça dans la chair du capitaine au moins jusqu'à mi-lame. Le jeune homme poussa un cri de douleur et partit sur le côté en se tenant le flanc.

Erwan jeta un coup d'œil à Dancray. Il n'avait pas bougé. Mais Danil, lui, était à nouveau là, prêt à se battre malgré le sang qui coulait de sa hanche. Il fit quelques passes pour venir au contact du Magistel et les deux épées s'engagèrent. Le capitaine fit une feinte de coup droit puis un dégagé, mais n'atteignit pas sa cible. Ses coups étaient trop évidents et trop lents, et le Magistel parait sans peine ses attaques. Chaque fois qu'il feintait, Danil faisait un appel bruyant du pied et l'on devinait aisément son intention. Il était sans doute un bon stratège, mais pas un combattant fort agile.

À présent qu'il avait estimé son rival, Erwan décida qu'il était temps de passer à l'offensive finale. Avec une rapidité déconcertante, il exécuta une botte remarquable qu'il avait répétée mille fois : une demi-volte sur le côté, un coup de taille sur la main de l'adversaire, puis une fente. Erwan attrapa la main blessée de son opposant et le fit tourner sur lui-même tout en le désarmant.

Quand le capitaine se retrouva à nouveau face au Magistel, il reçut un formidable coup d'estoc entre les deux yeux qui le tua sur le coup.

Erwan laissa le corps de Danil s'écrouler lourdement sur le sol du donjon, passa à côté de sa dépouille ensanglantée et avança vers Dancray, l'arme tendue vers le sol.

Le général s'était retourné et avait assisté à la mise à mort de son dernier garde du corps.

— Vous vous battez aussi bien que votre père, Al'Daman, complimenta Dancray en applaudissant avec une lenteur exagérée.

— Et vous, Dancray, rétorqua Erwan, êtes-vous aussi doué pour l'escrime que vous l'êtes pour la pendaison ?

Le général éclata de rire.

— Pour l'escrime ? Voyez plutôt, je ne porte même pas l'épée ! Je suis un homme de stratégie, Al'Daman, pas un vulgaire combattant comme vous...

— Vous avez tellement envie que je vous tue pour vouloir ainsi me provoquer ? s'étonna Erwan. C'est une libération par la mort que vous cherchez ?

Le général ne cessait de sourire.

— Mais rassurez-vous, continua Erwan, qui était à distance d'épée du général à présent. Vous n'avez pas besoin de me convaincre. N'ayez crainte, je suis bien venu vous tuer, Dancray.

— Alors faites ! répliqua le général en écartant les bras en croix.

Erwan leva Banthral au-dessus de sa tête. Il voyait encore les yeux des citadins fuyant la ville. Le corps du comte se balançant au bout de sa potence. Les centaines de cadavres sur la grande esplanade. Il n'éprouvait aucune pitié pour ce bourreau dédaigneux. Il allait le trancher en deux.

— Attends ! hurla Aléa derrière lui.

Erwan poussa un soupir et baissa lentement son épée. Au même instant, le général se précipita par-dessus les créneaux du donjon pour se jeter dans le vide. Le Magistel plongea derrière lui. De justesse, il rattrapa Dancray par les jambes et le ramena sur le toit du donjon.

Le général se débattait, furieux. Erwan n'hésita pas un seul instant et, d'un seul coup de poing, assomma l'officier.

— J'aurais pu débarrasser l'île de ce monstre, maugréa Erwan en se relevant.

Aléa le rejoignit en souriant.

— Je sais, Erwan, c'était très tentant. Mais il faut que nous commencions à donner l'exemple. Tout ne peut pas se résoudre comme ça. Et puis surtout... j'ai quelques questions à lui poser !

Elle posa un tendre baiser sur les lèvres du Magistel.

— Allons, redescendons. Il y a beaucoup à faire en bas.

*
* *

La capitale du royaume de Galatie avait retrouvé le rythme normal de l'automne. Et c'était comme si rien n'avait changé. Après avoir été faite druide, la reine n'était plus apparue aux habitants de Providence, et la vie avait repris son cours. Les petites rues pavées vivaient à nouveau, bruyantes, agitées. Les artisans et les commerçants avaient retrouvé leurs ateliers, teintureries, tannerie, savonneries, forges... Les trottoirs s'emplissaient des odeurs habituelles de la ville, fortes, comme devant les abattoirs ou les poissonneries ; on avait rallumé les fours à chaux et les boutiquiers haranguaient à nouveau les chalands en criant. Sur les places et dans les ruelles on croisait çà et là des marchands ambulants, la roulotte d'une troupe de cheminants, des colporteurs, quelques soldats... La capitale grouillait en tous sens comme une grande fourmilière.

Quand Almar Cahin entra dans Providence, les passants lui jetèrent des regards inquiets. Le visage tuméfié, la peau noircie par la crasse, les vêtements déchirés, il avait l'air d'un vagabond criminel et les gens s'écartaient sur son passage. Il traversait les rues en boitant, se dirigeant tout droit vers le palais sans se soucier du regard des citadins. Il bouscula plusieurs badauds, mais personne n'osait l'interpeller tellement il avait l'air d'un fou dangereux.

Une seule chose comptait. Arriver au palais de Providence. Rencontrer la reine. Il avait promis. Il ne vivait que pour cela. Il avait traversé le pays tout entier, plus rien ne pourrait l'arrêter.

Quand il arriva enfin devant le splendide palais de la reine, alors qu'il était sur le point d'entrer, une main se posa sur son épaule et l'arrêta dans son élan.

— Tu ne vas pas entrer dans cet état !

Almar se retourna. Il ne connaissait pas l'individu qui venait de lui parler. C'était un homme grand et maigre, élégant, aux cheveux roux et aux yeux verts.

— Qui êtes-vous ? demanda Almar d'une voix rauque.

Il n'avait pas parlé depuis plusieurs jours et sa gorge était sèche et irritée. Les mots lui faisaient mal comme ils sortaient de sa bouche.

L'inconnu lança un regard alentour pour vérifier que personne ne les écoutait.

— Je suis comme toi, Almar. Le Maître nous a prévenus de ta mission. Mais tu ne peux pas entrer comme ça. Ils ne te laisseront pas. Suis-moi.

Almar grogna. On ne lui donnait pas d'ordres. Seul le Maître donnait des ordres. Il allait au palais. Il n'avait pas l'intention de suivre un inconnu. Non.

— Je vais au palais, bredouilla-t-il le regard vide, comme s'il n'avait pas compris ce que lui avait dit son interlocuteur.

— Almar, soupira l'inconnu. Le Maître m'a demandé de te faire entrer au Palais. Il m'a ordonné de m'assurer que tu serais reçu par la reine. Mais pour te faire rentrer, il va falloir que je m'occupe de ton apparence. Tu es sale, tu pues comme un banni, et tes habits tombent en lambeaux.

Le boucher baissa les yeux et regarda ses vêtements. Il éclata de rire.

— La reine ne voudra pas recevoir une loque pareille, hein ? dit-il en écartant les bras.

— Exactement ! répliqua le veilleur de Providence d'une voix rassurée.

— Comment t'appelles-tu ? demanda Almar en s'approchant.

— Darragh.

— Bonjour Darragh, je suis Almar Cahin, le boucher.

— Je sais ! répliqua le veilleur en secouant la tête.

Il ne s'était pas attendu à ce que l'homme soit si dérangé. Mais cela faisait sans doute partie du plan de Maolmòrdha. Darragh espérait seulement qu'il pourrait le faire entrer dans le palais.

Le veilleur se mit en route et fit signe à Almar de le suivre. Celui-ci se résigna finalement. Il ne voulait pas risquer de rendre Maolmòrdha furieux. Mieux valait se tenir bien. Si ce veilleur avait pour mission de l'aider à pénétrer dans l'enceinte du palais, autant lui faire confiance.

Une seule chose comptait. Sa mission. Voir la reine.

*
* *

En quelques heures, les incendies furent éteints et les derniers Soldats de la Flamme qui restaient dans les différents postes de garde de la ville se rendirent plus ou moins dans le calme. L'Armée de la Terre s'installa progressivement dans le château à la place des hommes d'Harcourt. En l'espace de quelques jours seulement, la place forte de Tarnea avait changé deux fois de mains, mais cette fois-ci les nouveaux occupants étaient sans doute plus légitimes, et certainement plus respectueux des lieux. Après tout, de nombreux Soldats de la Terre étaient originaires de Sarre, et Aléa elle-même avait vécu toute son enfance dans le comté. Les serviteurs du château qui n'avaient pas été massacrés par les Soldats de la Flamme témoignèrent en tout cas avec sincérité de leur reconnaissance à l'égard des nouveaux châtelains et une humeur joyeuse s'empara rapidement de la ville.

Sans l'intervention des druides, l'Armée de la Terre n'aurait sans doute jamais pu libérer Tarnea, et les hommes aux blancs manteaux furent acclamés par les soldats d'Aléa. S'installant eux aussi dans le château de la capitale, ils soignèrent les blessés et participèrent très vite aux premiers travaux de réparation afin d'éviter que certaines parties de l'édifice ne s'écroulent.

Aléa demanda que l'on prépare une grande fête le soir même. Le danger, pour le moment, était écarté, et la ville avait grand besoin de se soulager, de se retrouver et de partager la joie pour oublier les peines.

Ce qui se passa ensuite dépassa toutes les espérances de la jeune fille. Au fur et à mesure de la journée, la place de la Raison ne cessait de se remplir de monde. Les habitants de la ville affluaient, les uns après les autres, acclamant Aléa, les druides et l'Armée de la Terre, célébrant leur liberté retrouvée. Au milieu de l'après-midi, il y eut même des Sarrois des villes voisines pour rejoindre cette foule joyeuse et fêter la victoire du Samildanach.

La célébration, le soir venu, fut de mémoire de Sarrois la plus belle que la ville ait connue. De nombreux bardes de la région et ceux de Saî-Mina donnèrent sur la grande place un spectacle de musique et de contes, on dansa, on chanta, et l'on but bien plus que de raison. La ville tout entière s'alluma de feux et de couleurs, de sourires et de joie.

À l'intérieur du château, Aléa mangea avec ses compagnons et avec les Grands-Druides de Saî-Mina. L'un des meilleurs chefs de la ville, qui tenait place du Verre une auberge de renom, était venu aux cuisines du château dès le début de l'après-midi pour préparer aux convives des plats de fête.

En entrée, il servit des petits friands de pâte feuilletée fourrés avec de la farce de porc que le cuisinier avait fait revenir au beurre avant d'y ajouter des œufs durs écrasés, des graines de cumin noir et un peu de crème fraîche pour lier. Les friands, dorés à la perfection, firent le bonheur de Mjolln qui en prit trois à lui tout seul, et en aurait sans doute mangé davantage si les serviteurs n'avaient amené enfin le plat principal, du cochon de lait farci.

C'était, à n'en pas douter, l'une des spécialités du chef, qu'il préparait avec grande maîtrise. Dans de l'eau salée, il avait fait cuire l'échine et les abats du porcelet pendant près d'une heure, en n'oubliant pas toutefois d'enlever le foie beaucoup plus tôt pour qu'il ne soit pas trop cuit. Pendant ce temps-là, il avait fait bouillir dans l'eau une grande quantité de châtaignes, et des œufs jusqu'à ce qu'ils fussent durs. Après avoir nettoyé le cochon pour enlever les soies et les taches de sang, il avait salé l'intérieur avec soin, puis l'avait laissé reposer afin de finir la farce. Il avait haché l'échine et les abats cuits, y avait ajouté du jambon et du fromage, puis, après les avoir écrasés, les châtaignes et les jaunes d'œufs. Pour que la farce ne fût pas trop dure, il avait ajouté à raison quelques jaunes crus. Ensuite, il avait salé abondamment la farce, l'avait saupoudrée de gingembre et de filaments de safran, puis l'avait introduite dans le ventre du cochon jusqu'à ce qu'il fût bien plein. Avec de la ficelle à rôti, il avait recousu l'animal puis l'avait laissé cuire pendant de nombreuses heures, venant régulièrement surveiller la peau dorée de la viande.

Le chef avait servi son plat avec une cameline, et en accompagnement il avait offert aux convives des petits oignons blancs rissolés dans du beurre et du sucre, trempés d'un peu de jus de cuisson du cochon et saupoudrés de cannelle.

C'était un vrai délice, digne des meilleures auberges de Bisagne, et les druides eux-mêmes félicitèrent le cuisinier quand il vint vérifier que tout se passait bien.

Quand on apporta le dessert, une crème de lait d'amandes aux fruits secs, la plupart des convives n'avaient déjà plus faim.

— Ernan, déclara Aléa à la fin du repas. Nous vous sommes tous infiniment reconnaissants.

— Ne nous remerciez pas, répliqua l'Archidruide. Nous nous devons de protéger le comté de Sarre, et Saî-Mina aurait dû vous porter secours beaucoup plus tôt, Aléa. J'espère qu'il n'est pas trop tard.

— Que voulez-vous dire ? intervint Mjolln, que ce genre de pessimisme ne rassurait guère.

— Je veux dire que je ne suis pas sûr que nous parviendrons à ramener la paix sur cette île. Les conflits sont si nombreux et si complexes !

— Il ne s'agira pas simplement de ramener la paix, Ernan. Ce n'est pas un état passé vers lequel je voudrais revenir, c'est un état futur que je voudrais créer. Il s'agira de changer radicalement le système de Gaelia. Si Gaelia tombe, c'est qu'elle ne tenait pas sur de bonnes bases.

L'Archidruide acquiesça lentement.

— Il serait de toute façon très difficile de revenir en arrière, reconnut-il. Trop de choses ont changé.

Il posa les mains sur la table.

— Certaines même dont je n'étais vraiment pas au courant, ajouta-t-il en tournant la tête vers Finghin et Kaitlin.

Mjolln pouffa.

— Mais sais-tu au moins ce que tu veux, Aléa ? reprit l'Archidruide. Si tu avais vraiment les moyens de faire changer les choses, que mettrais-tu à la place du système que nous avons connu jusqu'à aujourd'hui ?

— Je commence à avoir ma petite idée là-dessus, druide. Mais je ne veux pas être la seule à y penser. Tout le monde doit y réfléchir. Toutefois, je préfère vous prévenir dès maintenant, vous qui nous avez rejoints, il y a certains changements auxquels je tiens et qui ne vous plairont guère.

— Les derniers événements nous ont appris à accepter le changement, répliqua Shehan, à la droite de l'Archidruide.

— Il faudra que tout le monde puisse apprendre à lire et à écrire, par exemple.

Kiaran, qui était resté silencieux jusqu'à présent, frappa dans ses mains.

— Qu'il en soit ainsi ! approuva-t-il en souriant. J'ai toujours pensé que cette règle était une idiotie de nos ancêtres !

Ernan se racla la gorge et reprit la parole.

— Je ne dirais pas la même chose, mais si vous nous montrez quel bien cela apportera aux gens de l'île et que vous nous convainquez, alors nous vous soutiendrons de pied ferme.

— C'est justement cela qui devra changer, Ernan. Ce n'est plus à vous de juger ce qui est bon ou ce qui ne l'est pas pour l'île. Je n'ai pas dit, moi, que j'obligerais tout le monde à lire. J'ai dit que tout le monde devrait avoir la possibilité d'apprendre. La liberté d'apprendre.

Ernan grimaça.

— Il faudra bien que quelqu'un dirige le pays, Aléa...

— Nous verrons.

*
* *

La fête continua très tard dans la nuit. Seule dans une chambre que les serviteurs du château avaient préparée pour elle, Aléa entendait les cris et les rires des citadins au-dehors. Elle ne s'était pas attendue à une telle liesse, et quand elle était descendue un peu plus tôt sur la place, les acclamations des Tarnéens lui avaient presque fait peur.

Mais il fallait assumer. Depuis le jour où elle avait accepté son rôle, elle n'avait d'autre choix que de reconnaître autant la hargne de ses ennemis que l'enthousiasme de ses admirateurs exaltés. Pour beaucoup de gens sur l'île, elle incarnait l'espoir d'un changement, d'un renouveau. Et il allait falloir ne pas les décevoir.

À présent, Aléa refusait de céder à la panique. Elle refusait de baisser les bras ou même de détourner son regard. Elle voulait affronter tout ce qui l'attendait avec les yeux grands ouverts. Et la victoire de Tarnea n'était qu'une préface à ce qu'elle voulait accomplir sur l'île. Car maintenant, elle en était sûre. Ce dont Gaelia avait besoin, c'était bien d'un système nouveau. Mais pas n'importe lequel, et pas n'importe comment. Ceux qui étaient responsables des crises trop nombreuses que traversait l'île avaient commis des erreurs qu'il allait falloir désormais éviter à tout prix.

La jeune fille s'allongea sur son lit, passa ses mains derrière sa tête et poussa un long soupir. Sarre était libre à présent, certes. Mais il allait falloir maintenir cette liberté, protéger le comté des nombreuses agressions possibles. Harcourt voudrait sans doute se venger, et même Galatie, qu'Amine semblait diriger avec une fermeté déconcertante, aurait certainement envie de venir reprendre ses marques jusqu'ici. Il allait falloir inverser le cours des choses. Plutôt que de céder Sarre à la monarchie brutale de Galatie ou au christianisme militaire d'Harcourt, il allait falloir porter alentour ce vent de liberté. Donner l'exemple. Tarnea pouvait devenir le symbole du souffle nouveau. Du monde dont rêvait Aléa.

La jeune fille tendit la main vers son grand sac, posé à côté d'elle sur le lit. Elle en sortit l'épais volume de l'Encyclopédie d'Anali.

Dès qu'elle le pouvait, la jeune fille se replongeait dans ce texte incroyable dont la profondeur ne cessait de l'étonner. Le Samildanach qui, par le passé, avait écrit ces pages avait-il reçu un savoir absolu ? Une connaissance totale des êtres et de l'histoire ? Comment avait-il pu deviner autant de choses et si bien les écrire ? Pouvait-elle faire confiance à ce texte qui était si... subversif !

Elle commença un chapitre qu'elle avait déjà repéré et qui était sans doute l'un des plus importants du gros volume. Il concernait le Saîman, objet en outre de la deuxième prophétie, et ce qu'Aléa y lut la surprit encore plus que tout ce qu'elle avait découvert jusqu'à présent dans les pages de l'Encyclopédie. Si ce qu'Anali disait était exact, c'était sans doute la révélation la plus importante de son œuvre, une révélation qui bouleversait complètement la vision la plus partagée du monde.

Avant tout, Anali expliquait comment les druides maîtrisaient le Saîman. Il répertoriait notamment les différents exercices de concentration enseignés à Saî-Mina, et, en dehors de quelques techniques particulières, ce n'était pas là qu'Aléa trouva quoi que ce fût de vraiment exceptionnel. En revanche, après avoir fait le tour de la question, le texte d'Anali prenait une tout autre tournure et Aléa relut deux fois les derniers paragraphes pour être sûre qu'elle avait bien compris le sens de l'exposé.

D'après Anali, le Saîman n'était pas un pouvoir magique réservé aux druides, mais plutôt un ensemble de lois et de forces qui régissaient le monde tout entier !

Pas un pouvoir magique ! L'ancien Samildanach racontait comment Saî-Mina avait utilisé le prétexte de l'écrit interdit pour empêcher la diffusion d'un tel savoir et réserver aux seuls druides la maîtrise de ces forces pourtant ordinaires. *Naturelles*. Oui, Anali utilisait même ce mot. *Naturelles*. Et l'auteur de conclure en explicitant ainsi la seconde prophétie : le dernier Samildanach retrouverait le sens de ces forces naturelles – au nombre de trois selon lui – et alors leur maîtrise exclusive disparaîtrait de la caste des druides pour se répandre d'une manière bien différente dans la population tout entière. C'était cela, la fin du Saîman...

Aléa laissa retomber l'Encyclopédie sur ses genoux, ébahie. Elle comprenait mieux à présent pourquoi les druides du Conseil se montraient si méfiants à l'égard du texte d'Anali. Il remettait en question tout l'enseignement de Saî-Mina et accusait même les druides d'une certaine malveillance...

Anali disait-il vrai ? Et comment comprendre la nature même du Saîman ? Car si les prophéties étaient justes, alors Aléa était le dernier Samildanach, et si elle l'était, elle allait devoir retrouver le sens originel des forces du Saîman. De ces forces naturelles... En était-elle seulement capable ?

Tout cela lui paraissait tellement abstrait, tellement flou qu'elle ne savait même pas par où commencer.

Elle reprit l'Encyclopédie devant elle et la rangea à l'intérieur de son sac, puis elle posa celui-ci par terre et se glissa sous la grande couverture qu'on avait posée sur son lit.

Elle ferma les yeux et chercha le sommeil, espérant que la nuit saurait lui donner quelque réponse.

*
* *

— Nous venons de recevoir par pigeon voyageur une nouvelle incroyable, expliqua Carla Bisagni en s'asseyant à la grande table où l'attendaient le capitaine Giametta et trois autres officiers de l'armée de Bisagne.

Après l'annonce de la mort de son père, Carla Bisagni avait été proclamée par la cour de Farfanaro baronne de Bisagne. À travers toute la baronnie, de nombreuses rumeurs couraient sur la possible culpabilité de la jeune femme dans le sombre meurtre du vieux Bisagni, mais personne ne semblait vraiment s'en offusquer. Les gens trouvaient même le geste assez romantique, et il ne semblait pas que le parricide fût incompatible avec la decenza... Arriver sur le trône en tuant son père ne manquait pas de panache, et cela témoignait en tout cas d'un désir fort de prendre le pouvoir, ce qui, apparemment, était un bon présage. Par providence sans doute, le seul à la cour qui eût pu causer de vrais problèmes à Carla, le bailli Stefano, était mort le même soir...

— Nous vous écoutons, affirma Giametta en saluant la baronne.

— Aléa Cathfad, le Samildanach, aurait repris Tarnea au général Dancray, avec l'aide des derniers druides de Saî-Mina ! s'exclama la jeune baronne en souriant. Apparemment, le comté de Sarre vient de trouver en elle son grand sauveur, et par la même occasion, Harcourt son plus grand ennemi.

— Vous semblez penser que c'est une bonne nouvelle ? demanda Giametta, sceptique.

— Bien sûr ! répliqua la baronne. Car cela affaiblira Harcourt ! Le comte Al'Roeg espérait prendre un peu de poids en annexant Sarre, mais la jeune fille l'a renvoyé comme un malpropre ! Plus que jamais, nous devons soutenir Galatie pour attaquer Harcourt.

— Permettez-moi, pour la première fois, de ne plus en être si sûr, avoua timidement le capitaine Giametta.

— Allons ! Et pourquoi cela ? s'offusqua Carla.

— Ne perdons pas notre objectif de vue : renforcer notre pouvoir politique, n'est-ce pas ? Et, pour ce faire, nous voulons nous rendre nécessaires auprès de Galatie dans sa lutte contre Harcourt. Soit. C'était jusqu'à présent une bonne idée et je la partageais avec vous, madame. Mais aujourd'hui, sommes-nous sûrs que Galatie soit en notre pays la force majeure ?

— Que voulez-vous dire ?

— Ne devrions-nous pas plutôt chercher une alliance avec Aléa ? Après tout, c'est elle qui en ce moment semble détenir tous les pouvoirs !

— Vous plaisantez ! s'exclama la baronne. Aléa n'est qu'une anecdote ! Qu'un détail ! Une faute de parcours ! Certes, elle est célèbre aujourd'hui, et certes elle est victorieuse, mais ce n'est qu'une petite parcelle de l'histoire de l'île ! Ce n'est rien à côté de la valeur symbolique de Galatie ! Dans dix ans, plus personne ne se souviendra d'Aléa. Son heure aura passé. Mais dans cent ans, dans mille ans sans doute, Galatie sera toujours le centre du royaume. Non, c'est bien avec la reine que nous devons pactiser...

— Ce qu'on dit sur cette Aléa me semble bien plus important que vous ne semblez le croire, protesta le capitaine. Je ne pense pas, moi, qu'elle va être oubliée de sitôt.

— Vous prêtez bien trop d'importance aux ragots populaires, mon pauvre Giametta !

— On dit qu'elle maîtrise le Saîman mieux que tous les druides réunis. J'y crois sans peine quand je regarde son parcours. Elle a d'abord vaincu les Herilims, puis elle a échappé aux druides – qui aujourd'hui se sont en partie alliés à elle. Elle est allée défier Al'Roeg jusqu'au palais de Ria, et elle vient donc de prendre Sarre des mains du meilleur stratège de l'île. Non, franchement, cette jeune fille n'est pas *qu'une anecdote*, baronne !

— Elle n'a pris Tarnea que parce que le comte d'Harcourt n'avait pas cru utile d'y envoyer plus de trois mille hommes. Mais s'il fallait demain qu'elle affronte une armée véritable, comme celle de Galatie, elle n'aurait aucune chance... Je vous assure que notre meilleur allié aujourd'hui, c'est la reine.

— Espérons qu'Aléa pense la même chose pour que nous puissions nous retrouver dans le même camp...

— C'est fort probable, confirma Carla. Aléa et Galatie ont après tout un ennemi commun : Harcourt. C'est précisément pour cela que nous devons agir en faveur d'une guerre contre Al'Roég. Nos chances de victoire sont d'autant plus grandes.

Giametta acquiesça, partiellement convaincu, jeta un coup d'œil aux autres officiers, et comme aucun ne semblait vouloir prendre la parole, demanda :

— Devons-nous donc nous préparer à envoyer des troupes auprès de Galatie pour affronter Harcourt ?

— Sans traîner, approuva la baronne. Je veux que les premiers mercenaires partent dès demain.

— Dès demain ? Vous n'y pensez pas !

— Je compte sur vous, Giametta. Si vous n'êtes pas capable de mener à bien cette mission, je devrai nommer quelqu'un d'autre à votre place. Mon père est mort, capitaine. Il va falloir reprendre l'habitude de travailler vraiment...

*
* *

— Un dénommé Almar Cahin demande à vous voir. Il dit que vous le connaissez.

La reine, allongée depuis deux jours dans son grand lit, fronça les sourcils.

C'est un piège.

— Voulez-vous que nous le fassions entrer ?

Je ne sais même plus qui c'est. Almar. Oui. Je connais ce nom. Bien sûr. Il est inscrit quelque part dans ma tête. Almar Cahin. Je suis certaine de le connaître, mais d'où ?

Pour la première fois depuis qu'elle était alitée, la reine parla enfin.

— Oui, qu'il entre.

Le serviteur parut surpris. Amine refusait toute visite depuis deux jours. Elle n'avait voulu voir ni les druides, ni Bely. On l'avait retrouvée évanouie dans la plus haute pièce du palais, et depuis lors elle passait ses journées à murmurer dans son lit, en proie, semblait-il, à une folie grandissante.

Le serviteur fit entrer Almar dans la chambre de la reine et se retira en silence.

— Amine ? dit Almar en s'approchant du lit.

Le boucher. C'est le boucher de Saratea. Je reconnais

*sa voix. Si j'avais su, je ne l'aurais pas laissé entrer. Un
misérable boucher ! Que me veut cet imbécile ?*

Les yeux rivés au plafond, les bras tendus le long du
corps, elle paraissait le double de son âge. Sa peau était
si pâle qu'elle aurait pu passer pour morte.

— Vous êtes souffrante ?

— Que voulez-vous ? répliqua la reine sans tourner la
tête.

Almar attrapa une chaise et s'assit à côté du grand lit.

— Je suis venu vous mettre en garde, Amine.

*Je savais que c'était un piège. C'est lui qui l'envoie.
Eoghan. C'est un piège d'Eoghan. Encore. Je ne dois pas
me faire avoir. Je ne dois pas l'écouter. C'est un traître.
Peut-être même est-ce Eoghan déguisé. Oui, c'est lui, j'en
suis sûre. Il est revenu du pays des morts pour se venger.*

— Vous mettre en garde contre Aléa, continua le boucher en s'approchant encore un peu.

— Aléa ?

Amine tourna lentement la tête vers le boucher. Elle
le reconnaissait à présent. Il était toujours aussi gros,
toujours aussi laid, mais quelque chose avait changé.
Dans son regard.

*Ce sont les yeux d'Eoghan. Ce n'est pas le boucher.
Que ferait-il là ? Non ! J'en suis sûr, c'est mon roi. Mon
mort. Qui vient me chercher.*

— Vous n'auriez jamais dû l'abandonner, Amine.

*C'est un piège. Il ment. Je ne l'ai pas abandonnée.
Aléa était ma meilleure amie.*

— Vous êtes partie de Saratea, vous l'avez laissée
seule. Elle ne vous l'a jamais pardonné.

*Je n'avais pas le choix. Ce n'est pas moi qui ai décidé
de partir.*

— Mais vous ne savez pas la vérité, Amine. Moi, je la
connais. Aléa, elle vous voulait pour elle toute seule !
C'est pour cela qu'elle ne vous a pas pardonné ! Vous
étiez sa raison d'être. C'est elle qui a tué votre père.
Parce qu'elle ne voulait pas vous partager, Amine.

*C'est un piège. Un piège, un piège, un piège ! Aléa n'a
pas tué mon père. Non. Aléa était ma meilleure amie.*

— Oui, ma reine, c'est Aléa qui a tué votre père. Aléa.

Parce qu'elle vous voulait pour elle toute seule. Et alors vous êtes partie. Et Aléa vous en a voulu...

Il ment. Je n'ai pas eu le choix.

— Et les choses ont empiré, d'année en année. Elle est devenue folle. Et elle n'avait plus qu'une idée en tête. Se venger. Se venger de vous.

Tais-toi, Eoghan ! Tais-toi ! Je sais que c'est toi qui parles !

— Et maintenant elle en a les moyens. Maintenant, elle peut vous faire tuer !

C'est toi qui veux me tuer, Eoghan ! Traître ! Aléa était ma meilleure amie ! Tu mens !

— Et c'est pour cette raison que vous devez m'écouter, Amine, je suis venu vous mettre en garde, parce que moi, je sais... Moi seul peux vous sauver, contre Aléa...

Tais-toi ! Laisse-moi !

— Elle veut vous tuer, Amine...

Tais-toi !

— Vous assassiner !

Soudain, la reine se redressa en hurlant. Les yeux injectés de sang, tremblant de tout son corps, elle se jeta sur le boucher.

— Tais-toi ! cria-t-elle en l'attrapant à la gorge.

Almar tomba à la renverse du haut de sa chaise. Il essaya de se rattraper à la petite table au bord du lit mais il l'emporta dans sa chute. Il s'écroula avec bruit sur le sol de marbre. Mais Amine ne lâcha pas prise. Les doigts serrés autour de son cou, elle essayait de l'étrangler, le regard empli de folie et de haine.

Le boucher, ne pouvant plus respirer, commença à se débattre. Il ne ressentait aucune douleur. Cela faisait longtemps qu'il ne ressentait plus rien. Mais il savait que s'il ne retrouvait pas un peu d'air il allait mourir. Et s'il mourait, il ne pourrait remplir sa mission pour le Maître. Il devait s'en sortir. Mais la hargne de la reine était si grande qu'elle décuplait ses forces et Almar ne pouvait s'en débarrasser. Soudain, alors qu'il cherchait à se redresser en s'appuyant sur le sol, il sentit sous sa paume un objet tranchant. Sans doute un morceau du vase qui s'était brisé en tombant avec la table.

Sans hésiter, il attrapa le tesson à pleine main. Il le serra entre ses doigts. Si fort que le bout de porcelaine lui entailla la peau. Mais il ne le sentit pas. Il leva la main sur le côté, la laissa tendue un instant au-dessus d'eux, puis, le regard empli de rage, il frappa la reine à la gorge de toutes ses forces. Le tesson tranchant s'enfonça profondément dans le cou d'Amine, qui tomba sur le côté. Almar se redressa sur ses genoux, pivota vers la reine et frappa à nouveau. La pointe aiguë se planta dans l'œil de sa victime et s'enfouit jusqu'à la cervelle. La reine mourut aussitôt, le visage couvert de sang et de chair déchirée. Mais Almar, l'esprit vide, continua de frapper. Il retirait le morceau brisé du vase, le dressait au-dessus de sa tête, et l'abattait à nouveau sur le visage de la morte. Machinalement. Sans ralentir, sans se demander combien de temps encore il devait continuer. Plus il frappait, et plus les gerbes de sang l'excitaient. Bientôt, le visage de la reine ne fut plus qu'une bouillie d'os et de sang. Et quand les gardes entrèrent pour arrêter l'assassin, il continuait encore.

Chapitre 9

SOUS LES YEUX DU BOURREAU

Les nappes blanches de Djar portent mon corps vers un lieu que j'ignore. Je ne suis pas maîtresse de mon voyage. Je pourrais arrêter le courant, me retenir, ou même sortir de Djar, mais je veux voir qui essaie ainsi de m'attirer. C'est peut-être ma louve. Imala. Si loin maintenant. Ou bien Kiaran. Qui n'a sans doute pas pu me dire tout à l'heure tout ce qu'il aurait voulu.

Je glisse. Je me laisse guider. Pas de jour, pas de nuit, je suis dans l'éternité de Djar. Un instant, ou bien toujours, je ne sais combien de temps dure ce voyage. Mon frère, Tagor, comment vivais-tu cela quand tu étais dans le Sid ? Et comment le vis-tu aujourd'hui ? Les Tuathanns ont appris à vivre dans un monde nouveau. Et nous ? Serons-nous capables d'apprendre à vivre ensemble, dans un monde pourtant ancien ?

Je ralentis. À présent, je crois reconnaître cet endroit. Bien sûr. La porte des mondes. C'est ici que... Je ne peux y croire. C'est lui qui m'a attirée ici ! Lui !

Phelim ! Il est là. Devant moi. Le druide. Caron Cathfad. Celui qui me donna naissance. Et qui est mort deux fois.

— *Bonjour, Aléa.*

Je sais combien ça lui coûte de venir ici. De franchir la porte. Parler vite.

— Bonjour, Caron.

Je lui donne son ancien nom. Le nom qu'il portait quand il a rencontré ma mère.

— J'ai peu de temps, Aléa. Mais ce que je suis venu te dire est très important. Malheureusement.

— Je vous écoute, druide.

— Tu peux tutoyer ton père, Aléa.

Mon père. Je dois retenir mes larmes. Il ne doit pas me voir pleurer.

— Je t'écoute.

— Maolmòrdha. Tu dois aller chercher Maolmòrdha.

— Je ne l'ai pas oublié, Caron. Comment pourrais-je l'oublier ?

— Écoute, Aléa. Tu dois le trouver vite.

— Pourquoi vite ?

Il hésite. Il ne sait pas s'il doit me répondre.

— Tu n'as pas le temps d'hésiter, Caron. Réponds-moi ! Pourquoi vite ?

— Parce qu'il doit être tué avant que le Saîman ne disparaisse.

— Le Saîman va donc bien disparaître ?

— Tu es le dernier Samildanach, Aléa. En doutes-tu encore ?

Non. Je suis bien le Samildanach. Je le sais. Ou en tout cas, je suis ce que les druides appellent ainsi.

— Où trouverai-je Maolmòrdha ?

— Il est au palais de Shankha, Aléa.

— Où est-ce ?

— Au-delà des mers, sur une petite île à l'est de Galaban.

Son image devient floue. Il est en train de retourner dans le monde des morts. Il n'a plus l'énergie suffisante pour rester. Je dois me dépêcher.

— Est-on obligé de le tuer ?

— Maolmòrdha possède l'Ahriman. L'Ahriman doit être supprimé avant que le Saîman ne disparaisse, Aléa... Car si l'Ahriman subsiste... S'il subsiste... Aléa, je n'ai pas le temps. Pour éliminer l'Ahriman, tu dois tuer Maolmòrdha. Toi seule en es capable.

— Il n'y a pas d'autre moyen ?

Il n'est plus là. Déjà. Il est retourné dans le monde des morts.

Tuer Maolmòrdha. Tuer l'Ahriman. Et pourtant... Finghin n'avait-il pas raison ? Ne dois-je pas, pour lui aussi, trouver un autre moyen ?

Phelim. Mon père. Pourquoi faut-il qu'il en soit ainsi ?

Il est parti. Adieu, Phelim. Maintenant je peux pleurer. Ici.

*
* *

Feren Al'Roeg était installé dans le grand salon de l'aile nord du palais de Ria où, comme chaque matin, il lisait l'un des nombreux livres que lui avait offerts l'évêque Aeditus. Il avait encore tant de choses à découvrir dans ces merveilleux volumes ! Tout ce savoir qui échappait aux druides, qui échappait aux Gaeliens, caché dans ces pages, à portée main ! C'était sa force à lui. Il avait su s'ouvrir au christianisme et au savoir avant ses ennemis. Et demain il les écraserait tous. Parce qu'il avait accepté de changer. Tout simplement.

En tout cas il l'espérait. Et pour le moment, il attendait des nouvelles du général Dancray. Il ne doutait pas que le stratège était parvenu à prendre Tarnea. Et que son grand plan pour s'emparer de l'île tout entière allait pouvoir se mettre en place.

Le comte referma le livre devant lui. On frappait à la porte du grand salon. Il leva les yeux. La salle était vide, comme chaque matin. Nul n'avait le droit de venir le déranger ici. Car c'était pendant ces heures de solitude que Feren Al'Roeg pouvait réfléchir. C'était ici, entre les pages de ses livres, qu'il envisageait l'avenir, qu'il estimait le présent.

— Entrez ! s'exclama-t-il en se demandant qui osait venir l'importuner.

La grande porte en bois s'ouvrit lentement, et son grincement résonna au cœur de la haute pièce. Le prévôt Alembert apparut derrière, la mine grave. Il traversa la grande pièce richement décorée sous le regard irrité du comte.

— Monsieur le comte ? murmura-t-il en s'approchant du large fauteuil.

Al'Roeg posa son livre sur ses genoux en soupirant.

— Alembert ! Vous savez que je n'aime pas qu'on me dérange quand je lis !

— Malheureusement, monsieur le comte, je crois que les trois nouvelles que je vous apporte ne peuvent pas attendre.

Al'Roeg fronça les sourcils.

— Je vous écoute...

Le prévôt avala sa salive.

— L'armée du Samildanach a repris Tarnea au général Dancray.

Le comte laissa tomber son livre par terre.

— Impossible ! souffla-t-il.

— Les druides de Saî-Mina étaient avec eux, ils ont repris la ville et y siègent à présent. Le peuple de Sarre semble les soutenir...

— Comment Dancray a-t-il pu échouer si lamentablement ? Le général Dancray ! C'est une catastrophe, prévôt, une catastrophe !

Le comte se leva en secouant la tête. Dancray était son meilleur stratège. Jamais il n'aurait pensé qu'il pouvait échouer à Tarnea. Et il allait avoir du mal à se passer de ses précieux conseils à présent... Quant à la perte de Sarre, voilà qui risquait de compromettre ses projets. Quel imbécile il avait fait de n'avoir point envisagé cet échec ! Trois mille hommes ! Il aurait dû en envoyer le double !

— Et les deux autres nouvelles, reprit-il d'un ton brutal, vous disiez que vous en aviez trois ?

Alembert acquiesça.

— La reine Amine de Galatie a été assassinée.

— Quoi ? Mais par qui ?

— Un fou. Un homme de rien que personne ne connaît.

— Par le Christ ! Est-ce possible ?

— Et ce n'est pas tout, enchaîna le prévôt qui voulait

229

se débarrasser au plus vite de sa tâche. Le baron de Bisagne a lui aussi été égorgé...

Le comte se laissa retomber sur son fauteuil. Il ne parvenait pas à y croire. Il dévisageait le prévôt, se demandant si celui-ci pouvait mentir ou s'il avait pu se tromper, mais c'était évidemment impossible. Alembert disait sûrement vrai.

— La reine, le baron... Voilà qui change tout ! Prévôt, réunissez dans l'heure mes généraux et conseillers. Nous devons réagir au plus vite !

*
* *

Aléa avait demandé qu'on la laisse seule. Quelques heures au moins. La nouvelle de la mort d'Amine lui avait brisé le cœur, et elle avait fait un effort considérable pour ne pas pleurer devant ses compagnons, mais à présent qu'elle était seule dans sa chambre, en haut du château de Tarnea, comme l'enfant qu'elle était encore, elle pleura toutes les larmes de son corps.

Elle n'avait pas envie de penser, pas envie de comprendre, mais simplement d'évacuer sa peine. Le destin en demandait trop à une fille de son âge. Le destin. La Moïra. Ah ! Si la Moïra existait, comment pouvait-elle être si cruelle ? Comment pouvait-elle s'acharner ainsi sur une fille si jeune et depuis si longtemps ?

Elle était allongée depuis au moins une heure, la tête enfouie sous le traversin, quand on frappa à sa porte.

— Aléa ! C'est moi, Kaitlin. Laisse-moi entrer !

La jeune fille ne bougea pas. Elle aurait voulu rester seule. Elle avait bien dit qu'elle ne voulait pas qu'on la dérange. Elle ne voulait pas qu'on la console.

— Ouvre, bon sang !

Aléa le savait : Kaitlin n'abandonnerait jamais. C'était une cheminante. Quand elle avait une idée en tête, on ne l'en détournait pas. Tant qu'on ne lui ouvrirait pas la porte, elle continuerait d'appeler, jusqu'à rendre Aléa folle.

La jeune fille poussa un long soupir, roula sur le dos, essuya les larmes sur ses joues et au bord de ses yeux, se leva et partit ouvrir la porte.

L'actrice lui fit un sourire et s'introduisit dans la chambre sur la pointe des pieds. Aléa referma la porte, fit demi-tour et retourna s'allonger sur le lit, dos à Kaitlin.

— Aléa, commença la cheminante, Kiaran fait partie des druides qui nous ont rejoints, tu sais... Mais savais-tu qu'il était mon oncle ?

La jeune fille ne répondit pas.

— J'ai retrouvé mon oncle ! s'exclama Kaitlin d'une voix joyeuse. Je ne l'avais pas vu depuis si longtemps ! Bon, d'accord, cela ne t'intéresse pas vraiment... Mais j'ai une autre bonne nouvelle à t'annoncer.

Aléa haussa les épaules. La cheminante lui parlait comme à un enfant. Pourtant, ce n'était pas vraiment une peine enfantine qui l'avait envahie. Mais bien une peine profonde, que ce genre de paroles ne pourrait effacer.

— Ernan, l'Archidruide, a décidé d'initier Mjolln au titre de barde.

Aléa ne répondit pas. Elle aurait voulu apprendre la nouvelle dans d'autres circonstances. Oui, elle aurait voulu s'en réjouir. Son plus vieil ami allait réaliser son rêve ! Devenir barde. Mais la boule coincée au fond de sa gorge l'empêchait même de parler. Elle avait mal. Si mal.

— Aléa, tu n'es pas juste.

Kaitlin se leva et vint s'asseoir sur le lit à côté de son amie. Délicatement, elle passa la main dans ses cheveux bruns.

— Tu refuses que l'on vienne te parler, et pourtant, toi, quand j'ai perdu mon frère, l'être qui comptait le plus pour moi, tu es venue me voir et, justement, tu m'as parlé.

Aléa se souvenait. Mais loin de la consoler, ce souvenir la rendait encore plus triste.

— Et tu te rappelles ce que tu m'as dit ?

Retenant les sanglots qui montaient dans sa gorge, Aléa hocha la tête sous le traversin.

— Tu m'as dit des mots que je n'oublierai jamais. Tu m'as dit : « *Je sais que cela ne te rendra pas ton frère, mais même si je ne l'ai vu que très brièvement, son visage restera à jamais dans ma mémoire. Et toi, tu resteras mon amie pour toujours.*» Quelque chose comme ça...

Aléa, qui avait les mains coincées sous la poitrine, extirpa son bras droit et le tendit vers l'actrice pour lui donner la main.

— Et après, tu m'as dit : « *Merci, grande sœur.* » Tu sais pourquoi tu m'as dit ça ? Tu m'as dit ça pour me faire comprendre que si j'avais perdu un grand frère, j'avais aussi trouvé une petite sœur. Tu me proposais d'être ma petite sœur. Et cela m'a fait un bien fou, Aléa. Je n'ai pas pu te le dire ce jour-là, mais ça m'a fait un bien fou. Et pour toi, aujourd'hui, c'est la même chose. Tu as perdu une amie, celle qui était jadis ta meilleure amie, mais tu as aussi gagné l'amitié de tous ceux qui t'entourent. Finghin, Mjolln, moi... Tu as trouvé un frère, Tagor, et un amant, Erwan... Ce que tu partageais avec Amine, c'était des souvenirs. Tes plus beaux souvenirs d'enfance. Et les souvenirs, Aléa, sont immortels. Personne ne peut te les voler. La mort ne peut rien enlever. Ils t'appartiennent pour toujours. Quelque chose me dit que si tu avais revu Amine aujourd'hui, ce qu'elle était devenue aurait abîmé tes souvenirs. C'est peut-être mieux ainsi. Garde tes plus beaux souvenirs, petite sœur.

Puis Kaitlin se leva. Elle se pencha au-dessus d'Aléa, déposa un baiser sur le haut de sa tête et partit sans ajouter un seul mot.

Immobile, Aléa avait toujours cette boule dans la gorge, mais à présent elle souriait, d'un sourire triste, certes, mais un sourire toutefois.

Parce que Kaitlin avait raison. Et que cela faisait du bien de l'entendre.

*
* *

— Nous devons attaquer Providence avant que les Galatiens n'aient le temps de se réorganiser, affirma Feren Al'Roeg d'un air grave. Le roi et la reine sont morts sans laisser d'enfant, Galatie n'a aucun héritier à mettre sur le trône. Nous ne pouvons rêver de meilleure occasion.

Le comte siégeait en bout de table. Il avait revêtu ses habits militaires comme pour signifier qu'on était résolument en temps de guerre.

— Mais il y a cette Aléa Cathfad ! objecta le général Ruther d'un air inquiet. Nous ne pouvons plus sous-estimer son rôle ! Regardez ce qu'il s'est passé à Tarnea...

— N'exagérons rien ! répliqua le général Asley. Je sais que cette gamine est surprenante, mais elle n'aura tout de même pas le temps de remonter une armée suffisante pour nous inquiéter si nous agissons vite.

— Non, reprit le comte, Ruther a raison. Nous devons faire très attention. Dancray et moi avons fait l'erreur de la sous-estimer, et nous avons, en effet, vu le résultat. Je vais envoyer dès aujourd'hui des espions à Tarnea. Toutefois, notre armée et celle de Terre-Brune réunies ne suffiront-elles pas, même si Aléa s'allie à Galatie ?

— Combien d'hommes pouvons-nous envoyer sur le front ? demanda le prévôt Alembert à qui le comte avait demandé de prendre en note tout ce qui était dit lors de cette réunion.

— À mon avis, répondit le général Ruther, si nous voulons garder ici suffisamment d'hommes pour nous défendre au cas où l'armée du Samildanach nous attaquerait par le nord, je ne pense pas que nous puissions envoyer plus de douze mille hommes. Terre-Brune doit pouvoir en envoyer sept mille, bref, nous devrions être un peu moins de vingt mille.

— Je dirais un peu plus, intervint Asley en levant les mains, mais disons vingt mille, pour être sûr...

— De combien d'hommes dispose l'armée de Galatie aujourd'hui ? enchaîna le prévôt.

— À l'époque d'Eoghan, répondit Asley, la rumeur voulait qu'il disposât de vingt-cinq mille hommes.

— Si Aléa participe au combat, reprit Ruther, cela risque en effet d'être très dur ! Sans compter que les druides sont avec eux et que Bisagne pourrait très bien intervenir ! En somme, nous retombons dans l'ancien rapport de force...

— Sauf que Galatie est en pleine crise, fit remarquer le comte. Sans personne pour la diriger.

— Oui, concéda Ruther, mais d'un autre côté, jamais l'intervention de Bisagne n'a été si probable ! Maintenant que Carla Bisagni s'est débarrassée de son père, la baronnie risque de faillir à sa neutralité. Monsieur le comte, cette bataille n'est pas gagnée !

— Aucune ne l'est jamais, général, mais si on ne réagit pas tout de suite, après, ce sera encore pire. Nous ne devons pas laisser à Galatie le temps de se reconstruire. Avec un peu de chance, la mort de la reine va entraîner une crise politique qui devrait paralyser en partie l'armée du royaume.

— Avec un peu de chance, répéta Ruther fort sceptique.

— Ou à la grâce de Dieu, ajouta Asley.

— Dieu n'a pas beaucoup aidé Dancray à Tarnea, fit remarquer le premier général.

Le comte lui envoya un regard furieux.

— Dieu était avec nous à la bataille de Sablon, et il sera à nos côtés si nous attaquons Galatie ! Je veux croire, moi, à cette victoire. Nous la méritons, et elle serait l'intérêt de Gaelia tout entière, qui serait enfin débarrassée de l'obscurantisme des druides et de l'incompétence des dirigeants galatiens.

Les généraux restèrent silencieux. Nul ne doutait que l'affrontement avec Galatie était devenu inévitable.

— Qu'on envoie des messagers en Terre-Brune pour que Meriande et Aeditus nous rejoignent, ordonna le comte en se levant. Je veux que nous les retrouvions sur le chemin de Providence.

— Afin de laisser aux Brunois le temps de nous rejoindre, mieux vaudra alors passer au sud de la chaîne de Gor-Draka, suggéra Asley. Cela couvrira en outre notre flanc nord d'une attaque éventuelle d'Aléa.

— Entendu, acquiesça Al'Roeg. Qu'il en soit ainsi. Les armées se retrouveront à Atarmaja. Nous ne pouvons plus reculer. La guerre doit avoir lieu. Et il n'y aura pas de moment plus favorable. Généraux, vous savez ce qu'il vous reste à faire.

*
* *

Bely avait été obligé de demander que l'exécution d'Almar Cahin ait lieu en public.

La place centrale de Providence était noire de monde. La foule était venue plus nombreuse même que pour les noces du roi. La ville était encore sous le choc. Les Galatiens ne s'étaient certes pas vraiment attachés à cette reine étrange et caractérielle, mais ils étaient surtout inquiets de ne lui connaître aucun successeur. Pour la première fois depuis fort longtemps, Galatie se retrouvait sans souverain, orpheline, et la panique se répandait déjà à travers tout le royaume. Les Galatiens avaient vécu trop de bouleversements en trop peu de temps, le mariage du roi, puis sa mort, le règne d'Amine, l'arrivée des druides au palais, l'initiation de la reine et maintenant son assassinat... Au milieu de ces événements aussi complexes que tragiques, les Galatiens avaient perdu leurs repères. Pour l'heure, Bely et les druides parvenaient à maintenir un semblant de pouvoir, mais demain ?

Assister tous ensemble à l'exécution de celui qui les avait plongés encore un peu plus loin dans le cauchemar était sans doute un moyen de se sentir unis. De retrouver des marques. Partager l'histoire, se rallier dans la douleur et la révolte. Mais pas encore dans l'espoir. Ils étaient bien plus nombreux que ne l'avaient estimé les proches du conseiller Bely, et l'on pouvait sentir dans la foule une tension grandissante.

Le conseiller de la reine était assis avec les druides et les militaires dans les tribunes royales, juste au-dessus du poteau où allait avoir lieu l'écartèlement. Le convoi n'allait sans doute pas tarder à arriver.

— Allez-vous nommer un nouvel Archidruide ? demanda Bely à Henon en se penchant vers lui.

Le druide hocha la tête.

— Oui, si nous voulons que le Conseil persiste, nous

sommes obligés de nommer un Archidruide. Je vais me proposer pour prendre cette place.

— Bien sûr.

Henon a obtenu sa revanche. Il voulait être Archidruide et la reine l'en a empêché en usurpant sa place. Au fond, la mort d'Amine doit l'arranger. Comme elle arrange sûrement beaucoup de monde. Elle devrait me réjouir, moi aussi, moi qui ne lui ai jamais pardonné d'avoir tué Eoghan, et qui vais peut-être trouver l'occasion de sortir grandi de cette épreuve, et pourtant... Pourtant je suis triste. Il y avait quelque chose de touchant chez la reine. Elle était si jeune. Si seule ! Et sa mort n'est qu'un malheur de plus...

— Mais à vrai dire, reprit le Grand-Druide, ce n'est pas le principal souci du moment, n'est-ce pas ? Il nous faut trouver un roi.

Oui, il faut trouver un roi. Comme il faudra un nouveau comte pour Sarre et un baron pour Bisagne. À moins que la fille Bisagni reste baronne ! Tout change si vite !

— Eoghan et Amine n'ont laissé aucune famille. Pas même de neveu ou de nièce, expliqua Bely. Nous cherchons encore s'il n'existerait pas un cousin quelque part, mais je pense qu'il se serait déjà manifesté...

— Pourquoi ne pas nommer un druide ? osa Henon, les yeux fixés droit devant lui.

Quel toupet ! Je n'arrive même pas à y croire. Décidément, ce Henon m'est de plus en plus antipathique ! D'abord, il a trahi les siens en quittant Saî-Mina, et maintenant il serait prêt à marcher sur le cadavre de la reine pour accéder au trône ! Je ne pensais pas qu'un druide puisse être aussi opportuniste... Cela manque tellement d'élégance !

— Vous plaisantez ?

— Pourquoi ? se défendit le Grand-Druide. Nous avons bien accepté de nommer votre reine Archidruide. Le Royaume et le Conseil ne sont-ils pas unis, désormais ? Amine était reine et Archidruide. Après sa mort, il serait tout à fait légitime que le nouvel Archidruide prenne sa place...

— Cela vous arrangerait bien ! s'exclama Bely qui ne savait s'il devait rire ou s'inquiéter.

— Le Conseil a trop longtemps dû diriger les affaires de Gaelia à distance. Nous avons accepté de quitter Saî-Mina pour venir jusqu'ici, parce que nous estimions que notre devoir envers l'île nécessitait une implication plus grande encore. Je crois que nous sommes les mieux à même de gouverner Gaelia.

Le Conseil a trop longtemps dirigé les affaires de Gaelia tout court ! Il est temps que cela change ! Ce n'est pas aux druides de gouverner !

— Vous allez finir par me faire croire que c'est vous qui avez envoyé cet assassin...

— Je vous en prie ! s'offusqua Henon. Il ne s'agit pas de guerre de pouvoir ou d'intérêt personnel, conseiller, il s'agit de politique pure et de logique. Reconnaissez qu'il n'y a personne à la cour qui puisse prétendre à gouverner l'île, si ce n'est le Conseil, qui l'a longtemps fait dans l'ombre et qui vient de se rapprocher de Providence.

Vous êtes, bien au contraire, le pire des prétendants au trône, mon pauvre ami ! Il faut que je le remette à sa place. Que je lui montre que la place n'est pas à prendre. Que la structure royale tient toujours.

— En vous recevant à Providence, le royaume vous a redonné un pouvoir et une cohérence que vous aviez perdus. Ce n'est pas le Conseil qui nous a rendu service, c'est Providence, en l'accueillant, qui s'est montrée généreuse. Je pense que vous devriez vous estimer heureux de pouvoir conserver ce statut. Inutile d'en espérer davantage...

Voilà qui devrait calmer ses ambitions !

— Dois-je comprendre, conseiller, que vous souhaitez vous-même devenir roi ?

— Ce n'est ni à moi ni à vous d'en décider. Une situation équivalente s'est déjà présentée il y a fort longtemps au royaume. Le roi est mort sans laisser d'héritier. Et dans ce cas-là, la tradition veut que ce soient les généraux qui choisissent le nouveau souverain. Nous verrons donc ce qu'ils en penseront...

Et il y a peu de chances qu'ils choisissent un vieux druide aigri !

— Les voilà ! reprit Bely en désignant le sinistre cortège qui faisait son entrée sur la place.

Une grande charrette apparut en effet sous l'arcade de pierre qui ouvrait la place principale sur le nord. Assis à l'avant, le bourreau, vêtu de noir, le visage caché sous une épaisse et longue capuche, tirait sur les brides de ses chevaux pour qu'ils n'aillent point trop vite. Toute la foule devait voir le visage du condamné. Il ne fallait donc pas que, apeurés par les cris du public, les chevaux partent au trot.

Un homme marchait derrière la charrette, les deux mains liées, attaché au convoi par une corde qui passait à son cou. Almar Cahin, le boucher. L'homme qui avait tué la reine. Il avait les yeux dans le vide, marchait calmement comme s'il n'entendait pas les hurlements haineux de la foule. Pieds nus, blessé – il avait sans doute été torturé toute la nuit –, il semblait pourtant ne rien sentir, comme si la mort, pour lui, avait déjà fait son travail.

Derrière lui, l'exécuteur emmenait quatre assistants, le visage couvert eux aussi. Noirs comme la mort, ils n'attiraient pourtant pas le regard des citoyens assemblés là. Non, ils n'avaient d'yeux que pour l'homme qui allait mourir. Pour cet assassin sans scrupule qui avait décapité le royaume de Galatie.

Bely serra les mains sur les accoudoirs de sa chaise. Cela faisait des années qu'il n'y avait pas eu d'exécution à Providence. Le roi préférait que les coupables fussent condamnés au bannissement, sans doute parce que lui non plus ne supportait pas le spectacle de ces mises à mort. Mais cette fois-ci, Bely n'avait pu résister à la demande de la cour. Tous voulaient un symbole fort. Généraux, nobles, conseillers, baillis... Tous avaient demandé une exécution publique. Et il semblait, à voir les visages dans la foule et les cris de vengeance qui s'élevaient sur la place, que la population était du même avis.

Arrivée au milieu de la place centrale, la charrette du bourreau s'arrêta. L'exécuteur descendit lentement, puis alla détacher Almar pour le traîner jusqu'au poteau qui consistait en deux grands troncs croisés, fixés à l'horizontale. Avec l'aide de ses assistants, il coucha le condamné sur le poteau et le lia. Il fallait faire passer la corde de manière à ce que l'écartèlement soit possible, ce qui demandait une certaine maîtrise.

Almar ne se débattait même pas. Il s'était couché, docile, sur les deux troncs de bois, avait tendu les bras pour qu'on puisse l'attacher, et, la bouche grande ouverte, fixait du regard les nuages dans le ciel, attendant paisiblement une mort qu'il semblait ne pas craindre. Qu'il semblait connaître depuis longtemps, comme une vieille compagne.

Ou peut-être n'avait-il pas compris qu'il allait mourir.

La tension dans la foule grandissait. Hommes et femmes criaient, crachaient, lançaient des cailloux vers le condamné. La garde royale peinait à contenir le public qui poussait toujours plus vers le centre, comme s'il avait voulu écraser l'assassin. L'engloutir.

Le bourreau et ses assistants avaient attaché les quatre chevaux aux membres du condamné. Bras et jambes tendus, Almar s'offrait à son exécution.

Bely frissonna. En hauteur, éloigné de la cohue, il n'arrivait pas à comprendre la liesse de la foule. L'appel du sang. L'envie de voir mourir.

Comment peuvent-ils regarder ça ? Demander ça ? Voilà ce que sont les foules. Un jour choquées par la barbarie, le lendemain barbares elles-mêmes. Combien de femmes, ici ? Combien de mères ? Et combien de coupables qui pourraient être à sa place ?

Les cris étaient de plus en plus forts. Les vagues de mouvements de plus en plus violentes. Les poings se levaient, crispés par la haine.

Soudain, le bourreau attrapa dans la charrette de grandes tenailles en fer forgé qu'il leva haut au-dessus de lui pour les montrer à la foule. Les Galatiens l'acclamèrent.

— À mort ! À mort ! criaient-ils en applaudissant l'exécuteur.

Celui-ci s'approcha d'Almar. Il vint se placer sur son flanc droit. Puis, avec les tenailles, il arracha la chair de sa cuisse et celle de son bras. Les membres sursautè-rent, le sang gicla, mais Almar ne cria pas une seule fois. Il ne cligna même pas des yeux.

Le bourreau resta immobile à côté de lui. Sans doute n'avait-il jamais vu ça. Cette répugnante opération pour préparer l'écartèlement était en général le moment où le condamné hurlait le plus. Parce que la douleur était insupportable, mais aussi parce qu'il en avait encore la force. Mais Almar, lui, semblait ne rien sentir.

Le bourreau secoua la tête et passa de l'autre côté de sa victime. Il répéta son geste. La cuisse, le bras, un coup de tenailles. Les quatre membres étaient à présent décharnés. L'écartèlement pouvait commencer.

Le bourreau fit un pas en arrière. La foule était en délire. On ne pouvait dire à présent si tous les cris étaient toujours des cris de haine, ou s'il s'y mêlait des hurle-ments épouvantés devant les giclées de sang qui conti-nuaient de jaillir des chairs déchirées.

Quand l'exécuteur leva enfin la main, ses assistants, montés sur les quatre chevaux, se mirent à avancer. Les quatre cordes se tendirent, tirant sur les membres du condamné, et les muscles commencèrent à se déchi-queter. Les yeux d'Almar étaient toujours grands ouverts, et il semblait même à présent qu'il souriait.

Les chevaux se mirent à peiner. Les muscles tenaient bon. La chair se découpait par endroits, mais à d'autres les nerfs résistaient. Soudain, un bras céda. Le membre s'écroula sur le sol et fut traîné sur quelque distance derrière le cheval libéré. Et cette fois-ci, ce fut bien des cris de terreur que poussa la foule.

Le bourreau, voyant que les trois autres chevaux ne parvenaient plus à avancer, se saisit rapidement d'une grosse hache à l'arrière de la charrette, revint auprès du corps mutilé de Cahin et, à grands coups, il se mit à entailler les muscles et les nerfs des trois membres, les uns après les autres.

Alors, enfin, les chevaux parvinrent à achever l'écar-tèlement. Les muscles se déchirèrent et les os craquè-rent en un instant. Le tronc ensanglanté d'Almar Cahin, que plus rien ne retenait, roula sur le côté et tomba lourdement à terre.

Il avait encore les yeux ouverts.

Corps humain méconnaissable, atrophié, couvert de sang et de chair déchiquetée, et pourtant, ces yeux, ces deux yeux si pleins de vie !

Et soudain, comme si elle réalisait enfin l'horreur du spectacle auquel elle venait d'assister, la foule tout entière se calma. Les cris s'étouffèrent. Les poings levés se baissèrent. Quelques-uns, même, se mirent à pleurer, surchargés d'émotions confuses.

— Plus jamais je ne veux assister à cela, murmura Bely dans les tribunes, sans vraiment savoir s'il parlait tout haut ou dans sa tête. Plus jamais.

Henon posa une main sur son épaule.

— C'est pourtant le genre de spectacle auquel doit s'habituer un futur roi...

Bely secoua la tête. Il n'avait pas envie d'en parler. Pas envie de débattre encore avec le vieux druide.

— Allons, ce n'est qu'une mort, Bely, reprit Henon en soupirant. Certes, pas très élégante, mais ce n'est qu'une mort. Demain, quand Harcourt sera aux portes de Providence, nous allons en avoir des milliers.

— Vous croyez qu'Harcourt va attaquer ? demanda Bely en baissant les yeux pour échapper au spectacle de la grande place.

— Vous en doutez ? Réfléchissez ! Ils vont profiter de notre instabilité, évidemment ! C'est pour cette raison que vous devez nommer un roi au plus vite...

Henon se leva en souriant, passa derrière Bely, tapa sur son épaule et quitta la tribune d'un pas majestueux.

*
* *

Alors que tous ses compagnons participaient aux travaux de reconstruction et à la nouvelle organisation de la ville, Aléa descendit au beau milieu de l'après-midi dans les cachots du château.

Un petit escalier en colimaçon s'enfonçait sous la tour ouest des remparts, si profondément que les parois de pierre étaient humides et glacées. Aléa descendit les marches une à une, faisant attention à ne pas glisser, une torche dans la main gauche.

L'odeur et l'obscurité lourdes lui rappelaient son séjour dans les prisons de Ria où le comte d'Harcourt l'avait enfermée. Ce sentiment désagréable d'être abandonnée sous terre. Et même si l'ironie n'était pas complètement pour lui déplaire, l'idée de faire subir la même chose à ce général harcourtois lui semblait de plus en plus déplacée. En tout cas, indigne de la nouvelle image qu'elle voulait donner à Gaelia. Elle se dit à cet instant qu'elle allait demander à Erwan de faire installer une prison à l'extérieur, en surface, à un endroit où puissent entrer au moins quelques rayons de soleil.

Elle arriva bientôt dans le long couloir des cachots, où deux soldats discutaient autour d'une table. Quand ils virent arriver la jeune fille, ils se levèrent et se mirent au garde-à-vous, ce qui amusa Aléa.

— Restez assis, je vous en prie ! Où se trouve Dancray ?

— Je suis là ! railla le général de l'autre côté du couloir en sortant la main par la grille qui fermait sa cellule.

Aléa prit un tabouret sous la table des deux gardes et s'avança vers l'allée. Il n'y avait personne d'autre ici, Erwan ayant exigé que le général soit placé dans une cellule isolée. Les autres prisonniers étaient dans les cachots de l'aile ouest du château.

— Bonjour, Dancray, dit-elle en posant le tabouret devant la grille du général.

— Vous trouvez ? Je ne sais pas s'il est vraiment bon, ce jour...

Le général avait changé de figure. À peine deux journées passées dans cette cellule et déjà il avait la peau blanche, les yeux rouges et cernés... Sa barbe mal rasée finissait de lui donner un air terrible. Il ne s'était pas changé depuis la nuit de l'attaque, portait toujours son pantalon de toile déchiré, sa chemise qui n'était plus tout à fait blanche, et sa courte veste de cuir.

— Dancray, je ne viens pas ici pour jouer à un jeu. Vous êtes emprisonné, beaucoup de gens là-haut aimeraient que je vous fasse pendre...

— Avec plaisir ! rétorqua le général, cynique.

— Amine de Galatie et le baron de Bisagne ont tous deux été assassinés.

Cette fois-ci, le général ne sut que répondre. Le sourire s'effaça de son visage.

— En même temps ? demanda-t-il finalement pour essayer de comprendre.

— Pratiquement, oui. Amine a été tuée par un fou, dont je soupçonne, moi, qu'il était envoyé par Maolmòrdha, et le meurtre du baron a été commandité par sa propre fille, qui a pris sa succession, évidemment.

Le général toussa.

— Eh bien, voilà qui ne va pas vous simplifier la vie !

— Pourquoi la mienne ?

— Parce qu'Al'Roeg va vouloir en profiter pour attaquer Galatie... Mais je ne vois pas pourquoi je vous dis cela, vous le découvrirez bien toute seule !

— Vous êtes fin stratège, Dancray, mais bien mauvais perdant !

— Oh, vous savez, je suis moins bon stratège que je le croyais. Si j'avais amené deux mille hommes de plus, vous ne seriez jamais entrée dans la ville.

— Vraiment ? Allons, Dancray, vous croyez vraiment que vos deux mille hommes auraient pu arrêter ce que les druides et moi-même vous avons fait subir ? J'ai des doutes, général !

L'officier fit une grimace.

— Vos druides ne sont pas invincibles... Nous les avons fait fuir à Sablon, je vous le rappelle.

— Je n'étais pas là, répliqua Aléa.

— Eh bien ! Vous êtes encore plus prétentieuse qu'on ne me l'avait dit.

Aléa sourit.

— Je dois avouer que j'ai fini par le devenir. Mais étant donné le contexte, je pourrais l'être encore davantage, non ?

— Qu'espérez-vous de moi ? coupa le général.

— À vrai dire, je ne sais pas. Je suis venue pour deux raisons. D'abord pour une raison tactique : j'aimerais connaître votre opinion sur ce qui risque de se passer à présent. Ensuite pour une raison personnelle : je veux apprendre à pardonner.

Le général écarquilla les yeux.

— À pardonner ? Mais je n'ai rien à me faire pardonner !

Aléa sourit à nouveau.

— Alors parlons plutôt de tactique, proposa-t-elle.

— Vous voulez un conseil tactique ? En voilà un : pendez-moi, et n'en parlons plus !

— Vous pensez donc qu'Harcourt va attaquer Galatie ? insista Aléa.

Le général resta muet.

— Allons, Dancray. Si vous étiez à Ria, que diriez-vous au comte Al'Roeg ? Lui conseilleriez-vous d'attaquer Galatie ?

Mais Dancray ne répondait toujours pas. Les bras croisés, il la dévisageait avec un regard plein de défi.

— Bien, reprit Aléa. Donc vous ne voulez pas parler de tactique. Alors revenons à l'autre sujet.

— Quel autre sujet ?

— Je vous pardonne, Dancray.

— Quoi ?

— Je vous pardonne pour toutes les morts dont vous êtes responsable.

— Ça ne va pas, non ? s'emporta le général.

— Les Tuathanns, massacrés sur la colline de Sablon, les Sarrois, les Tarnéens. Je vous pardonne pour les enfants qui ont dû fuir. Je vous pardonne pour le comte, que vous avez fait pendre. Je vous pardonne, Dancray.

— Bon, arrêtez, ça suffit !

Dancray se leva et s'approcha de la grille, les yeux froncés, comme pour impressionner Aléa.

— Je vous pardonne pour tous les soldats d'Harcourt que vous avez laissés mourir en les menant à la guerre. Je vous pardonne pour leurs femmes et leurs enfants qui se retrouvent aujourd'hui sans maris et sans pères. Pour tout cela, Dancray, je vous pardonne.

— Taisez-vous ! hurla le général, hors de lui.

244

— Avez-vous compté combien de morts, Dancray ? Si je voulais compter ceux dont je suis responsable, moi, je ne crois pas que j'y parviendrais. Si je veux pouvoir me pardonner à moi-même, je dois d'abord vous pardonner, à vous.

— Vous êtes complètement folle ! souffla le général en partant se rasseoir.

— Dites-moi, Dancray. Maintenant que vous avez perdu Tarnea, dites-moi à quoi ont servi les morts dans vos troupes...

Le général baissa les yeux à terre, il ne voulait plus entendre Aléa, il ne voulait plus la voir.

— Répondez, Dancray ! Ceux qui sont morts pour prendre cette capitale, maintenant qu'elle a été libérée à nouveau, pensez-vous qu'il était si utile qu'ils meurent ?

— C'est la loi de la guerre, cracha le général.

— Et la guerre est votre métier, oui, je sais...

Aléa poussa un long soupir, puis elle se leva, repartit vers la table des deux gardes où elle prit les clefs des cellules, revint vers la grille qui enfermait le général et l'ouvrit. Elle prit son tabouret, entra dans la cellule, referma la grille derrière elle et s'assit juste en face de Dancray.

— Avez-vous une passion, dans votre vie, en dehors de la guerre ?

Le général leva un sourcil d'un air perplexe.

— Pardon ?

— Une passion... Comme mon ami Mjolln avec la cornemuse, par exemple...

Dancray ne put s'empêcher de sourire. Il secoua la tête, incrédule. La jeune fille était vraiment singulière, il devait l'admettre.

— Allons, répondez ! Je vous pose une question simple, avez-vous une passion ?

— Je ne sais pas, bredouilla-t-il finalement. J'aime bien les jeux de table, le fidchell surtout.

Aléa pouffa.

— Non ! Ça ne compte pas ! C'est exactement la même

chose que la guerre, mais en miniature ! Vous avez sûrement une autre passion, Dancray.

— Non, je ne vois pas...

— La peinture ? La danse ? La musique ? Le voyage peut-être ?

— Non, répéta le général, je suis tout entier à mon devoir.

Aléa acquiesça.

— Je vois. C'est dommage, n'est-ce pas, car quand on n'aura plus besoin de vous, vous ne saurez plus que faire...

— On aura toujours besoin de moi...

— Vraiment ? Aujourd'hui par exemple, à qui êtes-vous utile ?

Le général soupira.

— Où voulez-vous en venir ? Vous voulez que je profite de mon temps ici pour me mettre à la peinture, c'est ça ?

Aléa sourit.

— Je n'y avais pas pensé, mais ce serait en effet une bonne idée... En attendant, vous avez tout de même l'occasion de vous rendre utile...

Le général éclata de rire.

— Il vous aura fallu tout ce détour pour essayer de me convaincre de vous répondre ? Allons, mademoiselle, vous parlez à un général, pas à un enfant !

Aléa acquiesça. Elle comprit qu'il était inutile d'insister. Elle se leva, prit son tabouret et sortit de la cellule.

— Au revoir, général, dit elle en refermant la grille. Je retourne dehors, où l'histoire se jouera donc sans vous.

Elle le salua et fit demi-tour. Elle traversa le couloir, glissa le tabouret sous la table des gardes et leur rendit les clefs.

— Attendez ! cria le général à l'autre bout du couloir.

Aléa sourit. La voix de Dancray résonnait entre les vieux murs de pierre. Elle pouvait y lire les émotions mélangées de l'officier. Peur, hargne, désespoir.

— Bien sûr qu'Al'Roeg va attaquer ! lança Dancray comme pour la retenir. Il va attaquer le plus vite possible avant que Galatie n'ait le temps de s'organiser. Il est sûrement en marche !

Le général parlait vite, la voix pleine de détresse. Il n'était donc pas aussi dur qu'il voulait le faire croire. Les deux mains accrochées à la grille, il criait, ignorant sans doute si Aléa l'entendait. Si elle était encore là.

— Tenez, reprit Dancray, cynique, vous voulez des informations encore plus précises ? Je suis prêt à parier que Ruther et Dayle dirigeront chacun une troupe de la cavalerie, et qu'Asley s'occupera de l'infanterie !

Aléa resta immobile, silencieuse, un sourire aux lèvres. Elle décida d'attendre encore. Le général allait sûrement en dire davantage. Il avait la voix désespérée.

— Aléa ? Vous êtes là ? appela le général. Cela ne vous suffit pas ? Que voulez-vous que je vous dise ? Que Meriande Mor, le comte de Terre-Brune, sera forcément de la partie ? Eh bien oui ! Et malgré lui, pauvre imbécile. Ah ! Al'Roeg l'a bien eu ! Aléa ? Vous m'entendez ?

Aléa fit un clin d'œil aux deux gardes médusés, et retourna dans le long couloir. Elle ne parlait pas. Elle savait que Dancray écoutait le bruit de ses pas. Elle s'arrêta à mi-chemin. Il ne fallait pas qu'il la voie. Que son angoisse dure un peu plus longtemps encore.

La jeune fille s'assit, le dos contre une grille, deux cellules plus haut que celle du général.

— Soit, reprit-elle d'une voix calme. Harcourt et Terre-Brune vont donc attaquer. Mais où ?

— À Providence, bien sûr ! Aléa ! Réfléchissez ! Où voulez-vous qu'ils attaquent ?

— N'importe où ailleurs, pour obliger Galatie à diviser ses troupes.

Le général poussa un grondement d'amertume. Aléa entendit un bruit de frottement. Dos au mur, il avait dû se laisser glisser lentement par terre, vaincu.

— Non, répondit-il d'une voix lasse. Ce que le comte doit chercher, c'est un seul grand combat, frontal, et terminal. Car il sait que c'est sans doute sa dernière chance. Il sait que Galatie finira bien par se reconstruire, et il sait que vous, Aléa, êtes en train de gagner du pouvoir. Non, la guerre aura bien lieu à Providence, et elle sera colossale.

Aléa poussa un soupir. Elle savait que le général ne se trompait probablement pas.

— Et Bisagne ? demanda-t-elle.

— Bisagne ? Si la fille du baron a voulu prendre le pouvoir, c'est sans doute qu'elle était exaspérée par l'inaction de son père, non ?

— Ou tout simplement avait-elle soif de pouvoir...

— Non. Il faut en arriver à une certaine dose de haine pour être capable de tuer son propre père...

Aléa avala sa salive. Cette pensée en amenait d'autres avec lesquelles elle ne voulait pas trop jouer. Mauvais souvenirs.

— Vous croyez qu'elle participera à cette guerre ? demanda-t-elle plutôt.

— Je ne sais pas. Probablement. Si elle estime qu'elle a besoin de renforcer son poids politique et militaire auprès de Galatie. Harcourt doit se poser la même question. Et ils doivent aussi se la poser à votre sujet.

Aléa resta silencieuse.

— Vous irez ? demanda le général.

Aucune réponse.

— Allons, Aléa, je vous ai tout dit... Répondez-moi ! Vous irez ?

La jeune fille se leva et rejoignit la cellule du général. Elle le regarda droit dans les yeux.

— Si j'y vais, Dancray, ai-je la moindre chance d'empêcher cette guerre ?

Le général hésita. Il regardait la jeune fille de ses yeux emplis de lassitude. Ce n'était plus le même homme. Il avait compris quelque chose. Compris qu'il ne servait à rien de lutter. Et compris aussi que, peut-être, il s'était trompé. Et s'il s'était trompé, une seule chose pourrait encore racheter ses fautes.

Car après tout, il devait reconnaître une chose. Elle était le personnage le plus étonnant qu'il ait jamais rencontré. Le plus troublant. Le plus sincère.

Au point où il en était, pourquoi ne pas lui donner une

chance ? Oui. Quitte à tout perdre, il fallait faire confiance à la jeune fille.

— Non, Aléa. Vous ne pourrez jamais empêcher cette guerre. Il est déjà trop tard. Aucun des deux camps ne vous est acquis. Aucun ne vous écoutera. Et si l'un des deux le faisait, l'autre en profiterait pour l'écraser. Cette guerre aura lieu, Aléa.

— Alors à quoi bon ? s'exclama Aléa. Pourquoi irais-je risquer la vie de mes hommes, si cela ne sert pas à en sauver d'autres ?

Elle ferma les yeux.

— Et en même temps, reprit-elle, c'est là que tout va se jouer, n'est-ce pas ?

Le général acquiesça.

— Que feriez-vous à ma place ? demanda Aléa.

Le général écarquilla les yeux.

— Vous demandez à l'homme que vous venez de battre ce qu'il ferait à votre place ? s'hébéta Dancray en levant les bras vers le plafond. Décidément, vous ne m'aurez rien épargné !

— Ce n'est pas mon genre. Et je fais confiance à votre jugement. Vous savez, général, mon plan a bien failli ne pas marcher contre vous.

— Votre plan ?

— L'inondation...

Le général acquiesça en souriant.

— Alors, reprit Aléa. Que feriez-vous à ma place ?

Et Dancray lui répondit. Avec sincérité, il lui répondit. Et Aléa sut qu'elle avait eu raison de lui pardonner.

*
* *

Le comte Meriande Mor parvint à réunir huit mille hommes pour rallier Atarmaja, où il savait que Feren Al'Roeg l'attendrait dans quelques jours déjà.

L'humeur des troupes était grave. On partait pour une nouvelle guerre, et celle-ci, sans doute, serait la plus grande de toutes. Peut-être la dernière. Ils l'espéraient en tout cas. Car trop de Brunois étaient morts. Trop de maris manquaient dans les campagnes isolées de Terre-Brune. Il faudrait bien qu'un jour les guerres s'arrêtent. Qu'on prenne le temps de reconstruire. Rien ne servait de se battre pour des ruines.

Meriande, toutefois, n'était pas mécontent de rejoindre Atarmaja. Non qu'il vît cette guerre d'un œil meilleur que ses soldats, mais simplement parce qu'il espérait pouvoir se débarrasser ainsi de l'évêque Aeditus.

Au fil des journées passées aux côtés du religieux, Meriande avait appris à le maudire chaque jour un peu plus. Surtout, il se demandait de quelle légitimité pouvait se prétendre l'évêque. Il n'avait pas, lui, mené des hommes au combat. Il n'avait pas perdu les siens, vu mourir sa famille devant ses yeux pour sauver une terre. Il n'avait même pas de terre, d'ailleurs, pas d'attachement. Seulement la *confiance divine*, comme il disait. Mais cela suffisait-il pour s'estimer ainsi l'égal des rois ? Cela suffisait-il pour commander aux hommes ? Cela suffisait-il pour imposer morale et ligne de vie ?

Mor avait accepté de se convertir au christianisme parce que la victoire que lui avait apportée Harcourt lui avait paru... miraculeuse. Il avait accepté d'être baptisé parce que ce Dieu semblait plus clément que la Moïra. Mais il commençait aujourd'hui à se demander s'il n'avait pas fait une erreur. Si on ne l'avait pas trompé...

Petit à petit, le Dieu d'amour qu'on lui avait présenté s'était transformé en Dieu de la différence, en Dieu du mépris et de l'obligation. Au lieu d'aider les Brunois à s'épanouir, la religion les enfermait à nouveau. Elle dessinait déjà des milliers de barrières. Obligeait à penser ainsi. À ne pas penser ceci. À croire cela. Plutôt que de réunir les hommes, elle les divisait. Et cet évêque était sans doute plus envahissant encore que ne l'étaient déjà les druides avant lui.

Alors, sans oser vraiment exprimer son impatience, Meriande se réjouissait à l'idée de rejoindre Atarmaja pour rendre à Al'Roeg ce pesant pontife.

Et surtout, pire que tout, Meriande n'avait pas vraiment trouvé Dieu. Ce Dieu dont la vive lumière l'avait ébloui pendant la bataille de Sablon, le soir, quand il était seul et qu'il cherchait au tréfonds de son âme, le comte ne le retrouvait pas. L'amour promis ? Disparu. La justice ? Inabordable. Et demain, l'éternité ? Que valait l'éternité si l'on ne pouvait rendre ces quelques heures joyeuses ? Pourquoi rêver au Paradis si l'on ne pouvait construire le bonheur ici-bas ?

Non, décidément, plus il accompagnait l'évêque, plus il regrettait d'avoir embrassé cette religion. Il se demandait à présent ce qui pourrait advenir. Comment il pourrait gérer pareille situation. Pouvait-il continuer de se mentir à lui-même et de mentir à son peuple ? Pouvait-il avouer au comte d'Harcourt qu'il rejetait finalement son Dieu ? Comment l'expliquer à tous ceux qui s'étaient convertis en suivant son exemple ? Il était aujourd'hui dans une impasse. Il ne trouvait aucune issue à la situation dans laquelle tous ces événements l'avaient amené.

Mais il y avait la guerre, avant tout. Les réponses viendraient plus tard. Si elles devaient venir...

— À quoi pensez-vous, monsieur le comte ? demanda l'évêque Aeditus, qui venait justement d'amener son cheval à côté du sien.

Meriande fit une grimace. Il ne pouvait répondre en toute sincérité. Il était encore trop tôt.

— À cette guerre, monseigneur.

L'évêque acquiesça.

— Les jours qui précèdent la bataille sont toujours les plus durs. Plus durs que la bataille elle-même, paraît-il.

— Vous vous êtes déjà battu, monseigneur ?

— Non, avoua Aeditus, mais je n'ai pas besoin de cela pour partager les émotions des autres. Pour ressentir ce que sentent vos hommes en ce moment même. Je vais essayer de leur parler, ce soir. Ils doivent trouver réconfort dans la parole divine.

— Ce à quoi pensent mes hommes, en ce moment, c'est à la même chose que moi, monseigneur. Ils pensent à leurs femmes et à leurs enfants. Vous avez déjà eu une femme, monseigneur ?

— Enfin ! s'offusqua Aeditus. Vous savez bien que non. Les gens d'Église ne se marient pas...

— Alors vous ne pouvez pas comprendre...

— Vous croyez vraiment ? s'emporta l'évêque. Vous croyez qu'il faut avoir eu une femme pour savoir ce qu'est l'amour ? Vous croyez que je n'ai jamais aimé ? Qu'il n'y a aucune femme que j'aie un jour désirée ?

— Vous pouvez avoir eu mille amantes, monseigneur, vous ignorez ce que c'est de dire au revoir à vos enfants et à celle qui les a mis au monde avec vous.

— J'ai eu une famille, vous savez. Des parents, des sœurs, des frères...

Meriande sourit. Il savait qu'il était inutile de continuer. Il risquait d'ailleurs de devenir trop agressif envers l'évêque. Il décida qu'il valait mieux changer de sujet au plus vite.

— Atarmaja est encore loin, dit-il. Je vais dire aux capitaines de faire accélérer les troupes.

Il salua l'évêque et partit au galop vers l'avant du convoi. Il était bien trop tard pour faire demi-tour.

*
* *

— Aucun militaire ne nous accompagnera, annonça Aléa au milieu du dîner.

— Comment ? s'étonna Erwan, qui, comme les autres, ignorait encore tout du plan qu'avait imaginé la jeune fille.

Tous ici savaient qu'Aléa avait passé plusieurs heures à discuter avec le général Dancray, et que suite à cette longue conversation, elle semblait avoir pris une importante décision quant à la suite des événements, mais nul ne savait quoi exactement.

Elle avait réuni tous ses compagnons, Erwan, Kaitlin, Mjolln, Fahrio, Tagor, Finghin et les cinq autres Grands-Druides de Saî-Mina. Maintenant que la joie de la libération de Tarnea était retombée, l'angoisse de la guerre qu'on annonçait au sud avait pris le dessus.

— L'Armée de la Terre restera ici, à Tarnea, avec vous, mon cher Fahrio, et avec toi, Tagor.

— Je ne pars pas avec toi ? rétorqua Tagor, sourcils froncés.

— Non, mon frère. Tu me manqueras, mais les Tuathanns ont besoin de toi. Les gens de Sarre ne les
connaissent pas et Fahrio ne saurait les comprendre
assez vite. Tu dois rester pour assister le capitaine et
pour aider ton peuple à s'installer ici paisiblement.

Le jeune homme acquiesça en silence. Il savait que
sa sœur avait raison. Il détestait l'idée de ne pouvoir la
suivre, mais malheureusement, elle avait raison. Encore
une fois...

— Fahrio, si tout le monde ici est d'accord, je voudrais vous nommer provisoirement gouverneur de Sarre.

— Gouverneur ? répéta le capitaine, surpris. Je ne suis
qu'un simple officier de Saratea...

— Oui. Mais tant que nous n'aurons pas clarifié tout
ça, le comté a besoin d'un dirigeant. Je crois que vous
êtes le mieux à même de faire cela, en attendant que
tout soit résolu sur l'île. Vous êtes juste, vous vous êtes
montré bon stratège, vous aimez ce pays, et les gens
vous apprécient en retour. Vous êtes l'homme qu'il faut
au comté pour le moment. Est-ce que quelqu'un ici y
voit une objection ?

— Ça, non, c'est bien une excellente idée ! répliqua
Mjolln.

Aléa le remercia. Elle n'avait pas encore pris l'habitude de le voir dans son costume bleu de barde. Mais
cela lui allait à ravir. Et il avait l'air tellement heureux.

— Archidruide ? demanda Aléa en se tournant vers
Ernan à l'autre bout de la table.

— Nous faisons confiance à votre jugement, Aléa.

— Merci. Fahrio, acceptez-vous ?

Le capitaine hocha la tête.

— Tu m'honores, Aléa. Je ne sais pas si je suis aussi
juste que tu le dis, mais tu as au moins raison sur une
chose, j'aime ce pays. Et j'espère que je saurai être aussi
droit et raisonné que tu l'es devenue.

Les convives le félicitèrent. En peu de temps, il avait
en effet su plaire aux compagnons d'Aléa. Non pas pour
son humeur – il était plutôt grave la plupart du temps –
mais pour son honnêteté, sa droiture et son dévoue-
ment. C'était de toute évidence un homme bon, et per-

sonne ne trouvait déplacé qu'il fût nommé gouverneur de ce comté qui ne pouvait plus rester orphelin.

— Bien. Vous aurez donc la charge de garantir la paix de Sarre, de reconstruire ce qui a été détruit à Tarnea, et de remonter une armée qui, à l'avenir, n'aura plus à craindre les invasions. Tagor, je compte sur toi pour l'assister dans cette tâche. Quant aux Tuathanns, puissent-ils trouver en Sarre une paix méritée. Que ton peuple trouve enfin une terre où s'épanouir, mon frère !

— Nous serons très bien ici, affirma Tagor en souriant. Je dois même t'avouer, petite sœur, que plusieurs familles se sont déjà installées dans les campagnes environnantes...

— Fort bien. Maintenant, parlons de Gaelia.

Tous les convives tournèrent à nouveau les yeux vers Aléa. On arrivait au cœur du sujet. Car la paix, au comté de Sarre, n'était plus menacée pour le moment. Mais l'avenir de l'île, lui, était de plus en plus incertain.

— Je pense que cela ne fait plus de doute, reprit Aléa, Harcourt et Galatie vont s'affronter dans les prochains jours. Le général Dancray, que je suis allée questionner comme vous le savez, pense que Feren Al'Roeg va envoyer son armée et celle de Terre-Brune à Providence, et ce, de manière imminente. Je partage sa prévision, et je pense que vous tous ici êtes du même avis.

La plupart acquiescèrent.

— Oui, ajouta Kiaran avec son air mystérieux, l'histoire se répète.

— Que voulez-vous dire, mon oncle ? s'étonna Kaitlin qui elle-même avait du mal à saisir le sens énigmatique des interventions de Kiaran.

— Cette guerre a déjà eu lieu, expliqua le Grand-Druide. Il y a plus de dix ans, certes, mais ce n'est pas si loin. La guerre d'Harcourt.

— À la différence qu'à l'époque, corrigea Ernan, c'était Galatie qui attaquait Harcourt, alors que cette fois, cela risque d'être le contraire...

— Mais ce sont bien les mêmes ennemis. L'histoire se répète. Cette fois, en revanche, c'est toi, Aléa, qui entraînes l'histoire. C'est toi qui provoques tout ça...

— Aléa n'a pas provoqué cette guerre ! s'offusqua Erwan.

— Mais si, bien sûr, se défendit Kiaran, et elle ne doit pas se le reprocher, au contraire ! C'est son seul rôle. Elle est celle qui va faire basculer l'histoire de l'île, Magistel. Ne voyez-vous pas ce qui est en train de se passer ?

— La guerre ?

— Pas seulement. La guerre n'est qu'une conséquence de tout cela !

— Mais alors quoi ? insista le Magistel.

— Gaelia change d'âge ! affirma Kiaran d'une voix calme et posée.

Tous semblèrent perplexes, à part Aléa. Comme si elle savait déjà ce que le Grand-Druide allait dire. Et c'était bien le cas. Car Kiaran et Aléa avaient compris les mêmes choses.

— Gaelia *change d'âge* ? répéta Mjolln en grimaçant.

— Oui, je crois même pouvoir dire que Gaelia va passer à l'âge adulte, ajouta le Grand-Druide en souriant. Ceux qui ont fait l'Âge d'aujourd'hui vont disparaître, ou ont déjà disparu. Nous, les druides – et cela a déjà commencé, nous ne sommes plus que l'ombre de ce que nous étions jadis –, les dirigeants, Eoghan, Amine, Ruad, Bisagne, bientôt sans doute Al'Roeg et Meriande Mor... Gaelia se débarrasse de ses pères. Carla Bisagni a tué le sien. Aléa va tuer la Moïra. Tout cela va disparaître. N'est-ce pas, Aléa ?

La jeune fille se mordit les lèvres. La vision de Kiaran était si proche de la réalité... Si proche de ce qu'annonçait l'encyclopédie d'Anali ! Jamais elle n'aurait osé la formuler elle-même ainsi devant ses compagnons, et pourtant, c'était bien ce qui était en train de se passer. En partie en tout cas. Lentement, elle acquiesça.

— Qu'est-ce que c'est que tout ce charabia ? s'exclama Erwan qui n'arrivait pas à se contenir.

Le Magistel sortait rarement de ses gonds. Mais la pression peut-être, et la peur qu'Aléa ne soit plongée dans une guerre plus grave encore que tout ce qu'elle avait affronté jusque-là, semblaient lui faire perdre quelque peu le contrôle.

— Nous devons aller à Providence, dit Aléa douce-ment, alors que tous la dévisageaient encore, sous le choc des propos de Kiaran.

— Aléa, reprit Erwan désemparé, tu veux que nous allions seuls, les druides et nous, à Providence, alors qu'une guerre de plusieurs dizaines de milliers d'hommes est en train de se préparer ?

— Erwan. Nous ne pourrons arrêter cette guerre. J'ai-merais empêcher que tous ces soldats meurent, mais cette fois-ci, il est trop tard.

— Cela fait partie de cette histoire de *nouvel âge* ? s'emporta Erwan, que l'idée de rester impuissant devant une telle guerre rendait furieux. On doit laisser mourir nos frères pour *changer d'âge* ?

— Il ne s'agit pas de laisser mourir, mais d'accepter de renaître, répondit Kiaran.

— Formule de druide ! s'écria Erwan, furibond.

— Erwan, intervint Aléa en fronçant les sourcils, *nous ne pouvons pas* empêcher cette guerre. Si nous y allions avec ton armée...

— *Ton* armée ! corrigea le Magistel.

— ... avec *mon* armée, nous ne ferions qu'augmenter le nombre de morts.

— Je crois malheureusement qu'Aléa a raison, inter-vint Fahrio. Nous ne sommes qu'une troisième force, dans cette confrontation. Tout ce que nous pourrions faire, c'est infléchir le combat d'un côté ou de l'autre, mais pas l'empêcher.

— En revanche, nous pourrons en modifier l'issue, ajouta Aléa en prenant la main du Magistel.

— Comment cela ? demanda-t-il en reprenant son calme. Comment pourrons-nous modifier quoi que ce soit une fois que la guerre sera finie ?

— Nous avons déjà commencé, Erwan. Nous n'au-rons qu'à récolter les fruits du travail que nous accom-plissons depuis notre départ. Faites-moi confiance, une dernière fois. Suivez-moi à Providence. J'aurai besoin de vous.

— Et pas d'une petite poignée de soldats ? insista Erwan, mais cette fois, Aléa vit qu'il plaisantait.

Sa mauvaise humeur était repartie aussi vite qu'elle était arrivée. Erwan était un Magistel, un homme de raison, et il s'était rapidement rendu compte qu'il s'emportait trop. Comme son père le lui avait souvent reproché. Garder son calme était un travail de tous les instants.

— Non, répliqua Aléa en souriant, juste nous. Les compagnons. Nous allons repartir sur les routes !

— Comme au bon vieux temps ! répliqua Mjolln, ironique. Ahum. Combien sommes-nous ? Ernan, Kiaran, Lorcan, Finghin, Shehan, Odhran, Kaitlin, Erwan, toi et moi. Dix ! Cela fait dix !

— Vous ne voulez pas que les druides et nos Magistels nous accompagnent ? demanda l'Archidruide. Nous n'aimons pas beaucoup nous séparer de nos Magistels...

— Non, répéta Aléa. Dix. C'est un bon chiffre.

— Le Samildanach et ses neuf compagnons ! s'exclama Mjolln. Voilà qui fera une belle chanson !

— Quand veux-tu que l'on parte ? demanda Erwan qui redoutait la réponse d'Aléa.

La jeune fille sourit.

— Demain.

*
* *

La nature s'embellissait chaque jour des couleurs de l'automne, orange, rouge, jaune, violet, pourpre. Les feuilles et les herbes se teintaient comme sous le pinceau d'un peintre bisagnais à mesure que les jours se faisaient de plus en plus courts. Les arbres se préparaient à passer l'hiver en se débarrassant de leurs robes bariolées et déposaient à leurs pieds un tapis chatoyant. Il faisait de plus en plus froid et le pelage des loups s'épaississait. Ils auraient bientôt leur beau manteau d'hiver. Excités par le retour du froid, ils commençaient à revivre, et les jeux d'intimidation se multipliaient, comme ils ne cesseraient de le faire jusqu'à la saison des amours.

La meute d'Imala, qui chassait depuis plusieurs jours, venait de débusquer un gros gibier et était en train de se reposer au bord du Sinaîn quand les cris se mirent à résonner en haut de la colline.

Taïbron fut le premier à les entendre. D'un bond, le grand loup gris se dressa sur ses pattes, bientôt rejoint par Imala puis par le reste du clan. Au loin, ils aperçurent aussitôt les silhouettes menaçantes qui entraient sur leur territoire, dans la vallée de Loma. Des silhouettes droites, fières, terribles. Les verticaux.

Les loups n'attendirent pas un seul instant. Ils ne craignaient rien autant que les verticaux. Taïbron partit en courant vers l'est, le long du fleuve, et le reste de la meute suivit, comprenant rapidement le danger, le ventre noué par la peur.

Les uns derrière les autres, les loups longèrent le Sinaîn jusqu'à ce qu'il fasse un grand lacet vers le sud. Alors, ils quittèrent les rives du fleuve et continuèrent tout droit, car devant eux se profilait une forêt de pins où peut-être ils pourraient trouver un abri. Les cris des verticaux continuaient derrière eux. Des cris répétitifs, mêlés au bruit des grands bâtons de bois qu'ils frappaient contre terre.

Ne cessant de courir, la meute finit tout de même par les distancer. Mais Taïbron ne ralentit le rythme que quand ils furent arrivés à l'orée du bois. Essoufflés, la langue pendante, ils se faufilèrent alors à travers les pins, espérant avoir semé les verticaux.

Ils s'enfoncèrent au cœur de la forêt, cherchant un point d'eau où ils pourraient se désaltérer, mais alors qu'ils s'étaient remis à marcher, ils entendirent à nouveau des cris de verticaux, au sud cette fois, et beaucoup plus près d'eux. Les voix agressives résonnaient sous la voûte du grand bois.

D'un seul élan, les sept loups partirent au galop dans le sens opposé, mais la forêt était trop dense et cette fois-ci ils ne purent rester groupés derrière Taïbron.

Les loups se dispersèrent parmi les pins.

Chapitre 10

SUR LA COLLINE DES POUSSIÈRES

L'armée des Soldats de la Flamme était arrivée la veille dans le petit village désolé de l'ouest galatien. Atarmaja avait été dévasté par l'invasion des Tuathanns et on ne l'avait toujours pas reconstruit, abandonnant ses ruines au sable et au vent. Seuls quelques bâtiments tenaient encore debout, et l'armée de Feren Al'Roeg n'avait utilisé que les points d'eau et quelques abris. L'essentiel du campement avait été établi en retrait, sous l'ombre protectrice des sommets blancs de Gor-Draka. Le village n'était plus que désolation, son histoire passée subsistait à peine dans les vestiges de pierre et de bois.

Quand Meriande Mor le Bel arriva en haut de la vallée à la tête de son armée de Brunois, au sud du village, il reconnut tout de suite la bannière d'Harcourt, flamme rouge sur fond blanc, qui flottait en haut des lances et parmi les ruines d'Atarmaja. Feren Al'Roeg, le comte chrétien, était déjà au rendez-vous.

Il y avait bien plus de Soldats de la Flamme que Meriande ne l'avait imaginé. Peut-être quinze mille. La vallée tout entière était couverte de grandes tentes blanches installées par l'armée d'Harcourt. Les soldats d'Al'Roeg grouillaient autour du village comme des fourmis autour de leur fourmilière.

Maintenant seulement, il prenait conscience de l'ampleur qu'allait prendre le conflit. L'armée était si nombreuse ! Il y avait là plus de combattants qu'il n'en avait jamais vu réuni. Cette guerre allait être un massacre !

L'évêque Aeditus arriva soudain à côté de lui.

— C'est un spectacle impressionnant, n'est-ce pas ? demanda l'évêque avec un soupçon de fierté dans la voix.

Meriande acquiesça. *Oui, impressionnant*, pensa-t-il, *mais l'impression qu'il me fait n'est sans doute pas la même qu'à vous*... Il se retourna et ordonna aux messagers de descendre dans la vallée pour annoncer leur arrivée imminente au comte d'Harcourt.

Meriande jeta un dernier coup d'œil à la vieille ville dévastée, puis il fit signe aux généraux de reprendre la route. Les huit mille Brunois se remirent en marche, portant haut le blason du comté, la chimère argentée. La dernière fois que l'armée de Terre-Brune s'était battue aux côtés de celle d'Harcourt, elle avait remporté une victoire mémorable contre les barbares du Sid. La plupart des soldats étaient donc heureux de retrouver cet allié précieux, même si la perspective d'une guerre de si grande ampleur n'était jamais vraiment joyeuse. La victoire était tout sauf certaine.

Quand ils arrivèrent enfin aux portes du campement, les Brunois furent accueillis chaleureusement par les Soldats de la Flamme. Certains officiers, même, qui avaient partagé la victoire de Sablon, se retrouvèrent avec plaisir. On évoquait des souvenirs, des faits d'armes, des soldats disparus...

Meriande et Aeditus, quant à eux, furent guidés dès leur arrivée vers la tente du comte d'Harcourt. Ils traversèrent le grand campement au milieu des soldats au repos, puis remontèrent vers la petite butte où s'était installé Feren Al'Roeg.

— Entrez, mes amis, entrez ! les invita-t-il en se levant.

Le comte baisa la bague de l'évêque et salua Meriande chaleureusement. Il était visiblement excité par les événements qui se préparaient, et peut-être fier de se retrouver à la tête d'une armée aussi gigantesque. Les trois hommes prirent place autour d'une petite table où on leur servit un vin doux et sucré.

— Je suis heureux de vous retrouver, monseigneur, reprit Al'Roeg en levant son verre vers l'évêque. J'espère que votre voyage en Terre-Brune s'est bien passé... On m'en a dit grand bien.

— Oui, les Brunois se sont montrés très accueillants, répondit Aeditus. Après le baptême de Meriande, ils ont été nombreux à vouloir se convertir. Malheureusement, nous n'avons pas encore eu beaucoup de temps. Il n'y a presque aucune structure religieuse là-bas, pour le moment. Mais le comte Mor fait construire une cathédrale à Méricourt, et je pense que le mouvement va pouvoir s'étendre...

— Parfait ! Félicitations ! s'exclama Al'Roeg en adressant un sourire au comte de Terre-Brune.

Mais Meriande ne répondit pas. Il n'était pas venu ici pour parler religion, et pour lui, il valait mieux éviter le sujet...

— Quelles sont les nouvelles, concernant l'affaire qui nous occupe aujourd'hui ? demanda-t-il d'un air grave.

— Nos espions nous rapportent plutôt de bonnes nouvelles, répliqua Al'Roeg en se redressant sur sa chaise. D'abord, l'armée d'Aléa – qui se fait appeler Armée de la Terre, m'a-t-on dit – n'a pas quitté Tarnea. Ils semblent vouloir y rester, s'installer dans la ville et protéger Sarre. Et c'est mieux ainsi ! On sait au moins que pendant ce temps-là ils ne viendront pas déséquilibrer notre combat contre Galatie. Nous avons perdu Tarnea. Nous ne perdrons pas la bataille contre la reine.

— Espérons-le, soupira Meriande.

— Quant à Galatie, justement, continua Al'Roeg en ne prêtant guère attention au scepticisme du comte de Terre-Brune, il semblerait qu'un conflit soit en train de naître entre les druides et les généraux ! Exactement ce que j'avais prévu ! Et cette zizanie politique risque de faire nos affaires, car Galatie n'aura pas le temps de préparer sa défense...

— Ils doivent déjà savoir que nous sommes en marche, fit remarquer Meriande. Notre armée est trop nombreuse pour passer inaperçue...

— Sans doute, admit Al'Roeg. Mais nous repartons dès ce soir. Si tout se passe bien, nous attaquerons dans trois jours. Qu'ils soient au courant ou non, cela ne change rien, nous ne leur laisserons pas le temps de s'organiser, j'en suis sûr.

— Je l'espère. Combien d'hommes avez-vous ici ? demanda finalement le comte de Terre-Brune.

— Quatorze mille, répliqua fièrement Al'Roeg.

— Avec l'armée que je vous apporte, cela nous fait donc un total de vingt-deux mille hommes, s'ébahit Meriande... Je ne pense pas que Gaelia ait jamais vu plus grande bataille !

— Que Dieu nous garde ! souffla Aeditus.

— Que Dieu nous donne la force de gagner ! corrigea Al'Roeg avant d'avaler son verre de vin d'une seule traite.

Que Dieu nous pardonne ! pensa Meriande, et il but le vin à son tour.

*
* *

Tamaran, le loup borgne, partit si vite vers le nord qu'il n'entendit bientôt plus ses compagnons derrière lui. Mais il ne pouvait s'arrêter. Les verticaux approchaient. Et ils étaient nombreux.

Les loups n'étaient plus sur leur territoire, à présent, et Tamaran ne connaissait pas la forêt. Il ne savait où fuir, et se contentait de partir dans le sens opposé à la menace. Pour l'instant, le grand loup brun ne pouvait ruser, brouiller les pistes ou trouver un cours d'eau à franchir. Ses poursuivants étaient beaucoup trop près. Non, pour l'instant il devait fuir. Simplement fuir. Les distancer.

Alors il galopait, de toutes ses forces, fouetté par les branches basses qui lui barraient la route, évitant les fossés, enjambant les souches et les troncs morts, manquant perdre l'équilibre plusieurs fois dans des amas de branchages.

Le sol de la forêt se mit soudain à monter. Le loup essaya de ne pas perdre de vitesse. Il devait pousser de plus en plus fort sur ses pattes, grimper sans faiblir. Et la fatigue gagnait. Mais il continua. Il courut jusqu'en haut de la pente, glissant sur le feuillage humide et froid qui couvrait toute la côte.

Quand enfin il arriva au sommet, il ralentit sa course et jeta un coup d'œil derrière lui. Il entendait toujours les cris des verticaux et le claquement de leurs bâtons de bois contre le tronc des arbres. Mais ils étaient loin à présent. Le vacarme résonnait beaucoup plus bas, sans doute au tout début de la pente. Ils n'avaient pas suivi.

La langue pendante, Tamaran fit une courte pause. À bout de souffle, les muscles fatigués par la course, il respirait beaucoup trop vite, étouffé par la chaleur de sa fourrure. Son ventre semblait battre tellement il soufflait fort. Il resta un instant immobile sur ses pattes, lançant régulièrement des coups d'œil vers le bas de la pente pour voir si les verticaux n'approchaient pas, et soudain, il entendit un bruit étrange juste au-dessus de sa gueule.

Sursautant, il fit volte-face d'un seul bond. Un long bâton pointu venait de passer entre ses deux oreilles et, en face de lui, il découvrit les yeux menaçants d'un vertical, à quelques pas seulement. Celui-ci, sans le quitter du regard, attrapa un autre bâton aiguisé dans son dos, et le mit dans le dispositif qu'il tenait devant lui et qui lui servait à projeter la pointe.

Le loup n'hésita pas un seul instant. Tout lui criait *danger*. Tout lui ordonnait de fuir. Pivotant vers l'ouest, il se projeta sur ses pattes avant et plongea gueule baissée à travers les arbres en gémissant.

Lui qui avait si souvent chassé, aujourd'hui il devenait la proie. Jamais il n'avait ressenti une peur si forte. Pas même lors des nombreux affrontements avec les loups des autres clans. Non. Cette fois-ci, c'était la peur de la chasse. Une peur bien plus profonde, que seul l'instinct de survie pouvait faire taire pour offrir au loup une chance. Une toute petite chance.

Soudain, alors qu'il atteignait sa vitesse de pointe, Tamaran reconnut derrière lui le bruit strident du projectile. Ne sachant d'où il venait, par instinct ou par peur, il se laissa glisser sur le côté et cela, sans doute, lui sauva la vie pour cette fois. Le bâton de bois le manqua de peu et alla se planter dans un arbre devant lui.

*
* *

Les dix compagnons avaient pris la route longtemps avant le lever du soleil. Aléa ne voulait pas que leur départ de Tarnea soit découvert, et elle avait pris toutes les précautions nécessaires pour que nul au comté de Sarre ne sache qu'ils étaient partis. Ils durent donc traverser le pont du Griffoul avant que les Tarnéens soient levés pour éviter que la foule les acclame, ce qui aurait bien sûr compromis définitivement le secret de leur voyage...

Quand le soleil apparut dans le ciel, Aléa et ses compagnons étaient déjà loin de la capitale, galopant à travers la lande sur leurs chevaux sarrois. Ils voyageaient à l'écart des routes et des villages pour ne rencontrer personne, coupant tout droit à travers le sud du comté. Quand l'astre doré fut au plus haut dans le ciel, ils s'arrêtèrent pour manger.

Aléa, Erwan, Kaitlin, Finghin et Mjolln partageaient visiblement la même émotion. Ils savaient tous que dans les jours qui venaient se jouerait la dernière grande bataille. Le moment de vérité. Celui où Aléa allait pouvoir ou non imposer une Gaelia nouvelle. Mais ils partageaient aussi une joie nostalgique de retrouver la route, ensemble. Sans les milliers de soldats dont ils devaient assumer la responsabilité. Juste ensemble. Pouvoir tout partager, vivre chaque seconde en communion. Ils savaient que c'étaient ces moments-là qui avaient soudé leur groupe par le passé, et ils savaient que l'avenir ne leur offrirait pas forcément de nouvelles occasions d'être si proches. Alors ils profitaient de chaque instant. Et malgré le danger qui menaçait leurs lendemains, ils se sentaient bien. Comme deux jeunes couples et un vieil ami qui attendaient encore tant de la vie.

Pendant le repas, les conversations furent douces et amicales, et les Grands-Druides participèrent eux aussi à ces moments de chaleur. Mjolln raconta à Aléa son initiation au rang de barde, Kaitlin et Kiaran partagèrent de très vieux souvenirs de cheminants... Aléa écoutait avec attention, tenant la main d'Erwan, heureuse de pouvoir offrir quelques minutes de tranquillité à ses plus chers amis.

En outre, ce premier repas avait quelque chose de spécial. Comme une prémisse aux changements qu'allait connaître l'île. Car dans cette petite troupe de voyageurs, les Grands-Druides semblaient réapprendre à vivre plus simplement. Sans leurs Magistels, sans leurs serviteurs, et sans la crainte humiliée dans le regard des autres. Ici, tout le monde se parlait d'égal à égal. Et à la fin du repas, signe que l'esprit de communauté l'avait vite emporté, tout le monde se tutoyait.

Il n'y avait plus d'Archidruide, plus de Samildanach, plus de général ou plus de Grand-Druide, mais simplement dix compagnons qui avaient déjà accepté sans le dire ce que Kiaran avait annoncé la veille. Accepté que l'île changeait simplement d'âge.

Ils se remirent en route au début de l'après-midi, chevauchant à travers la lande aussi vite que le leur permettaient les chevaux, et ne s'arrêtèrent qu'à la tombée de la nuit, au-delà de la frontière de Galatie, au nord du fleuve Pourpre.

Le soir, ils reprirent leurs conversations, écoutèrent avec plaisir les morceaux de cornemuse que Mjolln interprétait à présent avec une finesse remarquable et une grande émotion, puis ils partirent se coucher les uns après les autres. Ils ne seraient pas à Providence avant deux ou trois jours, mais l'idée de partager la route dans de si bonnes conditions les enchantait tous. Y compris les Grands-Druides. Ils semblaient ne plus souffrir de la crise qui les avait amenés là. Ne plus regretter Saî-Mina. Peut-être comprenaient-ils ce que Phelim et Finghin étaient allés chercher au-dehors du Conseil. Un peu de vérité.

Voyant qu'il s'apprêtait à rejoindre sa couche, Aléa demanda à Kiaran s'il voulait bien marcher un peu avec elle dans la nuit. Le druide, qui sans doute attendait ce moment avec impatience, s'en réjouit et l'accompagna en lui tenant le bras.

— Je suis heureuse de te revoir enfin, Kiaran. Et je te remercie pour tout ce que tu as fait.

— Oui. Et cette nuit est fort belle, n'est-ce pas ? Tu as sûrement autre chose à me dire que des remerciements, non ?

Aléa sourit. Puis elle frissonna. Elle n'était pas très couverte, et il commençait à faire froid au cœur de cette nuit d'automne.

— J'ai revu Phelim dans le monde de Djar, dit-elle finalement.

Le Grand-Druide s'arrêta.

— Phelim ?

— Oui.

— Il est parvenu à sortir du monde des morts ?

— Oui, pour la deuxième fois, confirma Aléa.

— Phelim était bien un druide exceptionnel ! s'exclama Kiaran en souriant. Comme il me manque !

Puis il attrapa Aléa par l'épaule.

— Tu as de qui tenir, n'est-ce pas ?

Aléa prit la main du Grand-Druide et la serra affectueusement.

— Merci. Mais ce n'est pas tout...

— Je t'écoute.

— Phelim m'a dit que je devais tuer Maolmòrdha avant que le Saîman ne disparaisse...

Kiaran resta silencieux un instant, se grattant le menton d'un air pensif.

— Il craint sans doute que l'Ahriman ne survive au Saîman, conclut finalement le Grand-Druide.

— C'est en effet ce que j'ai deviné à travers ce qu'il m'a dit.

— Mmmh, marmonna le druide, c'est intéressant.

Il resta un moment silencieux, puis soudain, Kiaran frappa violemment dans ses mains, comme s'il venait de comprendre quelque chose.

— Par la Moïra ! s'exclama-t-il. Mais oui, il a raison, il faut nous dépêcher !

— Pourquoi ?

Kiaran hésita.

— Cela a déjà commencé, murmura-t-il avec son air mystérieux.

Aléa fronça les sourcils.

— Pardon ?

— Tu n'as pas remarqué ? s'étonna le Grand-Druide.

— Remarqué quoi ?

— Le Saîman commence à disparaître, expliqua Kiaran en grimaçant.

La jeune fille écarquilla les yeux, perplexe.

— Oui, reprit Kiaran, cela doit être cela. Je n'ai pas réussi à retourner dans le monde de Djar depuis plusieurs jours, Aléa !

— Mais... c'est impossible !

— Pourquoi ?

— Parce que la prophétie dit que le Saîman disparaîtra quand j'aurai compris ce qu'il est... Or, je n'ai pas compris. Je ne comprends rien du tout, au contraire !

— Peut-être as-tu commencé à comprendre, mais sans t'en rendre compte...

— Cela n'a aucun sens, Kiaran ! Soit on comprend, soit on ne comprend pas...

Le Grand-Druide haussa les épaules.

— Tu n'as vraiment pas avancé dans ta réflexion sur ce sujet ?

— J'ai lu un chapitre de l'Encyclopédie d'Anali, mais je n'ai rien appris... Simplement... Simplement que le Saîman consistait, d'après Anali, en trois forces naturelles et non pas un pouvoir magique, mais...

— Pardon ? s'exclama le druide. Mais c'est énorme ! Et tu dis que tu n'as pas avancé ? Aucun druide au Conseil n'aurait jamais admis une chose pareille ! Mais toi, tu cherches... Si, Aléa, je crois que tu as avancé. Et c'est pour cela que le Saîman commence à disparaître...

La jeune fille resta bouche bée. Les prophéties lui avaient toujours paru si lointaines. Si floues, si abstraites, comme un conte merveilleux auquel elle ne croyait qu'à moitié. Et pourtant, étaient-elles vraiment en train de se réaliser ?

— Si tu dis vrai, Kiaran, alors il va vraiment falloir que j'aille affronter Maolmòrdha au plus vite ! Car sans le Saîman, nous ne pourrons pas le battre. Et alors il sera trop tard. Crois-tu que je doive abandonner ce que je voulais faire à Providence ?

— Non ! Il nous reste encore un peu de temps. Il faut que tu puisses faire les deux. Si tu pars tout de suite chercher Maolmòrdha, il risquera d'être trop tard ici aussi, pour les gens de Gaelia.

— Mais le temps presse ! s'exclama Aléa.

— Alors il faudra faire vite.

La jeune fille acquiesça. Elle entendait battre son cœur. Fermant les yeux, elle entra en contact avec le Saîman au fond d'elle-même. La flamme bleue était toujours là. Il lui semblait qu'elle brillait toujours avec la même intensité. Et si Kiaran se trompait ? Si le Saîman n'avait pas encore commencé à disparaître ?

— Kiaran ? demanda-t-elle. Peux-tu chercher le Saîman maintenant ?

Le druide acquiesça.

Lentement, il ferma les yeux. Il inspira, puis il ouvrit les mains devant lui. Alors Aléa vit apparaître la lumière. La teinte rouge qui se dessina tout autour du druide. Le halo du Saîman.

Et elle vit que Kiaran n'avait pas menti.

L'intensité du halo n'était pas la même qu'avant. Le Saîman avait perdu de sa force.

*
* *

Tamaran se releva et partit vers le nord, cette fois. Il entendit s'éloigner les cris du vertical derrière lui, et comprit qu'il arrivait enfin hors de portée. Mais il ne s'arrêta pas pour autant. Il savait à présent qu'il ne fallait plus s'arrêter. Les verticaux étaient partout. Dispersés dans la forêt. Il fallait fuir. Sortir de ce grand piège où la meute était venue elle-même s'enfermer.

Voyant tout au bout d'une longue rangée d'arbres les rayons du soleil, le loup borgne accéléra sa course. Il allait enfin avoir une chance de quitter la forêt. Il ne savait s'il retrouverait sa meute, mais ce n'était pas le but de sa course. Pour le moment, il s'agissait simplement de survivre.

Se faufilant à travers les arbres, puisant dans ses dernières forces, le loup se précipita vers la lisière de la forêt, la queue basse, la langue pendante, épuisé et terrorisé.

Et c'est à ce moment qu'il entendit vers l'est les aboiements aigus d'une meute de chiens. Surpris, il s'immobilisa un instant, renifla l'air, mais quand il comprit, par le volume de leurs grognements, que les chiens n'étaient plus très loin, il se remit à courir aussi vite qu'il put.

En temps normal, le loup aurait pu distancer sans peine ses lointains cousins. Mais il avait déjà trop couru, grimpé cette longue côte et échappé de peu aux deux assauts d'un vertical. Il n'en pouvait plus. Cependant il essaya de fuir. Plongeant à nouveau vers la lisière de la forêt, il faillit tomber plusieurs fois tant il manquait de forces.

Alors qu'il n'était plus qu'à quelques pas de la lande, au-delà des arbres, il entendit les aboiements des chiens qui se rapprochaient. La meute fonçait droit sur lui. Le loup se précipita en avant, brûlant ses dernières forces pour sortir de la forêt. Quand enfin il fut au-dehors, sans attendre il fit volte-face pour se préparer à affronter les chiens. Lentement, il reculait, pas après pas, et quand il aperçut les premiers coureurs de la meute il prit une posture agressive, babines retroussées, exhibant ses crocs, crinière hérissée, dos rond. Il poussa des grognements graves pour avertir les chiens qu'il était prêt à se battre et pour tenter de les impressionner.

Mais les chiens étaient nombreux, et ils avançaient vers lui en ligne, s'apprêtant sans doute à l'attaquer en groupe.

Tamaran sentit qu'il était perdu. Levant la tête vers le ciel d'automne, il poussa un hurlement plaintif, mais aucun des siens ne pouvait répondre.

Les chiens approchaient, de plus en plus menaçants. Le loup se remit à grogner, mais ils ne réagissaient même pas, avançant toujours vers lui d'un pas sûr et régulier.

Soudain, alors que le loup s'attendait à devoir se défendre, tous les chiens s'arrêtèrent en même temps.

Le loup n'eut pas le temps de comprendre.

Cette fois-ci, il n'entendit pas la flèche.

Elle lui transperça le crâne et il mourut aussitôt, s'effondrant dans la lande à quelques pas des chiens.

*
* *

Il fallut trois longues journées aux vingt-deux mille soldats d'Harcourt et de Terre-Brune pour arriver enfin dans la vallée de Providence, au cœur du royaume. Trois longues journées de marche intense, avec de moins en moins de pauses et des nuits de plus en plus courtes. Ils avançaient, stoïques, dans l'air frais de l'automne, marchaient vers la capitale pour livrer leur ultime combat.

C'était une longue colonne d'armures brillantes, de piques et de hallebardes qui avait traversé la lande galatienne, les bannières flottant dans les rayons d'un soleil mourant. On voyait à perte de vue des rangées de fantassins, arborant sur leurs cottes les armoiries des généraux qu'ils suivaient, des régiments de cavalerie, montures couvertes de robes brodées de blasons, chevaliers écrasés par leurs lourdes armures, s'appuyant d'une main sur les arçons sculptés de leurs larges selles et tenant dans l'autre les longues lances de frêne sur les feutres qui dépassaient des harnachements.

— L'armée de Galatie est déjà en place, annonça un éclaireur en revenant au soir du troisième jour vers les comtes d'Harcourt et de Terre-Brune.

Al'Roeg et Mor accompagnaient le convoi de tête avec le général Ruther. Le jour des combats, bien sûr, ils resteraient en retrait au poste de commandement. Mais pendant le voyage, ils aimaient aller à l'avant des troupes...

— Nous sommes arrivés trop tard pour imposer le champ de bataille ! maugréa Al'Roeg. Ils auront sans doute l'avantage du terrain.

— Nous ne les surprenons donc pas autant que nous l'avions espéré ! intervint Meriande Mor.

— Combien sont-ils ? s'enquit le général Ruther.

— J'en compte vingt-cinq mille, bredouilla l'éclaireur, peut-être plus.

— Alors ils auront aussi l'avantage du nombre, grogna le comte de Terre-Brune.

La nouvelle risquait de ne pas renforcer le moral des troupes.

— Où sont-ils exactement ? reprit Al'Roeg.

— Au sud de Providence, dans la vallée des Poussières. Un véritable champ de bataille. Un grand rectangle d'herbe, entouré de tous les côtés par des colonnes d'arbres. Malgré ce que vous dites, je ne vois pas vraiment d'avantage pour leur côté. La pente est la même aux quatre coins, il n'y a pas de fossé, pas de surprise à ma connaissance...

— Il a forcément un avantage pour eux ! répliqua le général Ruther. Ils n'ont sûrement pas choisi cet endroit par hasard...

— Toute la question est de savoir si nous aurons le temps de découvrir leur avantage avant d'en subir les conséquences, enchaîna le comte de Terre-Brune.

— Envoyez de nouveaux éclaireurs et demandez-leur de faire le tour du champ de bataille pour voir s'il y a un piège ou quelque surprise qui nous attend, ordonna Al'Roeg.

Le soldat salua et partit répéter les ordres du comte.

— La nuit va bientôt tomber, reprit le général Ruther, et nos hommes sont épuisés. Il ne serait pas sage d'attaquer dès ce soir.

— Pensez-vous que nous devrions nous arrêter ici et ne rejoindre le champ de bataille que demain ?

Le général poussa un soupir.

— Oui. Ou nous avons peut-être mieux à faire.

— Je vous écoute, l'engagea Al'Roeg.

— Nous pourrions faire croire à l'ennemi que nous nous arrêtons ici en effet, puis, cette nuit, descendre sur le champ de bataille, et attaquer avec les premiers rayons du soleil.

— Nos hommes n'auront pas beaucoup dormi ! objecta le comte d'Harcourt.

— Non, mais nous bénéficierons d'un effet de surprise.

— Si vraiment nous parvenons à amener vingt-deux mille soldats dans cette vallée sans nous faire repérer par leurs sentinelles ! répliqua Meriande, sceptique lui aussi.

— Ce ne sera pas aisé, certes, mais cela peut en valoir la peine. Il faudra attendre le plus tard possible, et il faudra que nous ayons vraiment l'air de nous être installés ici pour la nuit. Mais si nous y parvenons, je crois que nous prendrons un avantage considérable. Après tout, l'écart numérique entre nos deux armées n'est pas si grand, et cet avantage-là pourrait faire toute la différence...

*
* *

Imala et Taïbron étaient parvenus ensemble à échapper aux verticaux en galopant vers le nord l'un à côté de l'autre. Mais quand ils entendirent le hurlement de Tamaran, leur instinct de dominants les poussa à le rejoindre. C'était un cri de détresse, déchirant, dont ils ne connaissaient que trop bien la signification.

Ayant quitté la forêt depuis peu, ils n'étaient pas loin de la lisière et entendaient déjà les aboiements des chiens. Ils coururent aussi vite qu'ils purent, rasant l'herbe jaune, la queue droite.

Malgré la fatigue et la peur, ils galopèrent de toutes leurs forces pour aller sauver leur frère, mais quand ils arrivèrent, il était déjà trop tard. Le vertical venait de tuer Tamaran.

En voyant le chasseur au-dessus de leur compagnon, les loups auraient déjà dû fuir depuis longtemps. S'échapper au plus vite, ne songer qu'à survivre. Obéir à la peur primaire.

Mais Imala n'était pas une louve comme les autres. Et en voyant ainsi le vertical, soudain, son esprit se souvint. Comme des images qui défilaient dans sa mémoire, les souvenirs revenaient les uns après les autres. Enfouis derrière son instinct de louve, derrière sa nouvelle vie avec la meute de Loma. Mais maintenant elle se souvenait. Elle se souvenait de la verticale qu'elle avait rencontrée. Des verticaux qui l'accompagnaient. Elle se souvenait qu'elle les avait protégés. Qu'elle avait réuni les siens pour les défendre. Qu'ils s'étaient battus contre les créatures vertes. Qu'ils étaient morts en nombre, pour sauver les verticaux. Qu'ils étaient morts pour eux.

Alors à présent elle n'avait plus peur. Plus peur des verticaux. Mais elle ne comprenait pas. Pourquoi un vertical avait-il tué l'un des siens ?

Alors que Taïbron s'apprêtait à rebrousser chemin, Imala se mit à grogner. Le vertical sursauta. Il fit volte-face et découvrit les deux loups à quelques pas de lui.

Taïbron, surpris, regarda la femelle blanche à ses côtés, puis il poussa à son tour des grognements agressifs. Les deux dominants firent quelques pas en avant, le museau retroussé, exposant leurs crocs et baissant la tête dans une posture menaçante. Ils virent alors la peur dans les yeux du vertical.

Celui-ci tourna lentement la tête pour appeler ses chiens. Mais ceux-ci, visiblement, avaient eu peur eux aussi, et s'étaient enfuis depuis longtemps dans les sous-bois vers le sud.

Poussant un cri aigu, le vertical partit en courant, abandonnant derrière lui son sac, son arc, et le cadavre ensanglanté du loup borgne.

Mais Imala et Taïbron ne le laissèrent pas s'échapper.

D'un même élan, excités par la fuite du vertical, ils coururent derrière lui, animés d'une ardeur nouvelle. Et il ne put s'enfuir bien loin. En quelques foulées à peine, les loups l'avaient rattrapé.

Taïbron sauta sur ses jambes et prit sa cuisse à pleine gueule. Le vertical s'écroula en hurlant, mais son cri s'éteignit bien vite : profitant de sa chute, Imala lui sauta à la gorge et il mourut au deuxième coup de crocs.

*
* *

Bely fut réveillé en sursaut par l'un des soldats de la garde royale.

— Maître ! Maître ! Harcourt attaque !

Le conseiller se dressa d'un bond, perplexe. Il regarda autour de lui. Mit un moment à comprendre, à se souvenir qu'il était dans une tente militaire, au sud de Providence.

— Quoi ? balbutia-t-il.

— Les armées d'Harcourt et de Terre-Brune sont en place dans la vallée. Leur cavalerie vient de donner l'assaut alors que nos hommes n'étaient pas encore réveillés ! L'Archidruide vous attend !

— D'accord, d'accord... Dites-lui que j'arrive ! répliqua Bely, furibond.

Il se leva, enfila son armure de cuir à la hâte, et quelques instants plus tard il rejoignit Henon en courant au sommet de la colline des Poussières.

Ce qu'il vit alors lui glaça le sang. Le soleil venait tout juste de se lever. Le monde était plongé dans une lumière étrange. Une brume grise avait envahi la vallée. Mais on devinait, à travers les nappes opaques, la foule des soldats. Les lances apparaissaient par instants, puis disparaissaient à nouveau sous la brume. Les chevaux qui passaient, les armures qui brillaient sous les premiers rais de lumière, le scintillement de la rosée sur l'herbe de la colline, tout se mélangeait dans un tableau confus où les sons eux-mêmes se perdaient dans l'écho de la vallée.

— Avec un peu de chance, annonça l'Archidruide en voyant arriver le conseiller, la surprise ne leur aura fait gagner que quelques mètres.

La longue robe blanche du druide se confondait avec la brume, on avait l'impression qu'il flottait au-dessus du mont.

— Comment avons-nous pu nous laisser surprendre ! s'exclama Bely en se frottant les yeux.

— La brume. Ils se sont installés pendant la nuit, sans doute. Mais nous verrons cela plus tard. Pour l'instant, nous allons devoir mener à bien cette bataille. Et ça ne va pas être aisé. Voyez plutôt.

Petit à petit, la brume se dissipait et le soleil montait dans le ciel magenta, découvrant le drame qui se jouait plus bas, dans le chaos de fer dont la clameur parvenait à présent jusqu'à eux.

Les deux armées étaient face à face, dans une symétrie absolue que sans doute les stratèges d'Harcourt avaient finement étudiée. Au centre, l'infanterie. Le plus gros des troupes. Quinze mille hommes, du côté de Galatie, un peu moins en face. Et de chaque côté de ces armées colossales, sur les flancs gauche et droit, la cavalerie. Alignements de chevaux bardés de fer, rangées de lances et de boucliers.

Al'Roeg et les généraux d'Harcourt avaient reproduit à l'identique la formation de l'armée de Galatie, comme dans un miroir. Ils voulaient une guerre dure. Une confrontation directe. Chevaliers contre chevaliers, fantassins contre fantassins. Sans doute espéraient-ils empêcher ainsi les chevaliers de Galatie de prendre un avantage sur leur infanterie, mais c'était une stratégie audacieuse qui augmenterait nécessairement le nombre des morts.

À cet instant, Carla Bisagni, la baronne, arriva à son tour en haut de la colline.

— L'attaque a commencé ? demanda-t-elle calmement.

— Oui, baronne, l'attaque a commencé. Par surprise.

— Bah, dit-elle, ne vous inquiétez pas. Je ne pense pas que Giametta se soit fait surprendre.

— Peut-être, répondit Bely en soupirant, mais votre capitaine ne dirige pas toute l'armée ! Ce n'est pas lui qui va nous sortir de ce pétrin...

La baronne secoua la tête.

— Il est un peu agaçant, certes, mais je vous garantis que c'est un militaire surprenant !

Bely ferma les yeux. Le cauchemar allait commencer.

*
* *

Ce furent les chevaliers du général Ruther, le flanc droit de l'armée d'Harcourt, qui donnèrent le premier assaut. Profitant de la pente et de l'effet de surprise, ils tombèrent comme un seul bloc sur la cavalerie ennemie dès les premiers rayons du soleil.

Les soldats de l'avant-garde galatienne eurent à peine le temps de sortir de leurs tentes quand ils virent jaillir les impressionnants chevaliers de la Flamme. Magma de fer surgi des brumes comme des bateaux sur la mer, ils venaient de partout, écrasant les fantassins, déchirant les toiles, étripant les premiers ennemis.

Certains Galatiens essayèrent de se défendre au sol, lançant des coups d'épée ou de masse sur ces dragons de métal. Mais en vain. Les harnois des soldats de Ruther étaient sans doute les plus perfectionnés de Gaelia. Armures de fer complètes, polies à en devenir blanches, parfaitement articulées, elles étaient savamment ajustées par-dessus le gambison et la cotte de mailles, et, bien que complexes, ne pesaient pas trop lourd. Les genouillères en acier, les cuissots et les grèves en plaques protégeaient suffisamment les jambes pour que le bouclier ne fût pas trop long en bas, et l'armet qui bardait les yeux évitait enfin que l'écu soit allongé au-dessus. Les chevaliers de la Flamme jouissaient d'une mobilité dont ils ne se privaient guère pour pourfendre l'adversaire.

En outre, grâce à leurs nombreuses surfaces déviantes, des spallières jusqu'aux gantelets, ces armures étaient mieux protégées des flèches que toute autre dans le pays, et ceux dans le campement qui avaient saisi leurs arcs abandonnèrent bien vite cette méthode trop inefficace.

Ils furent près de cinq mille à charger de front, et de mémoire de soldat galatien on n'avait jamais vu chose si terrifiante. La lance couchée sous le bras droit, le côté gauche caché derrière le bouclier, ils empalaient leurs ennemis les uns derrière les autres, faisant souvent demi-tour pour remettre leurs chevaux en charge.

Les premiers instants du combat furent un véritable massacre. Les Galatiens, à peine réveillés, étaient fauchés devant les tentes. Des gerbes de sang éclaboussaient les grandes toiles blanches à chaque coup de lance. Des têtes étaient tranchées sous la valse des lames.

Pendant tout le temps qu'il fallut aux Galatiens pour s'organiser, l'armée d'Al'Roeg ne trouva aucune résistance et plus d'hommes moururent pendant les premiers instants du combat que pendant tout le reste de la bataille. Les chevaux piétinaient les cadavres pour avancer plus loin encore dans le camp endormi. Et jusqu'à ce qu'enfin les Galatiens remontent à cheval, pas un seul chevalier de la Flamme ne fut défait.

Quand les chevaliers de Galatie commencèrent à se défendre, montant sur leurs destriers pour affronter les hommes du général Ruther, il était déjà trop tard. Leur front avait cédé, la cavalerie les transperçait en surnombre.

*
* *

Feren Al'Roeg, posté en hauteur de l'autre côté de la vallée, regardait avec satisfaction l'ouverture des combats. Pour le moment, tout se déroulait comme prévu. Il ne parvenait pas à voir la ligne de front dans son intégralité, mais les messagers ne cessaient d'aller et venir entre le champ de bataille et le poste de commandement afin de tenir informés le comte Al'Roeg, ses conseillers, Meriande Mor et l'évêque Aeditus.

Il n'y avait pas besoin de messager, toutefois, pour voir que les chevaliers du général Ruther étaient en train d'emporter haut la main le combat sur le flanc sud. Les Galatiens s'étaient laissé surprendre et pliaient sous la machine implacable de la cavalerie. Les Soldats de la Flamme de ce côté du combat auraient bientôt complètement percé les lignes ennemies.

Il était temps maintenant que l'infanterie, au centre du champ de bataille, donne le second assaut. La panique du flanc sud déborderait sûrement sur le moral des fantassins, et les accullerait en tout cas contre l'ennemi.

Et en effet, sous le commandement du général Asley, les douze mille fantassins, portant au plastron la flamme rouge d'Harcourt ou la chimère de Terre-Brune, avancèrent vers l'ennemi dans un vacarme grandissant. Les hurlements de l'assaut se firent bientôt si forts qu'ils couvrirent presque le bruit du métal qui s'entrechoquait et de la course dans la terre poussiéreuse de la vallée. Épées levées, lances dressées, la première rangée de fantassins s'élança, pendant qu'en deuxième ligne les archers se préparaient. Flèches encochées, les arcs se levèrent les uns après les autres, cherchant dans le ciel la courbe idéale pour retomber sur les lignes ennemies.

En face, les Galatiens – qui n'allaient pas se laisser surprendre une seconde fois – mirent aussitôt leur infanterie en branle. Portant sur leurs armures la couronne de diamants du blason galatien, les fantassins dégainèrent leurs épées, leurs haches et leurs masses d'armes, puis, bouclier devant, chargèrent à leur tour.

Les deux armées massives avançaient vers le cœur du champ de bataille, double parfait l'une de l'autre. Rien ne pouvait plus arrêter ces deux marées humaines qui allaient se déchirer. Le choc serait terrible. Plus de vingt mille hommes allaient s'affronter dans la poussière, face à face.

Quand il ne resta plus que quelques foulées entre les deux fronts, le général Asley donna l'ordre aux archers d'Harcourt de décocher une première salve.

Les boucliers se levèrent dans les rangs galatiens et se montrèrent fort efficaces. La plupart des flèches s'écrasèrent contre le fer des écus dans un éclat extraordinaire. Quelques soldats seulement furent fauchés par des flèches sournoises, et la pluie de traits eut au moins l'avantage de ralentir les troupes du royaume de Galatie.

Brunois et Harcourtois ne laissèrent pas passer leur chance et tombèrent plus fort encore sur l'ennemi. Accélérant le rythme de leur course sur les derniers pas, hurlant, ils s'abattirent sur l'infanterie galatienne comme une colonne de taureaux furieux.

Et le choc fut phénoménal en effet. Il y eut des gerbes d'étincelles là où le fer se croisait, des soldats projetés par la violence du coup, d'autres écrasés au milieu des deux fronts. Les épées s'abattaient au-dessus des heaumes à nasal, pour assommer l'ennemi, puis elles frappaient de taille, comme de grandes faux coupant les blés. Les dagues se faufilaient dans les mailles des hauberts, les piques empalaient, les masses fracassaient et parfois on finissait sans arme à se battre aux poings, gantelets couverts de clous.

Très vite, la hargne et la vitesse des Soldats de la Flamme, surentraînés, firent la différence. Bientôt ils durent enjamber les cadavres de leurs ennemis défaits pour avancer sur l'adversaire, et petit à petit ils gagnaient du terrain. Taillant leur route à travers la chair, tassés les uns contre les autres au milieu du massacre et du chaos.

Feren Al'Roeg, satisfait de la tournure que prenait le combat, envoya un messager complimenter le général Asley. Partout, les Galatiens reculaient.

*
* *

Quand la cavalerie du général Ruther eut transpercé la ligne ennemie, celui-ci essaya de rassembler ses soldats pour préparer un nouvel assaut en remontant vers le flanc gauche de l'infanterie galatienne.

Mais les chevaliers de la Flamme avaient défait l'ennemi avec une telle hargne et une vitesse si grande qu'ils s'étaient éparpillés à travers tout le sud du champ de bataille. Et apparemment, aucun d'eux n'avait jugé bon de suivre les consignes habituelles de ralliement. La plupart étaient déjà partis plus loin vers l'est, décidés, semblait-il, à attaquer l'infanterie d'arrière-garde.

— Restez ici ! Regroupez-vous ! hurla le général en rejoignant au galop la zone où les chevaliers auraient dû reprendre leur formation.

Mais soit ils ne l'entendaient pas, soit, emportés par l'enthousiasme de la victoire, ils refusaient d'écouter ses ordres pour aller chercher une autre réussite sur l'arrière-garde de l'armée galatienne. Ruther pesta. Des années de combat lui avaient appris qu'après un premier assaut, la cavalerie doit se regrouper pour une deuxième salve.

— Ashkin ! hurla-t-il en reconnaissant l'un des chevaliers qui passaient devant lui.

L'homme se retourna. Derrière lui, au loin, l'infanterie galatienne résistait péniblement à l'assaut des Soldats de la Flamme.

— Que font-ils ? hurla le général harcourtois en désignant les chevaliers qui partaient vers l'arrière-garde. Je vous ai ordonné de vous regrouper !

Ashkin amena son cheval près de celui de Ruther.

— C'est la confusion, mon général !

Le jeune chevalier enleva son heaume et fit glisser sur son cou le lourd capuchon de son haubert. Du sang coulait sur son front, et il avait l'air épuisé.

— La confusion ? Vous venez de remporter une splendide victoire sur tout le flanc sud ! Il n'y a pas de confusion là-dedans !

— Vous n'avez pas vu ? demanda Ashkin, perplexe.

— Vu quoi ? s'emporta le général.

Le soldat tendit le bras vers la colline surplombant le couloir que les chevaliers venaient de franchir.

— Nous nous sommes fait tirer dessus tout le long par des archers qui sont cachés derrière ces rangées de sapins ! Les flèches arrivent de biais et sont si nombreuses que certaines parviennent à nous faucher. Plusieurs d'entre nous sont tombés.

Le général regarda vers les arbres, et il vit alors en effet les flèches qui continuaient de s'envoler depuis la butte. On ne les voyait pas depuis l'arrière du champ de bataille. C'était donc le premier piège que leur avaient tendu les Galatiens.

— Et alors ? reprit-il toutefois. Cela ne vous a pas empêchés de briser la ligne ennemie !

— Non, mais je pense que les autres ont estimé qu'il n'était pas prudent de se regrouper sous le tir des archers, et c'est peut-être pour ça qu'ils sont partis vers le sud...

— Sans attendre mes ordres ? Il y a l'arrière-garde, là-bas !

— Ils n'ont pas l'air nombreux, nous devrions pouvoir les battre sans problème.

— Il faut toujours se méfier de l'arrière-garde ! s'exclama le général. Allons les chercher ! Nous devons nous regrouper !

Le jeune chevalier acquiesça, remit son heaume et ils partirent au galop vers le sud.

Cela ne serait jamais arrivé il y a dix ans, pensa Ruther alors que son cheval rattrapait la cavalerie éparpillée. *Jamais on n'aurait agi ainsi sans attendre l'ordre d'un officier...*

Mais avant que le général Ruther puisse rappeler ses troupes, elles arrivèrent nez à nez avec l'arrière-garde. Et cette fois-ci, ce n'étaient pas de simples soldats galatiens. Pas de simples soldats du vieux royaume, non. Cette fois-ci, les hommes de Ruther allaient devoir se battre contre des mercenaires bisagnais.

*
* *

— N'allez-vous pas intervenir ? demanda Bely comme il voyait la colonne des chevaliers harcourtois qui fonçait sur l'arrière-garde. Ils viennent de massacrer tout notre flanc sud, et maintenant, ils attaquent l'arrière-garde !

Henon se frotta le crâne.

— Grossière erreur ! jugea-t-il. Ils auraient mieux fait de se regrouper juste après leur percée et de remonter sur le flanc de notre infanterie !

— En attendant, ils attaquent notre arrière-garde ! Je crois que le Saîman ne serait pas de trop pour que la victoire soit du bon côté, Archidruide. Le Conseil pourrait peut-être intervenir, non ?

— Pas pour le moment, répondit Henon calmement. Pour l'instant, votre armée se débrouille bien sans nous.

— Se débrouille bien ? Vous plaisantez ? Ils se font massacrer ! Si vous interveniez tout de suite, on pourrait s'épargner de nombreux morts !

— Nous n'interviendrons que si la situation est désespérée.

Bely poussa un cri de rage.

— Ah ! Vous autres, druides ! Je me demande vraiment à quoi vous servez si ce n'est à semer la zizanie !

— Faites attention à ce que vous dites, Bely. Ma patience a des limites... Si j'estime qu'il n'est pas encore temps d'intervenir, c'est que j'ai mes raisons.

Le conseiller secoua la tête et retourna au poste de commandement, où la baronne de Bisagne, elle, restait silencieuse devant le champ de bataille.

Ce n'était certes pas le moment de s'écharper avec l'Archidruide. En plein combat. Mais tout de même ! Il ne comprenait pas pourquoi les druides refusaient de prendre enfin part aux combats. N'étaient-ils pas les principaux alliés de Galatie ? N'avaient-ils pas fait serment de défendre le royaume ? Une chose était sûre, quand cette guerre serait finie, s'il était nommé roi, Bely renverrait le Conseil hors de Providence. Les druides ne servaient plus à rien. Ils représentaient plus une menace qu'autre chose.

En poussant un soupir, il posa un regard circulaire sur le champ de bataille. Des centaines de cadavres jonchaient déjà le sol poussiéreux. Et d'autres allaient suivre. Tout semblait indiquer que l'armée d'Harcourt devait l'emporter.

Pourtant, au nord, Bely vit avec surprise que les choses étaient peut-être sur le point de changer.

*
* *

Dès qu'il comprit que l'infanterie sur sa gauche était en difficulté, le capitaine Giametta décida qu'il était temps de passer à l'attaque. La formation qu'avait prise l'ennemi le forçait à un assaut frontal, et malheureusement il n'y avait aucune place pour la ruse. Le plus fort l'emporterait. Et contre les Soldats de la Flamme, rien n'était joué d'avance !

Giametta fit adopter à ses chevaliers une formation serrée dans l'espoir de pénétrer plus facilement la ligne adverse. En la repoussant vers les bords, les Bisagnais pouvaient paralyser la cavalerie harcourtoise, car il y avait d'un côté l'infanterie et de l'autre la forêt, où les chevaliers combattaient avec peine.

Avec l'aide des servants d'armes, les chevaliers se mirent en place : lance calée sous le bras, bouclier devant, visière baissée. On ajustait encore ici et là les bardes des chevaux.

Quand il vit que tous les mercenaires étaient en position, le capitaine Giametta donna l'ordre de charger. Aussitôt, les milliers de chevaux partirent au galop, soulevant des nuages de poussière dans le cœur de la vallée. En face, le flanc gauche de la cavalerie harcourtoise réagit aussitôt en se mettant en route elle aussi. Les deux régiments fonçaient l'un vers l'autre, toutes lances devant.

Les chevaliers de Bisagne, portant en bannière l'escargot d'or, étaient tous des mercenaires, et la moyenne d'âge était beaucoup plus élevée que dans l'infanterie galatienne qui se battait à leurs côtés. Ils étaient plus âgés, mais surtout ils étaient plus expérimentés, et à la volonté de défendre leur pays s'ajoutait l'espoir de toucher de belles primes. La baronnie ne manquait pas d'or, et les mercenaires savaient que s'ils remportaient ce combat, ils repartiraient chez eux les poches pleines de pièces.

Giametta espérait en tout cas que cela ferait la différence. Cela avait toujours fonctionné jusqu'à présent.

Il ne sut dire si c'était grâce à cette promesse dorée, ou si c'était la formation qu'il avait choisie, mais dès les premiers contacts entre les deux cavaleries, il fut évident que Bisagne prenait le dessus. Les mercenaires continuaient d'avancer, renversant l'ennemi, le forçant à reculer. Les chevaliers d'Harcourt ne parvenaient à contenir la horde des Bisagnais. Déséquilibrés par les nombreuses lances qui les poussaient au corps, ils tombaient à la renverse et parvenaient rarement à se relever. Certains mouraient sur le coup, se fracassant le crâne dans la chute, d'autres succombaient sous les sabots des chevaux de guerre dressés à fouler l'adversaire. Quand la confusion fut trop grande et que l'ennemi fut trop près pour continuer d'utiliser les lances, les chevaliers de Bisagne sortirent leurs larges épées et frappèrent de tous côtés, d'estoc et de taille, terrassant les Soldats de la Flamme débordés par le nombre.

Alors qu'au sud, Harcourt était parvenu à passer au travers de la cavalerie ennemie, au nord, ce fut le contraire. En revanche, les chevaliers du capitaine Giametta ne firent pas la même erreur que ceux du général Ruther. Quand ils eurent atteint le bout de la colonne ennemie, les mercenaires bisagnais, qui connaissaient l'art de la guerre, se rallièrent à leur chef, reprirent leur formation, et le capitaine les emmena alors prendre à revers l'infanterie du général Asley.

*
* *

Le capitaine Suzzoni n'avait certes pas en Bisagne la même notoriété politique que Giametta, mais il n'était pas moins bon chef de guerre, et quand la cavalerie de Ruther se présenta devant ses hommes, le capitaine leur ordonna de tenir leur position. Il était étonné que ces chevaliers viennent attaquer ainsi l'arrière-garde, car c'était une erreur tactique, mais il n'était pas pris par surprise. Le piège tendu par les archers cachés dans la forêt avait donc fonctionné, les cavaliers du général Ruther étaient complètement désorganisés.

— Attendez qu'ils viennent au contact pour attaquer, et s'ils fuient, ne les pourchassez pas ! cria le capitaine

Suzzoni aux Bisagnais comme les chevaliers harcourtois n'étaient plus très éloignés.

Mais les fantassins de Bisagne savaient ce qu'ils avaient à faire. Voyant la charge des chevaliers d'Harcourt, ils plantèrent leurs piques devant eux pour dresser une herse protectrice sur laquelle viendraient s'échouer les chevaux. Puis ils sortirent leurs armes et se mirent en place.

De l'autre côté, le général Ruther, lui, n'arriva pas à temps pour arrêter l'assaut désordonné de ses hommes. Les chevaliers d'Harcourt, éparpillés, désorganisés, chargèrent sans réfléchir, s'imaginant qu'ils n'auraient aucune peine à battre des fantassins. Il était trop tard quand ils découvrirent la rangée de piques, et de nombreux chevaux s'empalèrent sur les fers d'acier bruni. D'autres se cabrèrent pour éviter la mort, faisant chuter leurs cavaliers derrière eux. Et les rares qui parvinrent à passer furent assaillis par les mercenaires bisagnais.

L'arrière-garde ne bougeait pas. Comme l'avait ordonné Suzzoni, les fantassins tenaient leur position, ce qui obligeait les chevaliers d'Harcourt à revenir à la charge sur ce bloc qui refusait de se dissoudre. Un à un, les Soldats de la Flamme tombaient, incapables de prendre en défaut la stratégie bisagnaise. Après avoir écrasé sans peine les cavaliers galatiens, ils n'arrivaient pas ici à franchir la ligne des fantassins. C'était comme s'ils se jetaient, dociles, contre un mur qui leur était fatal. Et plus ils échouaient, plus cela les rendait furieux. Et cet acharnement incrédule leur coûta plus cher encore. Certains, fous de rage, descendaient de leurs chevaux pour traverser les rangées de piques, et des dizaines de fantassins leur tombaient dessus, les découpant en pièces sans aucune pitié. Le sang des hommes se mêlait à celui des chevaux, les cadavres dévalaient la pente, mutilés, décapités, et s'amassaient en bas de la colline sous le regard terrifié des derniers venus.

Quand le général Ruther arriva enfin devant l'arrière-garde ennemie et qu'il ordonna à ses hommes de se replier, ils n'étaient plus, à son grand désespoir, qu'une petite centaine.

Bien que les Harcourtois fussent parvenus à traverser le flanc sud, le général Loki n'était pas mécontent de ce que ses hommes avaient pu accomplir depuis leur point stratégique.

Cachés derrière une rangée de sapins sur la butte qui surplombait le sud de la vallée, ils avaient arrosé de flèches la cavalerie du général Ruther pendant toute sa traversée. Non seulement ils en avaient ainsi décimé beaucoup, mais en plus ils les avaient empêchés de se reformer au bas du long couloir.

Loki ordonna à ses hommes de ranger leurs arcs longs et de monter à cheval. Il était temps de passer à la deuxième phase de leur mission. Prendre l'infanterie d'Harcourt à revers pour soulager au centre celle de Galatie.

Pendant que ses hommes se préparaient, Loki se dressa sur son cheval pour scruter la vallée. L'infanterie de Galatie était certes en difficulté, et leur aide ne serait pas superflue, mais au nord la réussite semblait avoir souri au capitaine Giametta, et à l'est la cavalerie harcourtoise s'était effondrée contre l'arrière-garde. La victoire semblait possible. Le plan du conseiller Bely, qui s'était mal engagé, commençait pourtant à fonctionner : l'infanterie d'Harcourt était coincée au centre du champ de bataille et allait bientôt être prise à revers sur ses deux flancs.

Il se retourna vers ses hommes, leva son épée vers le ciel et cria :

— Galatiens ! En souvenir du roi : chargez !

Et soudain, dans la folie de l'instant, tous furent prêts à mourir pour le souvenir d'Eoghan, ce roi trahi dont ils avaient cristallisé le souvenir. Loki, qui connaissait bien ses soldats, avait bien fait de ne pas évoquer la mémoire de la reine Amine... S'il fallait une cause commune à ces combattants galatiens, c'était sans aucun doute la vengeance d'Eoghan. Les chevaux dévalèrent la pente comme une grande coulée de lave le long d'un haut volcan.

Le vacarme de la guerre était si grand que les Harcourtois ne les entendirent même pas venir. Les chevaliers de Loki, pour conserver le plus longtemps possible leur effet de surprise, ne pénétrèrent pas trop dans la ligne ennemie, s'acharnant au bord et progressant ensuite vers les fantassins qui les découvraient petit à petit, mais toujours trop tard.

Du haut de leurs chevaux, ils parvenaient sans peine à assommer leurs adversaires qui, équipés d'armes courtes, ne s'étaient pas préparés à affronter des cavaliers. Du pommeau ou du plat de l'épée, les hommes de Loki frappaient les crânes qui passaient sous eux, donnant ici et là de violents coups de taille quand s'offrait une gorge ou un bras.

Lentement, les chevaliers galatiens semèrent la confusion au sein de l'infanterie ennemie, divisant les troupes, les obligeant à perdre leur position et donc à relâcher leur attaque sur le front. Harcourt et Terre-Brune étaient en train de perdre la bataille.

*
* *

— Feren, je crois qu'il est temps de nous rendre.

Meriande Mor le Bel s'était assis brusquement sur l'une des chaises de toile qu'on avait disposées sous la tente du poste de commandement.

— Vous êtes fou ? s'exclama Al'Roeg en se retournant.

— Nous avons déjà perdu, insista le comte de Terre-Brune. Chaque nouveau mort n'y changera plus rien. Autant arrêter le massacre tout de suite...

— C'est hors de question ! La victoire est encore possible ! s'exclama Al'Roeg en frappant le sol avec sa canne.

— Les hommes de Ruther sont presque tous morts, le flanc gauche de la cavalerie vient d'être défait, et notre infanterie va maintenant devoir subir trois assauts simultanés. Nous n'avons plus aucune chance ! C'est un massacre !

— Les Soldats de la Flamme ne se rendent pas, intervint Aeditus d'une voix beaucoup plus calme.

— Eh bien, ceux de Terre-Brune, si ! répliqua Meriande.

— Pas sous mon commandement ! s'interposa Al'Roeg.

— Trop de Brunois sont morts. Je vais arrêter cela tout de suite.

— Ils meurent pour assurer l'avenir de l'île tout entière ! s'écria Al'Roeg qui ne décolérait pas.

Le comte de Terre-Brune se releva. Il vint se placer devant Al'Roeg et l'évêque. Cette fois-ci, cela ne pouvait plus durer. Comment avait-il pu aller aussi loin ? Rester aveugle si longtemps ? Il ne pouvait plus cautionner la folie de ces deux hommes.

— Non, reprit Meriande Mor d'une voix grave et pleine de rancœur. Mes soldats meurent pour que vous puissiez imposer votre Dieu à tous les hommes de Gaelia, et cela n'en vaut pas la peine !

— *Notre* Dieu ? s'offusqua Aeditus.

— Oui. Votre Dieu ! Celui qui cause toutes ces guerres, celui qui impose sa loi ! Je ne suis plus d'accord, Feren. Je dois sans doute vous être reconnaissant de nous avoir aidés quand les Tuathanns envahissaient mon pays, mais ce combat était légitime. Je défendais ma terre, je défendais les gens qui voulaient y vivre en paix. Le combat d'aujourd'hui n'a aucun sens. Je ne sais même plus pourquoi nous nous battons ! Et cela me dégoûte ! Alors je vous prie de m'excuser, Al'Roeg, mais je vais ordonner à mes hommes de se rendre.

Meriande se retourna sans attendre la réponse du comte et quitta la tente d'un pas décidé.

Al'Roeg, furieux, lui emboîta le pas pour le rattraper. Il était hors de question de baisser les bras, et Harcourt avait encore besoin de Terre-Brune.

Mais comme il avançait au-dehors, son regard se posa sur le champ de bataille. Lentement, il ralentit son pas. Puis il s'immobilisa.

Il sentait son cœur battre. Le soleil à présent éclairait toute la vallée d'une vive lumière. On voyait d'ici tout le terrain des opérations. L'essentiel de la bataille se concentrait maintenant au cœur de la vallée. Là où il y avait le plus d'hommes. L'infanterie. Des nuages de poussière se soulevaient partout où le combat faisait encore rage. Chevaliers contre fantassins, infanterie contre infanterie, épées contre lances, haches contre masses d'armes, partout le métal s'entrechoquait, le fer déchirait la chair. Et au sol s'alignaient des milliers de cadavres. Il y avait plus d'hommes par terre qu'il n'y en avait debout. Jamais aucune bataille n'avait été plus meurtrière. Sur les flancs, on voyait çà et là des groupes d'hommes en fuite. D'autres, perdus, attendant les ordres. Ici, un cheval sans cavalier, paniquant au milieu des cadavres. Là, un fantassin à genoux, les bras levés au ciel, attendant qu'une foudre divine vienne le terrasser pour effacer enfin les images terribles qui envahissaient son âme. Partout, la désolation.

Une ombre terrible voila le visage de Feren Al'Roeg, comte d'Harcourt. Jamais il n'aurait cru vivre un instant pareil. Voir un spectacle si terrible. Mais tous ces cadavres le ramenèrent à la réalité. Enfin. Ses mains se mirent à trembler. Le visage figé, il se retourna lentement vers l'évêque Aeditus et lui adressa un regard terrifié.

— Meriande a raison, Monseigneur. Nous avons perdu.

Chapitre 11

AU PALAIS DE SHANKHA

Il n'est écrit nulle part combien d'hommes moururent exactement pendant la bataille qui opposa Harcourt et Terre-Brune au royaume de Galatie. Une seule chose est certaine. Ils furent plusieurs milliers, mais on ne ramena à Providence aucune dépouille.

On creusa rapidement deux grandes fosses communes où s'entassèrent les cadavres défigurés, les membres découpés qui jonchaient le sol et les chevaux morts, par centaines. Les généraux victorieux ne laissèrent pas à leurs hommes assez de temps pour finir cette besogne répugnante si bien que de nombreux squelettes rappelèrent pendant plusieurs décennies la terrible bataille qu'avait connue cette petite vallée de Galatie. Jusqu'à ce qu'un jour ces squelettes eux-mêmes disparaissent enfin, comme pour redonner aux lieux le sens de son nom originel. La vallée des Poussières.

Il y eut de nombreuses veuves et de nombreux orphelins à travers le royaume tout entier, qui ne reçurent aucun message, aucune compensation. Rien n'aurait pu de toute façon effacer leur peine. Qu'elles fussent du côté des vainqueurs ou de celui des vaincus, ces familles déchirées sombrèrent sans doute dans le même désespoir et dans la même amertume, car pour ces gens-là, les guerres n'avaient jamais eu aucun sens, l'Histoire n'était qu'un prétexte flou, et seules comptaient les difficultés du labeur quotidien. Labourer. Travailler. Manger. Survivre au jour le jour. Voilà les seuls combats qu'ils trouvaient dignes d'être livrés.

Mais Galatie l'avait emporté, et c'était tout ce qui comptait pour les nouveaux dirigeants du royaume. Ils revinrent à Providence triomphants, bouffis de suffisance et sûrs de leur droit. Bely, les généraux et les Grands-Druides dissidents reprirent possession du palais de Providence le lendemain même de la victoire.

En hâte, quelques jours à peine après le retour des combattants, on transforma la grande salle du palais en tribunal afin de juger ceux qui avaient osé déclarer la guerre au royaume. Il n'y eut aucune audition préliminaire, aucune enquête, car une seule chose importait : ouvrir ce procès en public, et au plus vite. Il fallait que les bardes de l'île tout entière puissent ensuite relater les faits pour que partout l'on sache que Galatie, enfin, avait vaincu Harcourt. Telle serait la seule récompense du peuple galatien.

Pour la première fois depuis la mort d'Eoghan, Bely avait réuni les dix-huit membres du Grand Conseil Judiciaire, baillis, sénéchaux et conseillers que l'on n'avait guère vus à la cour pendant le règne contesté d'Amine Salia.

Au nord de la haute pièce, on avait installé une estrade où les trois accusés, Feren Al'Roeg, Meriande Mor le Bel et l'évêque Aeditus étaient assis face à leurs juges, sur trois fauteuils alignés. Sur toute la longueur de la salle, depuis les portes d'entrée jusqu'à l'estrade, on avait disposé des bancs, et sur les murs latéraux deux tribunes de bois qui servaient d'ordinaire lors des tournois de chevalerie.

Bien plus que de juger les trois belligérants, il s'agissait surtout de sceller devant le peuple la constitution de la nouvelle carte qui allait se dessiner sur l'île. Harcourt et Terre-Brune vaincus, Gaelia ne serait plus jamais la même, et tout allait se décider ce jour-là, entre les murs du palais.

Le conseiller Bely avait invité Carla Bisagni et l'Archidruide Henon au sein du jury, mais c'était lui qui présidait la séance, et le message parut limpide à ceux-ci comme à la foule : Bely avait bien l'intention – avec le soutien des généraux sans doute – de diriger Galatie. Après la mort d'Amine, c'était lui qui était parvenu le mieux à s'imposer, et le moment d'en profiter était visiblement venu.

Il y avait près de quatre mille Galatiens dans la salle, et bien plus au-dehors. Et tout le monde partageait ce sentiment d'impatience. Cette curiosité pour des lendemains encore flous. À vrai dire, personne ne comprenait vraiment la situation. Les Galatiens savaient qu'ils avaient gagné la guerre, certes, mais ils n'avaient toujours pas de roi, et nul ne savait ce qu'il adviendrait de Terre-Brune et d'Harcourt. Qui tenait vraiment les rênes, et comment le royaume se relèverait-il des terribles mois passés ? La réponse allait-elle enfin être donnée entre ces murs ? À voir l'agitation de la foule, tout le monde n'était pas d'accord ; certains, même, attendaient peut-être autre chose...

Au tout début de l'après-midi, l'un des sénéchaux galatiens fit la lecture des chefs d'accusation. On n'avait rien épargné ni à Harcourt ni à Terre-Brune, et encore moins aux chrétiens en général. La liste était longue et l'issue du procès inévitable. Mais Bely exigea qu'on puisse tout de même entendre les accusés. Et ce fut au comte de Terre-Brune que l'on demanda de prendre la parole en premier.

— Attaquer Galatie était une faute grave pour laquelle j'accepterai mon châtiment, commença Meriande Mor en s'adressant directement à Bely. En revanche, les combats que nous avons menés sur la colline de Sablon n'étaient qu'une défense légitime de nos terres, et si Eoghan n'avait pas eu la lâcheté de donner mes terres aux Tuathanns pour se débarrasser d'eux, nous n'en serions sans doute pas là aujourd'hui.

— Vous accusez Galatie d'être responsable de cette guerre ? s'offusqua Bely.

292

— J'accuse les druides d'avoir convaincu mon frère d'offrir Terre-Brune aux Tuathanns sans se soucier du sort des Brunois.

— Les Tuathanns revendiquaient cette terre, intervint Henon, leurs ancêtres y habitaient longtemps avant les vôtres, la légitimité dont vous parlez était la leur, pas la vôtre !

— Les hommes du Sid ne revendiquaient pas seulement Terre-Brune, mais toute l'île ! rétorqua Meriande. Pourquoi leur avoir donné mes terres plutôt que de proposer un partage égal entre tous les comtés ? Et le simple fait que ces hommes aient occupé nos terres par le passé leur donne-t-il soudain le droit de nous en chasser alors que nous y vivons nous-mêmes depuis si longtemps ?

— Pourquoi n'avez-vous pas proposé d'autre solution, dans ce cas, puisque vous semblez être si fin politicien ? Mais non ! Vous avez préféré bannir les druides et embrasser la religion chrétienne. Et enfin, entrer en guerre contre nous.

— À l'époque, c'était ce qui me paraissait le plus juste, et j'ai pensé que c'était le meilleur moyen de sauver mon peuple.

— Et maintenant ?

Meriande se mordit les lèvres.

— Maintenant... je regrette que tout ceci soit arrivé, avoua le comte dans un soupir. J'aurais seulement voulu que Terre-Brune puisse retrouver sa quiétude... Mon peuple, ma terre...

— Vous regrettez d'être venu attaquer Galatie ? insista Bely, profitant de l'accablement qui habitait le comte.

— Oui, affirma Meriande, et il était sincère.

Bely acquiesça.

— Le Conseil Judiciaire saura sûrement prendre en compte des regrets, Meriande, mais vous imaginez bien que ce ne sont pas vos regrets qui ramèneront à la vie les milliers de morts...

— Votre jugement non plus, railla le comte en hochant la tête.

— Détrompez-vous, Meriande, nous trouverons sûrement une compensation dans ce jugement, affirma Bely avant de se tourner vers Aeditus.

L'évêque, depuis son arrestation, n'avait pas prononcé une seule parole. Contrairement au comte d'Harcourt qui insultait ses gardiens, hurlait en exigeant un meilleur traitement, Aeditus, lui, s'était enfermé dans un mutisme total et son visage conservait un air grave.

— Évêque Thomas Aeditus, qu'avez-vous à dire pour votre défense ? demanda Bely.

L'évêque releva la tête, dévisagea le conseiller et resta silencieux.

— Vous refusez toujours de parler ? C'est sans doute que rien, dans votre vie, n'est donc défendable.

Aeditus, sans quitter son air grave, se décida alors à parler, mais il dit simplement :

— Je m'en remets au seul jugement de Dieu.

Bely hocha la tête.

— Eh bien soit, répondit-il d'un air moqueur, nous verrons ce que Dieu dira quand on vous aura exécuté.

Mais alors que Bely allait se tourner vers le dernier accusé, il y eut au fond de la salle un murmure étrange, qui bientôt s'amplifia et gagna le cœur du tribunal. Les gens se retournaient, regardant en direction de la grande porte d'entrée, se dressant sur la pointe des pieds, se poussant les uns les autres pour essayer de mieux voir.

Bely leva les yeux, perplexe. Mais depuis les tribunes, à l'opposé des portes, il ne pouvait rien distinguer et ne parvenait pas à voir ce qui attirait ainsi soudainement l'attention de la foule.

— Que se passe-t-il ? s'emporta-t-il.

Mais le brouhaha au fond de la pièce était si fort à présent qu'on ne l'entendit guère.

*
* *

Les gens s'écartèrent tout autour de l'entrée. En s'ouvrant plus largement, les deux portes laissèrent filtrer les rayons du soleil, et bientôt toute la salle put enfin voir ce qui se passait.

L'entrée de la pièce baignait dans un halo de lumière éblouissant. Et au milieu, Aléa Cathfad, la Fille de la Terre, avançait d'un pas majestueux, entourée de ses compagnons et des derniers Grands-Druides de Saî-Mina. Habillée des vêtements d'or et de soie bleue cousus par les silves, s'appuyant sur le haut bâton de Phelim, la jeune fille était rayonnante, et son pas sûr et droit donnait à sa démarche un charisme prodigieux.

À mesure que le cortège avançait vers la tribune, les murmures dans la foule s'éteignirent, mais tous les yeux étaient tournés vers Aléa.

— Mais qui vous a permis d'entrer ? s'exclama Bely en s'avançant au bord de la tribune. Sortez tout de suite, vous interrompez ce procès ! Gardes ! Emparez-vous d'eux et emmenez-les aux cachots du Palais !

Les soldats alignés en haut des tribunes latérales hésitèrent un instant, perplexes, puis ils se mirent en mouvement de part et d'autre pour obéir au conseiller. Mais avant qu'ils n'aient pu faire un pas de plus, Aléa tendit soudain les deux bras de chaque côté de son corps, et aussitôt les soldats se retrouvèrent plaqués contre les murs, incapables de bouger. Immobilisés par la force du Saîman.

La jeune fille resta immobile les bras en croix, le front baissé, dévisageant droit devant elle le conseiller. Puis, lentement, elle relâcha le Saîman et laissa retomber ses bras. Les gardes glissèrent le long du mur, et la plupart s'écroulèrent par terre, abasourdis et terrifiés. Bely, immobile et bouche bée, n'en croyait pas ses yeux.

— Je n'ai pas besoin d'escorte supplémentaire, prononça Aléa d'une voix qui portait à travers toute la pièce.

Puis elle releva la tête et, souriant à nouveau, se remit en marche vers les juges et les accusés. Erwan et Mjolln à sa gauche, Kaitlin et Finghin à sa droite, les cinq Grands-Druides derrière, elle avait l'air d'une reine suivie par sa cour et c'était sans doute ce que pensaient plusieurs personnes dans la foule, ébahis.

Bely resta silencieux un moment, livide, paralysé, puis comme la jeune fille s'approchait il reprit rapidement la parole.

— Vous n'avez rien à faire ici ! Que je sache, le mandat qu'avait signé Eoghan contre vous est toujours valable, mademoiselle, et...

— Taisez-vous, Bely, vous vous couvrez de ridicule, le coupa Aléa en s'arrêtant devant la grande estrade. Eoghan est mort.

— Mais le pouvoir royal, lui, subsiste ! rétorqua Bely.

— Vraiment ? se moqua Aléa. Quel pouvoir ? Je ne vois aucun pouvoir, ici.

Elle se retourna et posa un regard circulaire sur l'assemblée. Personne ne bougeait.

— Quel pouvoir ? répéta-t-elle.

— Le mien ! s'exclama Bely. Celui des conseillers royaux, celui du Conseil des druides de Providence...

— Les druides de Providence ? Il n'y a pas de druides à Providence ! répliqua Aléa tout sourires.

— Bien au contraire ! L'Archidruide est ici ! s'écria Bely en tendant la main vers Henon derrière lui.

Aléa pencha la tête et le salua.

— Bonjour, Henon. Je suis ravie de vous revoir. Je pense que vos amis, derrière moi, seront ravis, eux aussi... Avez-vous dit à Bely, cher Henon, pourquoi vous n'êtes pas intervenu hier pendant la bataille ?

Le conseiller fronça les sourcils et se tourna vers le druide. Mais celui-ci ne répondit pas.

— Eh bien, Henon, vous avez perdu votre langue ? railla Aléa.

Puis elle tourna lentement la tête vers le conseiller.

— Votre Archidruide, mon cher Bely, n'a plus aucun pouvoir. S'il ne s'est pas battu hier à vos côtés, c'est que le Saîman lui a... échappé.

— Taisez-vous ! s'exclama Henon en s'avançant vers Aléa.

— Vous ne m'impressionniez pas, jadis, quand le Saîman coulait dans vos veines, Henon, vous m'impressionnez encore moins aujourd'hui. Retournez vous asseoir, car ce pouvoir, en revanche, coule toujours dans les miennes.

Le druide fulminait. Il serra les dents, inspira profondément, mais se résigna à reculer et à reprendre sa place. L'humiliation était terrible, mais Aléa disait vrai, il le savait.

Aujourd'hui, la plupart des druides n'arrivaient plus à trouver le Saîman. La flamme s'était évanouie, ou elle vacillait, sur le point de s'éteindre. À part pour quelques-uns, comme Finghin ou Ernan, chez qui il avait toujours brillé plus fort, le Saîman disparaissait, tout simplement. Sans cette force qui coulait dans leurs veines, les druides étaient à présent des Gaeliens comme les autres...

— Alors, Bely, reprit Aléa. De quel pouvoir parliez-vous ? Le pouvoir des druides ? Ils n'en ont plus. Le pouvoir royal ? Il ne vous appartient pas.

— J'ai toujours le pouvoir militaire ! répliqua le conseiller. Mon armée ne vous laissera pas usurper le trône !

— Le trône ne m'intéresse pas, Bely. En revanche, je suis désolée de vous annoncer que non, vous n'avez pas non plus le moindre pouvoir militaire.

— J'en ai eu suffisamment pour remporter cette guerre ! J'ai battu Harcourt et Terre-Brune, et je suis prêt à me battre contre vous s'il le faut !

— Mais comment croyez-vous que je suis entrée ici, Bely ? Depuis combien n'avez-vous pas voyagé dans votre propre pays ? N'avez-vous donc pas entendu ce que disent vos gens ? Allons, croyez-vous vraiment que si vous demandiez à vos soldats de se battre contre moi, ils vous obéiraient ? Vous auriez dû les voir, tout à l'heure, quand je suis entrée dans Providence... Je vous repose la question, monsieur le conseiller, comment croyez-vous que je suis arrivée jusqu'ici ?

— Les généraux...

— Les généraux sont comme vous, le coupa Aléa. Ils ont perdu le contact avec la réalité. Avec les habitants de l'île.

La jeune fille monta sur l'estrade puis elle s'approcha de Bely et des autres membres du Conseil Judiciaire.

— Charognard ! siffla Al'Roeg dans son dos. Vous venez récupérer les morceaux après la bataille... Vous qui prétendez défendre l'île, pourquoi n'étiez-vous pas là pendant cette bataille ?

Aléa se retourna.

— Je ne viens rien récupérer du tout, Feren. Demain matin, je ne serai déjà plus là. Je vous l'ai déjà dit, souvenez-vous, il n'y a pas si longtemps de cela. Le pouvoir ne m'intéresse pas. Je suis tout le contraire de vous. Mais vous avez raison, j'arrive après la bataille. Vous n'avez pas eu besoin de moi pour vous étriper les uns les autres.

Elle se tourna vers la baronne Carla.

— Même le vieux Bisagni a été égorgé par sa propre fille. Regardez-vous ! Vous êtes tout ce qui reste du pouvoir sur cette île. Des assoiffés qui s'égorgent, se battent au nom de la Moïra ou d'un Dieu, au nom de terres qu'ils ne possèdent même pas, au nom de peuples qui les exècrent. D'un côté, il y a vous. Et de l'autre, Gaelia. Vous ne représentez plus rien, ici. Il est grand temps que ce soit cette île qui prenne les décisions... Le peuple de Gaelia tout entier.

Puis Aléa s'écarta sur le côté.

— Bely, dit-elle, votre armée, sur la grande place, vient de rejoindre l'Armée de la Terre. Quant à la vôtre, Carla, disons qu'elle a changé d'employeur.

Les dix-huit membres du Grand Conseil Judiciaire, la baronne, Henon et les accusés, tous se lancèrent des regards incrédules. Ils comprenaient à peine ce qui était en train de se passer. C'était comme si le monde s'écroulait soudain sous leurs pieds, chamboulé par une jeune fille de quatorze ans à peine.

Aléa, à présent, s'adressait à la foule.

— Galatie est morte avec Eoghan. Il n'y a plus de Bisagne, plus de Terre-Brune, de Harcourt ou de Sarre. Seule reste Gaelia. La Terre. L'île qui nous a tous vus naître. Tuathanns, Sarrois, Galatiens, cheminants, bannis... Nous sommes gaeliens avant tout, et l'heure est venue de redonner la parole à cette île !

La voix d'Aléa emplissait tout l'espace. Portée par le Saîman, elle s'élevait au-dessus de la foule et flottait jusqu'au-dehors. Tout le public réuni dans la grande salle du palais et celui qui s'amassait au-delà des portes, sur le parvis du palais, poussa des ovations et des cris de joie. Comme les milliers de voix qui avaient acclamé Aléa tout au long de son voyage à travers le pays, les habitants de Providence n'hésitèrent pas un seul instant : c'était bien de la Gaelia dont parlait Aléa qu'ils voulaient. Le royaume et ses dissidences avaient vécu. Il était temps de passer à autre chose. Bely ne pourrait rien y faire. Plus personne en Galatie ne voulait commettre à nouveau les erreurs du passé. Aléa était le symbole du changement que le peuple de Gaelia appelait de tous ses vœux.

Les visages d'Al'Roeg, de Meriande Mor, de Carla Bisagni, d'Aeditus, de Bely et de Henon étaient de plus en plus livides. Plus la foule criait fort et plus ils blanchissaient.

— Mais qui va diriger Gaelia ? s'exclama soudain Bely en se levant, refusant encore d'y croire.

Il avait du mal à se faire entendre tellement la foule applaudissait Aléa. Mais la jeune fille, juste devant lui, l'avait bien entendu. Elle se retourna.

— Vous savez bien qu'il faut un dirigeant ! reprit Bely, accablé. Vous n'allez pas laisser sombrer Gaelia dans le chaos ! Qui va diriger l'île ?

Aléa ouvrit un large sourire.

— Bientôt, c'est le peuple qui décidera.

*
* *

Quand, à la tombée du soir, les derniers habitants de Providence quittèrent enfin la grande salle du palais pour s'éparpiller dans les rues de la capitale, Erwan poussa un long soupir de soulagement. La fête avait déjà commencé dehors, et tous se précipitaient vers les grandes places de la ville pour rejoindre les cortèges en liesse. Et par miracle, tout s'était bien passé. De par son titre de général de l'armée d'Aléa, il se sentait responsable de la sécurité des lieux, et c'était une tâche particulièrement difficile dans un contexte si confus.

Durant la journée, Erwan avait imaginé le pire. À chaque instant, il s'était attendu à ce que Providence sombre dans le trouble le plus total. Et pourtant, tout se déroula comme Aléa l'avait prévu. L'armée de Galatie coopéra, témoignant en outre un plaisir évident à devenir elle aussi l'Armée de la Terre. Eoghan était mort, et Amine également ; ces soldats n'avaient plus de chef, et personne sur l'île ne suscitait autant d'admiration que cette étrange jeune fille dont tout le monde parlait. Les Galatiens n'hésitèrent donc pas un seul instant et se rangèrent rapidement au côté d'Aléa. Comme si son arrivée les soulageait. Comme s'ils l'avaient attendue depuis longtemps et que l'avenir vers lequel elle leur proposait de marcher était déjà le leur.

Bien sûr, Erwan avait eu maintes fois l'occasion de voir à quel point Aléa était devenue populaire aux quatre coins de l'île, mais jamais il n'aurait pensé qu'elle pût ainsi renverser le pouvoir de Galatie sans même avoir besoin de son armée. Sans avoir besoin d'utiliser la force. Et pourtant, c'était ce qu'elle avait toujours voulu. C'était ce dont elle avait toujours rêvé. Débarrasser l'île de ceux qui entravaient sa liberté sans avoir besoin de passer par une nouvelle guerre. Renverser ceux d'en haut sans que ceux d'en bas soient obligés de le payer de leur vie.

Renverser la pyramide.

Ainsi, les premiers soldats de l'Armée de la Terre étaient restés à Tarnea, et Aléa avait libéré Providence par la seule force de sa popularité, et par la seule menace de ses pouvoirs, dont plus personne n'osait douter. Erwan n'en revenait pas. Et il était heureux de voir celle qu'il aimait réussir enfin. Faire la preuve que son rêve était possible.

Bien sûr, tout n'avait pas été aussi facile, et le contexte à Providence était exceptionnel, mais n'était-ce pas finalement le résultat d'un long combat ? Un combat pour lequel Aléa avait sacrifié chacune de ses journées. Un combat pour lequel nombre de ses compagnons étaient morts.

Et un combat, enfin, qui n'était pas tout à fait fini...

— Tu sais ce qui m'attend, à présent ? avait dit la jeune fille à Erwan le soir même de leur entrée dans Providence.

Il n'avait pas répondu. Mais il savait. Tous ceux qui étaient proches d'Aléa savaient, bien sûr. Maolmòrdha. Il était le dernier défi qu'Aléa devait relever. Et le plus difficile. Le jeune homme s'était contenté de sourire à Aléa. Et de lui dire que pour le moment, elle devait savourer ces quelques instants de joie avec le peuple de Galatie.

Ce qui se passait à Providence était extraordinaire. On sentait dans tous les regards un espoir nouveau et sincère. Une communion dont l'île avait depuis bien longtemps oublié la saveur. Mais là aussi, tout n'était pas encore joué.

À présent, il allait falloir offrir au peuple les moyens de sa liberté. Donner à l'armée les moyens de la paix. Réapprendre aux habitants de l'île à vivre ensemble. Bien sûr, Aléa avait déjà donné quelques directives. Rien d'ailleurs qui étonnât le Magistel.

Elle voulait des écoles dans tout le pays pour qu'on apprenne à lire, qu'on soit fille ou garçon ; des prisons saines et l'abolition du bannissement ; la limitation du pouvoir des institutions religieuses ; la fermeture des louveteries ; tout un ensemble de petites mesures urgentes qui amusaient Erwan tant elles ressemblaient à Aléa. Simples, pures, fraîches. Mais par-dessus tout, la jeune fille voulait que le peuple de Gaelia tout entier puisse choisir celui ou ceux qui gouverneraient l'île. Que plus jamais aucun royaume ne soit imposé. Et cela, Erwan le savait, n'allait pas être simple à mettre en place. Les rêves d'Aléa coûteraient cher et seraient sans doute long à réaliser. Mais l'île semblait prête à se mettre au travail. Tout le monde avait envie que les choses changent.

Aléa semblait néanmoins satisfaite de cette première victoire. Les événements, finalement, lui avaient facilité la tâche. Comme si l'île lui avait donné un petit coup de pouce. Cependant, elle ne pouvait se réjouir trop vite.

Et c'était pour ça qu'elle avait cherché un peu de réconfort en venant parler au jeune Magistel. Car malgré la joie qui habitait les cœurs de tous ses compagnons, elle ne pouvait oublier ce qui l'attendait à présent. Son dernier combat. Et celui-ci, malgré ses rêves de paix, elle ne pourrait l'emporter sans se battre. Sans mettre une nouvelle fois sa vie en péril. Et la vie des autres, également.

— Je ne peux pas penser à autre chose, Erwan. Et je ne pourrai pas rester ici aussi longtemps que je le voudrais.

Chaque jour qui passait rendait sa victoire moins certaine. Le Saîman avait presque complètement disparu, mais Maolmòrdha, lui, était toujours présent. Elle pouvait sentir sa menace. Sa force ténébreuse, puissante, comme un aimant à l'autre bout de l'île.

Aléa ne pouvait plus attendre. À cause d'elle, Gaelia était fragile, aujourd'hui. Elle n'avait sans doute jamais été aussi fragile. Aussi vulnérable. Une proie si facile pour un prédateur si terrible.

*
* *

Alors qu'elle était sur le point de s'endormir, Aléa entendit frapper à sa porte. Se frottant les yeux, elle sortit de son lit, persuadée, vu l'heure, que c'était Erwan qui venait la rejoindre.

Mais quand elle ouvrit, elle eut la surprise de découvrir Kiaran et Ernan. Les deux druides attendaient côte à côte sur le pas de sa porte, l'air gêné.

— Eh bien, entrez ! les invita-t-elle en tendant le bras.

Les deux druides franchirent le seuil de la porte. Ils étaient visiblement mal à l'aise : il était déjà tard, et ils devinaient qu'Aléa était épuisée par les événements incroyables qui venaient de se dérouler.

La journée avait sans doute été la plus folle de toute son existence. Mais aussi l'une des plus enthousiasmantes. Rarement on avait vu la joie en même temps dans tant de regards différents. Car au-delà de ses pouvoirs, au-delà du Samildanach, la vraie force d'Aléa était là.

Dans l'espoir qu'elle donnait aux autres. C'était le sens de sa vie. Le don qu'elle restituait à cette terre.

— Tu dormais ? demanda Kiaran en souriant.

— Pas encore, le rassura la jeune fille. Qu'est-ce qui vous amène ?

— Plusieurs choses, répondit Ernan. Tout d'abord, nous voudrions te féliciter.

— Je n'ai pas eu grand-chose à faire... C'est comme si l'histoire s'était mise en marche toute seule, vous ne trouvez pas ? Comme si Gaelia s'était débarrassée elle-même de ceux qui lui faisaient du mal...

— Non, l'histoire, c'est toi qui l'as entraînée, répliqua l'Archidruide.

— Allons, Ernan, je ne suis qu'une fille de Gaelia...

— Tu as fait beaucoup, et je regrette que nous ne t'ayons pas aidée plus tôt. Nous aurions pu te faciliter les choses. Mais on se rend toujours compte trop tard qu'on n'en a pas fait assez... Toujours.

— Ne t'inquiète pas, répondit-elle à Ernan, puisqu'à présent elle le tutoyait. Je suis sûre que vous aurez encore de quoi faire dans le futur !

— Nous n'avons presque plus de Saîman...

— Justement ! répliqua Aléa en souriant. Vous allez *enfin* devenir utiles !

Kiaran sourit à son tour. Comme tous les druides, la disparition progressive du Saîman l'angoissait. Mais il lui semblait comprendre ce qu'Aléa voulait dire. Le Saîman les avait écartés des vraies affaires de l'île. Il était mille autres choses dont ces hommes pouvaient s'occuper et qui n'avaient rien à voir avec le Saîman...

— Ce qui nous inquiète, toutefois...

— Oui. Je sais, coupa Aléa, et dans ses yeux, les druides virent qu'elle partageait effectivement la même inquiétude. Maolmòrdha. Le Saîman a presque complètement disparu, et Maolmòrdha est toujours là...

— Kiaran m'a répété ce que... ce que Phelim t'a dit dans le monde de Djar. Je crois qu'il a raison. Si nous ne supprimons pas l'Ahriman à temps...

— Je partirai dès demain, affirma Aléa.

Elle avait déjà pris sa décision avant leur venue.

— Nous viendrons avec toi...

— Surtout pas ! J'irai avec Finghin et Erwan. C'est tout. Pas un de plus. Cela ne servirait à rien. Je ne vais pas me battre contre une armée, je vais me battre contre un seul homme. Et vous serez beaucoup plus utiles ici. Il va y avoir du travail.

— Un seul homme ? Maolmòrdha n'est certainement pas seul !

— Dans le combat qui m'opposera à lui, il le sera.

Ernan acquiesça. La jeune fille avait sans doute raison. Et en effet, lui et les siens seraient fort utiles ici. Aléa laissait un chantier colossal derrière elle. L'unification des cinq comtés, et la recherche d'un dirigeant choisi par l'île tout entière... Cela n'allait pas être simple.

— Pourquoi Finghin ? demanda Kiaran en penchant la tête.

— Parce que, de vous tous, expliqua la jeune fille, il est celui chez qui il reste le plus de Saîman.

Le druide hocha la tête. Oui. Finghin n'était pas seulement le plus jeune des Grands-Druides, il était aussi le plus puissant. Ailin, l'ancien Archidruide, ne s'était pas trompé, il l'avait pressenti avant tout le monde.

— Si la disparition du Saîman est aussi avancée, reprit Kiaran, c'est que tu en as compris davantage, n'est-ce pas ?

Aléa sourit. Oui. La prophétie. Tout se réalisait.

— Oui. Plus ou moins. Et la bonne nouvelle, c'est qu'il ne disparaît pas vraiment. C'est plutôt notre pouvoir de le contrôler par l'esprit qui disparaît...

— Explique-toi, demanda Ernan, perplexe.

Aléa hésita, puis elle partit s'asseoir en tailleur sur son lit. Elle fit signe aux druides de prendre place sur les chaises disposées près de la fenêtre.

— Je commence à comprendre ce qu'Anali avait deviné... Je crois même que j'en comprends plus encore.

— Alors ? la pressa Kiaran, les yeux écarquillés.

Aléa le regarda. Kiaran était si étonnant ! Elle l'admirait chaque jour un peu plus. Il n'y avait pas la moindre angoisse dans la voix du Grand-Druide. Non. Il voulait seulement savoir. Comprendre. La fin du Saîman. Il voulait croire lui aussi, comme elle, que c'était en réalité une bonne nouvelle. Aussi dur que cela pût paraître à un druide. Car il avait confiance. Il voulait avoir confiance.

— Le Saîman n'existe pas en tant que tel, commença-t-elle. Il s'agit bien plutôt de forces naturelles, c'est-à-dire des forces qui régissent notre monde, comme le dit plus ou moins l'Encyclopédie d'Anali...

— Trois forces ?

— C'est ce que dit Anali, en effet, mais je n'en suis pas sûre. En fait, je pense même qu'il y en a plus que ça.

— Mais quelle preuve as-tu de leur existence ?

— Je crois que cela sera le grand défi des hommes de demain, Kiaran. Comprendre ces forces. Les mesurer. Les appréhender. Mais je vais te donner des exemples : quand les cheveux d'un homme blanchissent, n'est-ce pas la force du temps qui agit ?

— Si, bien sûr. Le temps est l'une de ces forces ?

— La principale, sans doute, acquiesça Aléa. Et d'ailleurs cette force n'existe pas dans le Sid ni dans le monde des morts... Mais n'est-ce pas une force extraordinaire ? C'est elle qui fait mourir les hommes, et c'est elle qui les fait naître. C'est elle qui provoque le changement de toute chose...

Kiaran acquiesça. Il n'avait jamais envisagé les choses ainsi. Et pourtant...

— Alors le temps est une force. Quoi encore ? demanda-t-il.

Aléa enleva la bague du Samildanach qu'elle portait à son doigt.

— Si je lâche cette bague, que va-t-il se passer ?

— Elle va tomber par terre, répondit Kiaran en souriant.

— Est-ce le Saîman qui la tire vers le sol ? demanda Aléa.

— Non, c'est ainsi. Je vois ce que tu veux dire. Les objets tombent par terre quand ils sont dans le vide, quand rien ne les retient...

— Exactement ! s'exclama Aléa. *C'est ainsi*. C'est une force naturelle. Une autre de ces forces...

— Je vois...

— Et ce sont ces forces, reprit la jeune fille, que le Saîman nous permettait de canaliser, sans vraiment les comprendre. Mais elles n'ont pas disparu. Comme je vous le disais, c'est bien notre capacité à les contrôler qui va bientôt s'éteindre.

— Mais pourquoi ?

Aléa haussa les épaules.

— Sans doute parce que demain, en les redécouvrant, nous réapprendrons à les maîtriser, grâce au savoir, et non plus par l'instinct, et à les partager. Car leur maîtrise ne sera plus réservée à l'élite des druides. Les forces de la nature seront comprises par tous, et tous pourront juger ensemble de la manière dont elles doivent être canalisées. Vous comprenez ? Cela fait partie des changements de Gaelia. De son passage à l'âge adulte, comme tu disais, Kiaran. Plutôt que de laisser un petit nombre jouer aveuglément avec ces forces naturelles, nous allons devoir apprendre à les connaître tous ensemble.

— Tu crois donc que c'est une bonne chose que le Saîman disparaisse ?

Aléa acquiesça en souriant.

— Oui. Je veux le croire. Je veux croire que c'est une chance. Un progrès. Tout comme le pouvoir politique doit appartenir à l'île tout entière, ces pouvoirs naturels ne peuvent plus être réservés aux seuls druides. Mes frères, nous allons devoir apprendre à partager...

*
* *

Aléa ne ferma pas l'œil de la nuit. Les deux druides étaient partis de sa chambre fort tard, ils avaient parlé ensemble longtemps encore, comme pour apaiser leurs peurs et préparer les lendemains étranges qui s'annonçaient déjà. Excitée, pleine d'espoir et d'inquiétude à la fois, elle ne parvint pas à trouver ce sommeil dont elle avait pourtant besoin.

Un peu avant le lever du soleil, la jeune fille partit chercher Finghin et Erwan. Elle n'y tenait plus, et de toute façon, elle voulait partir avant que les autres se réveillent. L'urgence était trop grande pour risquer de retarder le départ, et elle ne voulait pas perdre de temps à convaincre tout le monde qu'elle ne devait partir qu'avec Finghin et Erwan. Car tous voudraient venir. Tous insisteraient pour l'accompagner, bien sûr. Mais cela n'était pas possible.

Elle n'avait même pas prévenu Finghin et Erwan eux-mêmes de l'heure du départ. Certes, elle avait bien précisé la veille qu'ils partiraient ce jour-là, mais elle était restée floue, et tout le monde s'attendait à ce que le départ s'organise au cours de la journée.

Ainsi, c'était encore la nuit, et pourtant elle fit signe aux deux garçons de la suivre en silence jusqu'aux écuries du palais.

Comprenant l'importance du moment – ou flattés peut-être d'avoir été seuls choisis pour l'accompagner – Finghin et Erwan acceptèrent sans hésiter et se plièrent à la règle de silence. N'emmenant que le strict nécessaire, ils rejoignirent les écuries, prirent les trois meilleurs chevaux et partirent au galop dans la fraîcheur de la nuit. Ils traversèrent la ville puis s'enfoncèrent dans la lande tête baissée, les uns derrière les autres derrière Aléa. Pas un mot ne fut prononcé jusqu'à ce qu'ils fussent loin à l'est de la capitale, et que les premiers rayons du soleil écumassent enfin le sable doré que foulaient les chevaux. Ils firent alors une première pause pour laisser les chevaux se reposer un peu. Erwan et Finghin se lançaient des regards gênés, comme Aléa restait silencieuse.

— Mjolln va être fou de rage ! lâcha finalement le Magistel assez fort pour que la jeune fille l'entende.

— Et Kaitlin ne me le pardonnera jamais, enchaîna Finghin en grimaçant.

Aléa hocha la tête pour essayer de les rassurer. Elle avait bien sûr pensé à tout cela. Elle y avait même longuement réfléchi. Abandonner Mjolln et Kaitlin était un choix difficile, mais rien ne servait de risquer ces deux vies-là en plus. Si à eux trois ils ne parvenaient pas à terrasser Maolmòrdha, alors ni Kaitlin ni Mjolln n'auraient fait la différence.

Aléa prit donc le temps de leur expliquer ses raisons, puis elle les remercia d'avoir accepté de l'accompagner malgré la difficulté de l'épreuve qui les attendait.

— Nous devons faire cela tous les trois. Mjolln et Kaitlin n'ont pas leur place ici. Ils ont déjà fait beaucoup pour moi. Mais aujourd'hui, ce qu'il me reste à faire, je veux le faire seule, avec vous.

Les deux garçons acquiescèrent. Finghin n'était sans doute pas mécontent que Kaitlin ne soit pas impliquée dans cette dernière mission dangereuse. Car il savait que leurs chances de survie étaient faibles. Plus faibles que jamais. Et il n'aurait certainement pas supporté de voir mourir celle qu'il aimait tellement. Il espérait seulement qu'il reviendrait, lui, sain et sauf.

— Sais-tu exactement où nous allons, Aléa ?

— Au palais de Shankha, sur une petite île à l'est de Galaban. C'est là qu'il m'attend. Je crois. Il sait que je vais venir à lui...

— Alors c'est un piège...

— Non, car je sais qu'il m'attend. Mais je n'ai pas le choix. Il ne sortira plus du Palais, maintenant. Le Saîman disparaît chaque jour un peu plus, et cela joue en sa faveur. C'est à moi d'aller l'affronter. Si c'est encore possible.

— Comment sais-tu où il se trouve ? s'étonna Erwan.

— Kiaran me l'a dit. Le Conseil de Saî-Mina sait depuis longtemps où se trouve le renégat. L'un des leurs l'avait trouvé l'an dernier, et est mort là-bas en tentant de l'affronter. N'est-ce pas, Finghin ?

Le jeune druide acquiesça. Il n'en savait malheureusement pas plus qu'elle. Il ne pouvait en dire plus que ce qu'elle savait déjà. Une seule chose était certaine. Niché au fond de son palais, Maolmòrdha était sans doute encore plus dangereux qu'au-dehors. Mais comme l'avait dit Aléa, ils n'avaient pas le choix.

Ils discutèrent encore un peu en essayant de masquer l'angoisse qui les habitait tous les trois, puis ils se remirent en route.

Ils chevauchèrent ainsi tous les trois jusqu'au soir, alignés devant l'horizon rougeoyant. La lande était de plus en plus plate. Elle était belle, dans ces journées d'automne, tachetée de roux, sillonnée par les buissons d'amarante qui roulaient en boule comme les cerceaux d'un enfant égaré. Le vent était encore doux, même s'il s'intensifiait à mesure qu'on approchait des côtes.

Quand vint le soir, ils s'endormirent sans trop parler, chacun perdu dans ses pensées, ses peurs et ses espérances. La nuit se referma sur leur solitude soudaine. Quelque part, derrière eux, ils avaient abandonné une nouvelle branche de vie. Un nouveau départ. Providence devait encore vibrer au son de la fête et préparer une ère moderne. Mais eux, là, dans le ventre blanc de Gaelia, étaient sortis du temps. Ils s'étaient exclus eux-mêmes de cette renaissance et n'assisteraient peut-être jamais à ses lendemains.

Les gens de Gaelia sauraient-ils où ils étaient partis ? Comprendraient-ils l'importance de ce dernier voyage ? Qui savait quelle menace pesait encore sur l'île, à cette heure où tous semblaient se croire libérés ? Car Aléa le savait bien. Ce qu'ils venaient d'accomplir n'était rien à côté du défi qui les attendait. Et tout cela n'aurait servi à rien si elle ne parvenait pas à vaincre Maolmòrdha.

Cette nuit encore, la jeune fille trouva péniblement le sommeil. Elle essaya d'entrer dans le monde de Djar, mais il était vide. Complètement vide. Il n'y avait plus une seule trace de Saîman.

Aléa espéra qu'il n'était pas trop tard.

*
* *

Ils galopèrent ainsi trois jours entiers, de plus en plus silencieux, de plus en plus inquiets, et chaque étape parcourue leur nouait encore un peu plus le ventre. Ils sentaient leurs cœurs se serrer, appréhendant le pire. Ils essayaient de penser à autre chose, d'oublier celui qu'ils partaient affronter, et pourtant son visage les poursuivait comme une ombre rouge, jusque dans leurs rêves nocturnes et leurs songes éveillés.

L'automne avançait et les journées se faisaient de plus en plus froides à mesure qu'ils approchaient de la mer. C'était comme si le ciel, lui aussi, sentait monter la menace et s'assombrissait chaque jour un peu plus.

Au soir du troisième jour, ils arrivèrent enfin sur la plage au nord de Galaban, devant une mer agitée. Il y avait dans les dunes un groupe de petites maisons de bois abandonnées qu'Aléa avait repérées de loin. Ils y établirent leur camp, car il était trop tard pour prendre la mer et il faudrait attendre le matin.

C'étaient les ruines d'un ancien village de pêcheurs, qui à présent n'abritaient plus que quelques mouettes et des coquillages. Le sable avait recouvert le sol des maisons, le bois commençait à pourrir, et le vent s'engouffrait dans les fenêtres, dépourvues de vitres depuis longtemps.

Ils mangèrent en silence, quelque peu assommés par le bruit de la mer et du vent. La joie qui avait envahi Providence était loin à présent, à peine un souvenir dont l'écho s'était éteint dans la lande, de l'autre côté des dunes.

— La flamme est presque éteinte dans ma tête, confia Finghin d'une voix grave, au milieu du repas. J'ai de plus en plus de mal à la voir. À la sentir. J'espère que nous arriverons avant que le Saîman n'ait complètement disparu.

— Nous ne pouvons aller plus vite, répondit Aléa. Mais si tu n'es pas en mesure de te battre, ne t'inquiète pas, Finghin, j'ai en revanche, moi, encore toute ma force. C'est étrange, mais je ne ressens pas ce que tu sens...

— Oui, comme tu dis, c'est étrange, répéta le druide. Comment se fait-il que le Saîman n'ait pas disparu chez toi ?

— Je ne sais pas, Finghin. Je serai peut-être la dernière.

— De toute façon, le temps presse, intervint Erwan.

— Allons dormir, suggéra la jeune fille. Demain, nous aurons besoin de toutes nos forces. Saîman ou pas.

Ils s'installèrent dans l'une des maisons. Mais alors qu'ils étaient tous les trois en train de chercher le sommeil, soudain, Aléa se redressa, faisant sursauter les deux autres.

— Qu'est-ce qu'il y a ? demanda Erwan, inquiet.

— J'ai entendu un bruit !

Ils restèrent immobiles un moment, tendant l'oreille. Mais ils n'entendirent rien.

— Je suis sûre d'avoir entendu quelque chose, chuchota Aléa.

— Allons voir, suggéra le Magistel en se levant le premier.

Ils sortirent donc tous de la cabane. Il faisait froid et la nuit était noire, seul un petit quartier de lune épargnait à la plage une obscurité totale.

Avançant prudemment au milieu des maisons, sans faire de bruit, Erwan précédait Aléa en tenant Banthral à deux mains. Il frissonna. Le vent faisait craquer quelques planches détachées des murs des maisons. Une porte grinça. Erwan s'immobilisa. Il y avait un groupe de trois maisons devant eux. Leurs ombres se croisaient, dessinant des formes étranges sur le sable.

Le Magistel fit un pas en avant. Une ombre bougea. Un mouvement devant une fenêtre.

— Qui va là ? s'exclama Erwan en se plaquant contre un mur de bois, retenant Aléa derrière lui.

Deux silhouettes apparurent au coin de la maison.

— C'est nous...

Le Magistel relâcha Banthral devant lui. Il voyait leurs visages à présent. Kaitlin et Mjolln. Il poussa un long soupir. Ces deux imbéciles les avaient suivis ! Et ils étaient là, frigorifiés, perdus au milieu des dunes, les pieds enfoncés dans le sable.

— Venez donc ! cria Erwan en allumant une torche.

Aléa secoua la tête, c'était de la pure folie, mais au fond, elle était heureuse de les voir.

— Peste ! Ahum ! Tu n'es, ça oui, qu'une petite peste,

Aléa ! s'exclama Mjolln, tremblant de froid. Partir comme ça, sans nous attendre, ça, vraiment, ça oui, tu n'es guère courtoise !

— Mon cornemuseur ! railla la jeune fille en serrant le nain dans ses bras. J'aurais dû m'en douter ! Tu ne peux pas te passer de moi, hein ?

— J'ai bien cru qu'on ne vous rattraperait jamais ! avoua Kaitlin. Non seulement vous avez pris de l'avance, mais en plus vous nous avez volé les meilleurs chevaux de l'écurie de Providence !

Finghin, se glissant devant Aléa, tendit les bras à l'actrice et la serra longuement contre lui.

— Je me demande vraiment pourquoi je m'embête à planifier mes départs, souffla Aléa. Vous finissez toujours par me suivre !

— Tu ne croyais quand même pas, affreuse, que tu allais t'offrir Maolmachin à toi toute seule ! Nous avons, ça oui, quelques mots à lui dire, nous aussi, sache !

Malgré l'imminence du danger auquel tous pensaient, ils étaient heureux de se retrouver. Ils retournèrent dans la petite maison où ils s'étaient installés et parlèrent encore tard dans la nuit. L'espoir d'Aléa d'épargner à ses deux compagnons le terrible combat qui s'annonçait était certes ruiné, mais c'était bon d'être ensemble. Tout simplement. Et malgré tout, malgré le froid, malgré l'angoisse grandissante, ils dormirent cette nuit-là mieux que les précédentes.

Le matin, ils prirent une vieille barque, coincée dans un atelier au milieu du village désert, et se lancèrent sur les flots, tout droit dans les reflets jaunes du soleil. Ultime traversée vers un ultime ennemi.

*
* *

Ils arrivèrent quelques heures plus tard en vue de l'île terrible où les attendait leur dernier ennemi. Si proche de Providence ! Maolmòrdha était resté dans l'ombre depuis si longtemps, invisible sur cette île inconnue ! Comment avait-il pu échapper à la vigilance des druides ou même des Galatiens ? C'était donc depuis cette noire montagne des mers qu'il avait lancé ses nombreuses attaques ? C'était donc ici que prenait source le mal secret qui infestait la terre de Gaelia tout entière ?

Après une traversée houleuse sur la mer démontée, les cinq compagnons avaient abandonné leur barque au pied de la falaise, et avaient grimpé la façade noire et brillante qui s'élevait au-dessus des flots. Encordés, ils avaient progressé avec peine vers le haut de l'île, manquant plusieurs fois de tomber, s'écorchant les mains sur les pierres saillantes, soufflant de fatigue et de douleur par-delà le vacarme des vagues qui se brisaient sur la roche en dessous d'eux.

Puis enfin, dans un dernier effort, ils étaient arrivés au sommet de la falaise et la façade colossale du palais de Shankha s'était dessinée sous leurs yeux. Ils restèrent paralysés un long moment, côte à côte, comme portés par le vent devant cet incroyable édifice de pierre ocre.

La chaîne de monts orangés se découpait à l'horizon sur un ciel pourpre. La façade droite, affrontée d'un alignement de hautes colonnes, semblait jaillir du cœur de la montagne. Taillés à même la pente, les remparts et les piliers se confondaient par endroits avec les éperons rocheux. Par étages, le monument s'enfonçait dans les escarpements dorés et, en hauteur, il n'était plus que ruines érodées par le temps. Devant eux, un escalier étroit de pierre rouge serpentait entre de rares futaies vertes et plongeait dans la façade du palais comme une langue dans la gueule d'un dragon.

Tout le vent qui soufflait de la mer semblait venir tourner ici, comme s'il avait grimpé la falaise derrière eux. Il chantait dans les cimes, soufflait la poussière des pierres et poussait les corps en avant.

Aléa se mit à genoux. Elle posa une paume sur la terre comme pour y puiser ses dernières forces. Son dernier souffle de courage.

Mjolln rompit le silence lourd qui s'était installé.

— Ça, je n'ai jamais vu un bâtiment pareil, ahum... On dirait qu'il fait partie de la montagne...

Finghin acquiesça, puis il s'approcha d'Aléa et posa une main sur son épaule.

— Est-ce que tu sens toi aussi ? Cette présence ?

La jeune fille se releva lentement.

— Oui. Depuis que nous avons débarqué. Il est là. Il nous voit. Et il est terriblement confiant, Finghin.

— Il a dû nous tendre un piège.

— Je ne suis pas sûre. Il attend peut-être une vraie confrontation. Je crois qu'il veut en finir une bonne fois pour toutes, lui aussi. De toute façon, nous n'avons pas le choix. Nous devons y aller. Nous jeter dans la gueule du dragon.

La jeune fille poussa un long soupir, adressa un regard à ses quatre fidèles amis, puis sans ajouter un mot elle partit poser un pied sur la première marche. La peur vissée au ventre, la gorge nouée, les compagnons montèrent en silence vers le palais de Shankha.

Ils traversèrent d'un pas lourd et méfiant le long escalier qui s'élevait dans la roche, grimpant sur les marches une à une tout en jetant de vifs coups d'œil au-dessus et derrière eux, avec ce sentiment étrange d'être épiés. D'être attendus. La façade de roc s'allongeait au-dessus d'eux, de plus en plus menaçante. Puis ils arrivèrent devant une grande porte de pierre à double battant. À peine furent-ils tous assemblés sur le petit parvis, que la porte s'ouvrit lentement toute seule, confirmant ce qu'Aléa et Finghin avaient senti : ils étaient attendus.

— Une chose est sûre, ça oui, glissa Mjolln, on ne pourra pas le prendre par surprise...

Erwan prit l'épée à sa taille, imité bientôt par le nain. Le bruit des lames résonna contre l'immense paroi. Ils se regardèrent tous pour s'encourager puis ils plongèrent à l'intérieur, au milieu des colonnes, quittant à regret la lumière rouge du soleil.

Dès qu'ils furent entrés, noyés dans l'ombre, ils purent tous sentir sa présence. Pas seulement Aléa et le druide, mais les autres aussi. Partout. Comme une menace, une invitation malveillante. Une force invisible et oppressante. Maolmòrdha.

La pièce était si haute que son plafond n'apparaissait même pas à travers l'ombre opaque. Seuls quelques rayons de lumière, qui transperçaient le toit du palais, tombaient du ciel comme des gouttes de pluie dorées, dessinant sur les pierres du sol des cercles blancs réguliers. Il n'y avait personne dans cette grande pièce. On eût dit que le Palais avait été déserté. Et c'était peut-être le cas, pensa Aléa. *Il nous attend seul. Comme moi qui voulais partir sans les autres, il veut régler ce combat juste entre lui et moi.*

— Allons-y, murmura Finghin qui, sans doute, sentait s'éteindre le Saîman au fond de lui. Nous ne pouvons plus attendre.

De l'autre côté du grand hall, deux escaliers symétriques menaient aux étages supérieurs et inférieurs. Mais Aléa n'hésita pas un instant. Il était en bas. Dans le cœur de la montagne, les profondeurs du palais.

Elle s'avança lentement à travers la grande salle, fouillant les ombres du regard. Elle inspira profondément, cherchant la flamme du Saîman. Elle était là. Dans son esprit. Encore vive. Aléa fit le vide, puis sentit monter l'énergie dans son corps, jusqu'au bout de ses doigts. Elle resta immobile un moment, comme pour savourer cette impression une dernière fois. Elle n'aurait peut-être plus jamais l'occasion de toucher le Saîman. Car demain, il aurait disparu. Ou bien elle serait morte.

Avec précision, elle envoya des vagues de Saîman autour d'elle, cherchant dans les moindres recoins, balayant l'air et le sol.

Les uns derrière les autres, suivant la jeune fille, ils s'engouffrèrent, terrifiés, dans le grand escalier. Les larges marches descendaient dans le ventre de la montagne, plongeaient dans l'obscurité. À mesure qu'ils descendaient, la lumière du hall s'estompait. Aléa sentit l'angoisse qui gagnait ses compagnons et transforma les vagues du Saîman en un dôme de clarté tout autour d'eux.

C'était un long escalier, qui descendait à n'en plus finir dans les entrailles de l'île oubliée, et quand ils arrivèrent enfin en bas des marches, l'air était humide et glacé.

— Aléa ? murmura Mjolln, tremblant. Tu sais où on va ?

La jeune fille acquiesça. Ils étaient arrivés dans une pièce ovale, et il n'y avait en face d'eux qu'une seule ouverture. La jeune fille avança. Posant une main sur le pommeau de son épée à sa taille, elle expira pour chasser l'inquiétude qui montait dans sa gorge. Elle aussi. Elle ne devait pas le montrer aux autres, mais elle aussi était terrifiée. Car à présent, elle entendait sa voix. Si claire. Dans sa tête.

Approche. Approche, Aléa.

Le couloir se rétrécissait.

Nous sommes là, de l'autre côté, nous t'attendons.

L'humidité de l'air grandissait, et une odeur nauséabonde remontait dans la galerie obscure.

Soudain, Aléa s'immobilisa. Ses quatre compagnons, derrière elle, l'imitèrent. Erwan, ne supportant plus de voir la lumière qui faiblissait autour d'Aléa, alluma une torche.

Ce n'était pas que le Saîman manquât à la jeune fille. Mais l'angoisse qui courait dans ses veines lui faisait perdre sa concentration, et elle en oubliait de maintenir l'énergie autour d'elle.

Elle était face à une porte à présent. Une grande porte de bois, double, sculptée et rivetée de fer-blanc.

Aléa avala sa salive en penchant la tête pour étirer les muscles de sa nuque. Comme un lutteur qui se prépare au combat. Elle se retourna une dernière fois pour regarder ses compagnons. Mjolln, Finghin, Kaitlin, et Erwan, le Magistel qu'elle aimait tant. Elle les avait emmenés jusque-là. Et derrière cette porte se trouvait l'ennemi qui la pourchassait depuis si longtemps. Celui par qui ses plus chers amis avaient péri. Combien d'amis devrait-elle perdre encore ? Lequel de ces quatre-là payerait de sa vie aujourd'hui ? Ou bien... ou bien serait-ce elle, maintenant ? Elle baissa les yeux pour essayer de ne pas y penser. Comme elle se trouvait lâche ! Non. Elle ne pouvait pas baisser les yeux. Pas après tout ce qu'elle avait vécu. Pas après tout ce qu'ils avaient traversé. Ensemble.

Elle releva la tête. Et dans leurs yeux elle vit son propre visage. Son propre désir d'en finir. Une bonne fois pour toutes. Ils n'avaient plus le choix maintenant. Ils devaient l'affronter. Il n'y aurait pas d'autre chance. Pas d'autre occasion. Et s'ils échouaient, tout serait perdu.

Elle se retourna et ouvrit la grande porte. Puis elle se précipita à l'intérieur, la main posée sur le pommeau de son épée, le regard fixe, les muscles tendus.

Les autres la suivirent sans hésiter. Portés par la même rage qu'elle. Nourris de la même amertume. Et ils savaient qu'elle avait besoin d'eux, bien plus qu'elle ne voulait l'avouer.

Ils firent quelques pas sur un parterre de sable et découvrirent bientôt le décor qui s'érigeait autour d'eux, monumental. Ils étaient arrivés dans une immense arène, creusée au cœur même de la montagne. Au-dessus d'eux, au loin, un dôme taillé dans la pierre. Tout autour, des tribunes, une succession de gradins, vides. Et devant eux, une silhouette. Une seule silhouette. Plantée au milieu de ce grand cercle de sable comme une vieille statue de pierre.

Aléa fit un pas en avant. Elle comprit aussitôt que ce n'était pas Maolmòrdha. Ce n'était pas celui qu'elle avait croisé dans le monde de Djar. Celui qui l'avait espionnée. Non.

La jeune fille lança un regard inquiet alentour. Dans les tribunes, puis vers les loges principales au nord de l'arène. Mais elle ne voyait personne d'autre. Seulement ce chevalier aux épaules larges qui, à présent, avançait vers eux. Ses longs cheveux étaient si blancs qu'ils semblaient faits d'argent. Son armure était si large et si lourde qu'elle lui donnait l'air d'un géant.

Erwan vint se placer à côté de la jeune fille, Banthral tendue devant lui.

— Occupe-toi de lui, chuchota Aléa.

Le Magistel acquiesça. Il avait compris lui aussi que ce n'était pas le Renégat. Que ce n'était pas celui qu'Aléa était venue combattre. Il allait donc devoir la débarrasser de cet obstacle inattendu. Ce chevalier inconnu. Non, ce n'était pas celui qu'ils étaient venus terrasser, mais il ne s'attendait pas pour autant à une victoire facile.

*
* *

Ultan portait une double hache à bout de bras. À chaque extrémité de cette arme lourde, une grande lame polie, découpée en arc de cercle, scintillait à la lumière des rares torches disposées tout autour de l'arène. Son armure de fer vernie brillait, elle aussi, réfléchissant à chaque geste une nouvelle flamme vacillante.

Il s'avança tout droit vers Aléa, comme un rapace sur sa proie, mais le Magistel lui coupa aussitôt la route, se plaçant en garde devant lui, sa large épée en travers.

Ultan sourit. Lui aussi avait été Magistel. Il connaissait les coups. Les bottes transmises par des générations d'instructeurs à Saî-Mina. Les parades, les attaques. Oui. Il les connaissait toutes. Il ne ferait qu'une bouchée de ce jeune guerrier. Il s'approcha d'Erwan et lui adressa un petit salut de tête, empli de défi, de suffisance.

Puis, prenant fermement appui sur ses deux pieds, il leva sa hache devant lui et l'opposa à l'épée du Magistel. Les deux lames se frottèrent l'une contre l'autre, et le bruit du métal résonna sous le dôme de l'arène.

Profitant de la situation, Aléa longea le mur de l'arène et courut de l'autre côté. Elle disparut dans l'ombre, seule, avant que les autres ne puissent la rattraper. Mjolln, Finghin et Kaitlin n'essayèrent pas de la suivre. Ils ne pouvaient rien faire. Elle savait où elle allait. Et elle irait sans eux. Mieux valait rester ici pour aider Erwan...

Soudain, derrière eux, le guerrier de Shankha fit pivoter sa hache. La lame du dessous décrivit un arc de cercle, remontant à grande vitesse vers la garde d'Erwan.

Le Magistel évita la lame de peu, reculant le torse dans une passe arrière. Il abaissa sa garde afin de laisser passer la hache, puis ramena son épée devant lui pour se protéger à nouveau.

Mais Ultan enchaîna aussitôt avec une nouvelle attaque. Se projetant vers l'avant, il donna deux coups de hache sur les deux flancs opposés du Magistel. Celui-ci para le premier coup avec son épée, mais ne put éviter le deuxième, qu'il reçut en pleine hanche. La lame de la hache enfonça la tassette de métal qui protégeait le tour de taille du guerrier, mais ne transperça pas l'armure. Le choc obligea toutefois Erwan à reculer en grimaçant.

Le jeune Magistel ne voulut pas offrir la moindre chance à son adversaire et attaqua à son tour d'une fente rapide. La lame de Banthral s'enfonça dans la cotte de mailles du guerrier au moment précis où le pied avant du Magistel se posait sur le sol, donnant au coup encore plus de puissance.

Ultan, qui n'avait pas eu le temps d'esquiver, se courba en avant pour amortir le choc.

Le Magistel dégagea son épée, amorça un geste de côté pour frapper de taille, mais cette fois-ci, Ultan fut le plus rapide. Accompagnant son attaque d'un violent coup de hanche, il balança sa double hache devant lui, dans un grand geste circulaire, et la lame vint heurter violemment le heaume du Magistel.

Erwan, étourdi, vacilla sur quelques pas en essayant de reprendre ses esprits. Sa tête résonnait douloureusement et sa vue était troublée de mille petites étincelles. Dans sa main, l'épée tremblait. Il vit Ultan avancer sur lui, sûr et déterminé. Erwan expira à fond et resserra sa prise sur Banthral.

Il eut tout juste le temps de se remettre en position de défense avant que la hache ne s'abatte sur lui. Il para, fléchit les genoux et, en se redressant, repoussa l'arme d'Ultan avec force.

Puis il recula afin d'ajuster sa prochaine attaque. Bien campé, il asséna un coup formidable qui entailla profondément le bras d'Ultan. Le sang gicla et commença à couler sur les mailles de fer de son armure. Le serviteur de Maolmòrdha laissa échapper un cri de douleur.

Poursuivant son geste, Erwan gagna du terrain et contra sans difficulté les assauts de la hache. Il fit reculer son adversaire, fendant l'air devant son visage par de grands moulinets. Mais les deux lames, fixées à chaque bout de la hache, le perturbaient. Ultan fit rapidement pivoter son arme entre ses mains et cisailla le poignet d'Erwan. Le Magistel serra les dents mais, le temps d'encaisser cette blessure, il avait déjà perdu l'avantage.

Banthral et la double hache s'entrechoquèrent encore à trois reprises, projetant des étincelles sous le grand dôme de l'arène. Erwan sentait les chocs jusque dans sa poitrine. La sueur ruisselait sur son front et brûlait ses yeux. Il tenta une botte ; Ultan la repoussa avec aisance. Une autre, et cette fois Ultan sourit même en la déjouant. En fin de course, la lame en demi-cercle déchira la cuisse d'Erwan. Il rompit aussitôt l'engagement et les deux guerriers se mirent à se tourner autour.

Erwan comprit que sa science de l'escrime ne lui était d'aucune utilité face au serviteur de Maolmòrdha. Ultan anticipait ses coups, il les attendait même. Les connaissait par cœur. Et il s'amusait à les parer. Comme s'il se faisait une joie de vaincre lentement un héritier de Saî-Mina.

Aveuglé par la sueur, Erwan fit un saut de côté et ôta son heaume. Face à lui, dans le regard du guerrier, il ne lisait pas de peur. Pas de doute. Seul un sentiment de puissance, une inflexible envie de tuer qu'Erwan n'avait jamais vue de toute sa vie. Dans la violence du combat, le Magistel eut conscience d'être le dernier rempart protégeant ses amis. Il ne devait pas faillir. Car sa mort entraînerait celle de ses compagnons. Aucun d'eux n'était de taille à affronter Ultan.

Du coin de l'œil, il aperçut Kaitlin, plaquée contre l'enceinte de l'arène. Indécise, elle n'arrivait pas à savoir si elle devait intervenir dans le duel. Elle craignait qu'Erwan ne soit blessé par sa faute. Mjolln et Finghin, quant à eux, semblaient attendre le bon moment. Mais Erwan savait qu'ils ne pourraient rien faire. Ultan était bien au-dessus de leurs forces.

Et soudain, le guerrier de Maolmòrdha chargea. Erwan se déporta sur la gauche pour éviter la hache et porta un coup de taille qui effleura les côtes de son ennemi.

Ce dernier s'accroupit presque pour atteindre le ventre du Magistel. Erwan faillit perdre l'équilibre mais parvint à parer de justesse. Ultan roula à terre et se releva un peu plus loin. Il secoua la tête pour repousser ses cheveux blancs et brandit sa hache, prêt pour une nouvelle passe d'armes.

Les yeux braqués sur la silhouette du guerrier, Erwan ne put s'empêcher de penser à son père. Lui aussi avait combattu un serviteur de Maolmòrdha. Et il avait échoué. Galiad avait péri face à Dermod Cahl... Un terrible malaise envahit le cœur d'Erwan. Son père avait mené le même combat, et il avait perdu. Comment pourrait-il, lui, s'en sortir ?

Mais ce n'était pas pareil. Le mort-vivant qui avait tué son père était soutenu par la magie. Ultan n'était qu'un homme, pensa Erwan. Un homme comme lui. Un Magistel comme lui. Il ne devait pas céder au découragement. Ni à la fatigue, ni à la peur. Il ne pouvait pas perdre, pour Aléa, pour ses amis, pour tout ce qu'ils avaient accompli ensemble.

Et pour venger son père.

Erwan saisit son épée à deux mains, la dressa devant lui et s'élança à son tour. Il attaqua d'estoc, de taille et para deux assauts avec fluidité. Son esprit était clair. Sa main plus sûre.

La hache frôla son visage. Il répliqua d'un grand geste vertical et fracassa l'épaule d'Ultan. Mais il n'eut pas le temps d'enchaîner. Ultan, hurlant de douleur, pivota sur lui-même et fit voler sa lame vers la tête d'Erwan. Le Magistel s'en aperçut trop tard pour se retourner. Tandis que la hache fondait vers son crâne, il sut qu'il ne pourrait pas la contrer. Il essaya de l'éviter en se baissant. Mais le mouvement d'Ultan était trop rapide. Le coup trop fort. Le plat de la lame cogna de plein fouet la tempe du Magistel.

Erwan s'écroula lourdement par terre.

*
* *

Ce qu'Aléa parvint à faire en s'écartant du combat, jamais aucun druide ne l'avait fait jusqu'ici. Elle était à la fois consciente, marchant le long de l'arène dans le monde des hommes, et inconsciente, enfouie dans le monde de Djar, chassant Maolmòrdha comme une proie sauvage.

Je sais qu'il est là. De l'autre côté. Il a mis ce guerrier sur notre route pour écarter les autres. Car il me veut, moi, seule. Je dois leur faire confiance. Erwan, Finghin. Ils doivent pouvoir retenir ce guerrier. Car je sais que Maolmòrdha est là. Et je ne peux plus attendre.

Les tribunes vacillaient derrière elle. Les bruits du combat qui opposait Erwan et le guerrier se mélangeaient dans son dos, de moins en moins distincts. Le monde devenait flou. Elle peinait à garder les yeux ouverts.

Ici et ailleurs à la fois. Il est ici, et dans le monde de Djar, comme moi. Il est caché dans les entrailles de la montagne, et il m'attend dans l'autre monde. Mais je le trouverai. Je peux être en deux endroits.

Ses pieds avançaient machinalement, maladroits. Elle devinait les murs à côté d'elle. Le couloir au-devant. Mais elle ne pouvait les voir.

Dans quel monde te caches-tu ?

Elle aurait aimé avoir Finghin à ses côtés. Mais le Saîman était trop faible à présent dans le corps du jeune druide. Il ne pouvait plus l'aider. Il ne pouvait pas l'accompagner là où elle allait. Elle espérait seulement qu'il pourrait être utile à Erwan. Car elle le sentait aussi, elle, à présent. Le départ du Saîman. La flamme qui diminuait...

Je t'aurai à temps, Maolmòrdha. Je t'aurai avant.

Les tribunes continuaient de défiler derrière elle. Les ombres dansaient. Grandissaient. Puis elle arriva de l'autre côté. Elle entra dans une petite allée, avança droit devant, les yeux toujours fermés. Elle cherchait sa présence. Mais il n'était toujours pas là.

Je trouverai le moyen, Maolmòrdha. J'arrive.

*
* *

322

Le corps d'Erwan resta immobile au milieu de l'arène. Les bras en croix, les mains dans le sable, le visage droit, enfoncé dans le sol, il ne bougeait plus depuis qu'il était tombé. Sa poitrine ne se soulevait plus. Ses trois compagnons le regardèrent, incrédules.

Mjolln se précipita le premier. Instinctif. Brandissant Khadel au-dessus de lui, il se mit à hurler et chargea le chevalier aux longs cheveux blancs tête baissée. Il courut de toutes ses forces, et pensa à tout ce que lui avaient appris Erwan et Galiad. Frapper juste, surprendre, esquiver. Ne faire qu'un avec son arme, se laisser guider par son instinct, fluide. Mais le nain n'avait aucune chance contre un adversaire de cette carrure. Il était trop tard quand il s'en rendit compte. Il ne put même pas abaisser son arme sur cet ennemi trop grand, et il fut fauché en pleine course par la hache gigantesque du guerrier de Shankha. Mjolln fut projeté sur le côté dans une gerbe de sang, roula dans le sable et ne se releva pas. Les coups d'Ultan étaient d'une violence rare. Il avait une force phénoménale, et le poids de sa hache la décuplait.

Kaitlin, horrifiée, courut auprès du nain pour lui porter secours. Mais déjà le chevalier fonçait droit sur elle.

Finghin le vit lever sa hache. Son cœur sembla s'arrêter. Il ne pouvait le laisser attaquer la jeune actrice. Non. Il chercha en lui-même les dernières gouttes de Saîman. Tombant à genoux, il puisa au plus profond de son être. La flamme était encore là. Minuscule. Lumière ridicule dans l'obscurité de son âme. Mais c'était suffisant. Pour un dernier coup en tout cas. Il devait y croire !

Le druide, les yeux clos, tendit les bras devant lui, et, lentement, laissa l'énergie monter le long de son corps. Il ne fallait pas forcer. Ne pas laisser le Saîman s'échapper. Et ne pas puiser trop fort, de peur de briser la chaîne, de souffler la lumière. Puis soudain il ouvrit les yeux, tendit une seule main vers le guerrier et projeta devant lui sa dernière sphère d'énergie, sa dernière flamme.

*
* *

Aléa s'immobilisa soudain au bout du long corridor obscur. Le passage se terminait par un escalier, taillé dans la pierre, qui remontait au-dessus de l'arène. Il était là. Tout près d'elle. Enfin là.

Tu es là.

En haut des marches.

Dans le monde de Djar. Et dans le monde des hommes. Tu regardes en silence le combat dans l'arène depuis cette petite pièce en hauteur. Tu m'espionnes encore, Maolmòrdha.

Elle tituba. Cela lui demandait trop de force. S'appuyant contre le mur de pierre, elle essaya de se ressaisir.

Je pourrais entrer complètement dans le monde de Djar.

Mais elle voulait voir son visage. Ici. Son visage de Gaelia. Elle secoua la tête pour chasser son vertige, puis elle se dirigea vers l'escalier qui menait à la petite salle en hauteur. Une à une, elle monta les marches qui grimpaient vers la loge où attendait, immobile, le Porteur de la Flamme des Ténèbres.

Oui, j'ai peur. Mais je sens ton angoisse, aussi. Tu n'es pas certain de me vaincre, n'est-ce pas ?

L'escalier tourna. Elle suivait la direction en posant la main contre le mur sur sa droite, avançant prudemment, comme un aveugle, se fiant à son toucher et à son instinct. Puis enfin, elle arriva en haut des marches.

Et elle le vit. Là. Juste devant elle. Maolmòrdha, Seigneur des Gorgûns, Maître des Herilims. Celui qui avait entraîné tant de morts. Phelim, Galiad, Faith... Les loups. Celui qui l'espionnait depuis si longtemps dans le monde de Djar. Il était là. À sa portée. Terriblement réel. Terriblement humain.

Elle s'approcha lentement de la haute silhouette. Il lui semblait qu'ici l'air était brûlant. Le corps large et fort du renégat se dessina à la lumière du petit balcon qui surplombait l'arène. Son armure d'un noir mat se mariait au galbe de ses muscles saillants, sa peau n'était que chair vive.

Puis elle distingua ses yeux.

Regarde-moi.
Rouges, enfouis sous la noirceur de son casque.
Je suis la Fille de la Terre.

*
* *

Le guerrier du palais de Shankha fut projeté contre le sol par l'énergie du Saîman.

Le bruit de son armure s'écrasant dans le sable sortit Erwan du coma dans lequel il était tombé. Se ressaisissant, il analysa la situation en un instant. Mjolln était par terre. Kaitlin, à ses côtés, semblait essayer de le soigner. Finghin venait de tomber à terre lui aussi. Il devait avoir usé toutes ses forces dans un dernier assaut.

Et Ultan, à quelques pas de là, n'allait pas tarder à se relever.

Erwan tourna la tête de l'autre côté. Banthral était là. Il n'avait qu'à tendre la main. Il attrapa son épée, roula sur le côté, puis, s'aidant de la longue lame, se remit debout avec difficulté. Il était encore sonné, et le sang qui coulait de son crâne avait collé l'une de ses paupières.

Campé sur ses deux pieds, l'épée entre les mains, le Magistel se redressa. Il leva son épée au-dessus de son épaule gauche et, rassemblant le peu de forces qui lui restait, il avança vers Ultan, le regard fixe. Ses pas s'accélérèrent, lentement, puis de plus en plus, et son pas devint course. Il se précipita vers le guerrier en hurlant le cri de guerre de son père :

— Alragan !

Il ne devait pas rater son coup. Pas cette fois. C'était leur dernière chance, et il était seul à présent. Aucun des autres ne pourrait se battre. Le jeune Magistel mit toute la volonté, la force et la haine qui l'habitaient dans ce seul coup. Ce dernier coup.

Le chevalier aux longs cheveux blancs, qui était à genoux, complètement sonné par l'attaque du druide, eut tout juste le temps de relever la tête. Il vit l'éclair blanc d'une lame qui fondait sur lui à la vitesse d'une flèche. La pointe se planta entre ses deux yeux, et la lame lui transperça le crâne de part en part.

Ultan mourut aussitôt, le cerveau déchiré. Erwan dégagea son arme d'un coup de pied dans le front de sa victime. Le corps ensanglanté du guerrier de Maol-mòrdha s'écroula par terre avec bruit.

Erwan resta un moment immobile devant l'ennemi qu'il venait enfin de vaincre. Il regardait le cadavre, l'esprit confus, le cœur battant trop fort. Pour Aléa. Il avait fait cela pour Aléa. Le Magistel se retourna. Kaitlin était encore en train de soigner Mjolln sur le bord de l'arène. Mais elle ne semblait pas y parvenir. Le nain ne bougeait toujours pas. Erwan partit vers eux en courant.

*
* *

Elle vit le halo de lumière autour du corps de Maol-mòrdha. Et elle fut aussitôt surprise par sa couleur. Ce n'était pas un halo rouge, comme celui des druides. C'était un halo bleu. Comme le sien. Comme la force qui habitait son corps à elle. Le halo de l'Ahriman était donc bleu ?

Aléa écarquilla les yeux. Elle se demandait ce que cela signifiait. L'énergie qui coulait dans ses veines était-elle l'Ahriman ? Elle ne parvenait pas à y croire. Et pourtant, il n'y avait pas d'autre explication.

— *Tu vois, Aléa, tu es comme moi. Et nous pouvons nous unir, maintenant que tu sais.*

Phelim, pourquoi ne m'as-tu pas prévenue ?

Il approche. Il me tend la main.

— *Je t'attends depuis longtemps, Aléa. Je ne te veux aucun mal à présent. Ce que je veux, c'est ce que j'ai toujours voulu. Que nous nous unissions.*

La prophétie. Je suis la fin de toutes ces choses. Le Saîman a disparu, disparaît lentement. Je dois aussi être la fin de l'Ahriman. L'Ahriman ne doit plus être. Or, je suis l'Ahriman.

— *Les druides n'ont jamais cessé de nous mentir, Aléa. À toi, comme à moi par le passé.*

Après moi, la mort.

— *Mais les druides, grâce à toi, ne représentent plus rien aujourd'hui. Tu as éliminé leur pouvoir.*

Maolmòrdha, le Renégat. Il n'est que mensonge. Je ne dois pas l'écouter. Il y a sûrement un moyen...

— *Gaelia sera nôtre. À nous deux, nous pourrons diriger cette île. Ne gâche pas le pouvoir qui t'a été donné. Il n'y aura pas d'autre occasion, pas d'autre chance. Après nous, plus personne ne pourra toucher l'Ahriman, Aléa.*

Finghin avait raison. Il y a sûrement un moyen.

— *Donne-moi la main.*

Je la tends vers lui.

— *Nous avons gagné, Aléa.*

Aléa sentit les doigts de Maolmòrdha effleurer les siens. Puis soudain elle attrapa son épée à sa taille. Elle tourna sur elle-même et envoya un grand coup à revers vers la nuque de Maolmòrdha. Mais sa lame rencontra celle du Renégat.

— *Tu ne peux pas me surprendre, petite sotte. Nous sommes ensemble maintenant.*

Il avait paré le coup sans difficulté. Aléa glissa sur le côté. Les deux bras tendus devant elle, tenant fermement son épée elle faisait face au Grand-Druide déchu. Elle le vit se mettre en garde, lui aussi. Comme elle, il était dans les deux mondes. Ici, et dans Djar. Et il semblait y parvenir sans difficulté. Il avait sans doute une plus grande maîtrise de l'Ahriman. Depuis le temps que cette énergie saturait son sang !

— *Nous ne pouvons pas nous battre, Aléa. Nous sommes frères de sang, maintenant. L'Ahriman coule dans nos veines et nous unit. Tu dois l'assumer...*

La jeune fille chargea. Elle tenta la botte que lui avait jadis apprise Erwan pour désarmer l'adversaire. Elle avança en lâchant son épée d'une main pour que le coup ne soit pas trop évident, sa lame glissa le long de l'épée de Maolmòrdha, mais celui-ci releva sa garde à temps et écarta sans peine l'attaque d'Aléa.

— *Je connais tous tes coups. Je ne veux pas me battre avec toi, Aléa. Je veux que nous nous unissions, tu m'en-*

*tends ? Si j'avais eu envie de me battre avec toi, tu serais
morte depuis le moment où tu es entrée dans cette pièce.
Alors cesse. Baisse ton arme, et donne-moi la main.*

Aléa feinta sur la gauche et donna un coup de taille.
Mais le Renégat para encore son coup, et le suivant. Les
lames se heurtaient avec bruit, de gauche, de droite, les
coups étaient de plus en plus forts, de plus en plus rap-
prochés, mais Aléa ne parvenait pas à trouver la faille.
Maolmòrdha la repoussa violemment contre le parapet.

— *Tu vois bien qu'il est inutile de nous battre. Aléa,
je vais finir par perdre patience. Abandonne maintenant
qu'il est encore temps.*

La jeune fille était à bout de souffle. Le combat était
trop difficile. Elle respirait avec peine. Elle pouvait sentir
la présence de ses compagnons dans son dos, en
contrebas. Ils étaient ensemble, dans l'arène. Les combats avaient cessé. Ultan était tombé. Mais Mjolln ne
bougeait plus. Elle n'avait pas besoin de se retourner
pour le sentir. Il était étendu dans le sable de l'arène.
Immobile.

Mjolln. Son plus ancien compagnon. Qui lui avait
appris une chose. Il y avait longtemps maintenant. Elle
se souvenait parfaitement de son histoire.

Il n'y a aucune montagne qu'on ne peut gravir.

Aucun ennemi qu'on ne peut combattre.

Elle se redressa et chargea à nouveau vers lui. Elle
leva son épée derrière elle, feinta sur la gauche, puis en
se baissant donna un grand coup d'estoc. Maolmòrdha
s'écarta avec grâce, laissant filer la lame devant lui, et
donna un coup d'épée dans le dos de la jeune fille.

Aléa sentit le métal froid s'enfoncer dans la chair de
sa hanche. Poussant un cri de douleur, elle se laissa
tomber en avant pour ne pas résister au coup. La lame
ne put s'enfoncer profondément. Aléa roula sur le sol et
se releva plus loin, dos à son ennemi. Elle se retourna
rapidement et passa une main sur sa hanche. Du sang
coulait abondamment.

— *C'est mon dernier avertissement, Aléa. Tu ne peux
pas me battre. Dépose ton arme, maintenant. Et donne-
moi la main.*

Le souffle court, la jeune fille dévisagea son adversaire. Elle plongea ses yeux dans son terrible regard. L'Ahriman brûlait au fond de ses pupilles. Pur. Si fort. Il avait raison. Elle ne pourrait pas le battre. Il devinait chacun de ses coups. Anticipait toutes ses attaques. Il était poussé par la même force qu'elle, et la contrôlait encore mieux. Ahriman contre Ahriman. Pourquoi lutter ? Que pouvait-elle y faire ? Elle devait se rendre à la raison. Maolmòrdha était devenu invincible. Puisqu'elle ne pouvait pas le battre et que les druides n'avaient plus le Saîman, personne ne pourrait le vaincre. Alors pourquoi résister ?

Non ! Que lui arrivait-il ? Comment pouvait-elle songer un seul instant à abandonner ? Après tout ce qu'elle avait fait ! Tout ce qu'elle avait accompli. Et tous les rêves qui lui restaient. Non. Elle n'avait peut-être aucune chance de le battre, mais elle ne pouvait pas abandonner. Parce qu'elle croyait vraiment à ce qu'elle avait fait. À ce qu'elle voulait faire. Elle croyait réellement au monde nouveau qui se dessinait. Elle croyait réellement que l'avenir pouvait être meilleur, que le monde, lentement, pouvait changer et que les hommes, comme elle, ne rêvaient que de ça.

Mais cet avenir ne pourrait se construire tout seul, ce monde ne pourrait se faire sans se battre. Résister. Alors elle ne devait pas abdiquer. Il y avait sûrement un moyen.

— *J'entends toutes tes pensées, Aléa. Non. Il n'y a pas de moyen. Et tu n'as pas besoin de me battre. Tu te trompes dans ton raisonnement. Je veux la même chose que toi. Moi aussi je veux un monde meilleur. Moi aussi je veux que ce monde échappe à l'emprise des druides, des dieux et de la Moïra...*

La jeune fille s'avança lentement vers Maolmòrdha, la garde basse.

— *Je veux la même chose que toi, Aléa, et j'ai le pouvoir de réaliser bien plus de choses que tu ne pourrais le faire sans moi. Tous tes rêves, toutes tes ambitions, je peux t'aider à les mener à bien. Tu le sais. Tu sais que l'Ahriman brûle en moi et qu'il ne va pas s'éteindre.*

Elle prit son épée par la lame, posée à plat sur ses deux paumes, fit encore quelques pas, puis elle déposa son arme devant le Renégat, les yeux baissés. Ses mains tremblaient, ses yeux étaient emplis de larmes. Elle se redressa légèrement, un genou posé à terre et elle tendit la main vers lui.

— *Tu me tends la main à présent ?*

— *Si tu veux la même chose que moi, Maolmòrdha, alors, unissons nos forces.*

Il me sourit. L'Ahriman est comme un volcan au fond de son âme. Il est parvenu à me faire me prosterner devant lui. Il me tend la main.

Je glisse ma paume contre sa paume. Sa peau n'est que lambeaux de chair déchirée. Je sens le sang qui coule dans ses veines. Qui bat contre ma paume. Il sert ma main, fort, si fort.

Ils furent tous les deux secoués par un spasme violent. Un choc qui les fit reculer. Mais ils ne se lâchèrent pas la main. Les yeux fermés, les muscles tendus, face à face, ils résistaient au flot terrible de l'Ahriman.

Nos deux forces se rejoignent. Comme deux fleuves confluents. Je sens son Ahriman. Si pur. Si entier. Si fort ! Cela me brûle. Ma main me brûle. Mon corps tout entier. Je ne dois pas céder. Si je lâche sa main il aura gagné. Je serai vidée. Je dois serrer sa main plus fort encore. Résister à cet incendie. J'ai l'impression que mes doigts fondent. Que mon sang bout. Que ma peau s'enflamme. Mais je dois tenir. Encore. Lui faire front.

Nous ne faisons qu'un. Nous sommes unis.

Maintenant.

Il écarquille les yeux.

— *Que fais-tu, Aléa ?*

Maintenant.

Je dois me battre comme je ne me suis jamais battue. Maintenant, ou jamais.

Je suis ta force opposée, le guide de ton désir sublimé. Je suis le gouffre dans lequel tu te perds. Je suis la force passive, Maolmòrdha, je suis la force de la Terre, de la

Lune, qui aspire la lumière du Soleil, qui traverse les phases du temps. Je suis la transformation, je suis le renouvellement. Je suis l'astre qui croît, décroît et disparaît, mais ma mort ne dure pas toujours.

— Que fais-tu ?

Tu as raison. Je ne peux pas te battre. Inutile. Mais je peux t'ensevelir. Je puise tout au fond de ton âme, Maolmòrdha, je suis celle qui annule tes forces, j'aspire ton énergie. Tu voulais ne faire qu'un ? Nous ne serons qu'une. Une seule. Moi. La Terre. Nos deux forces éteintes !

— Non !

Le Renégat se mit à grimacer. Il ne pouvait plus lâcher la main de la jeune fille. Et il se sentait mourir. Partir. Fuir entre ses doigts.

C'est trop tard, Maolmòrdha.

Je prends ton Ahriman. Je l'absorbe, il revient là où il est né, il meurt dans les entrailles de la Terre. Je cherche au fond de toi la dernière goutte, la dernière flamme. Advienne que pourra. Je peux tout prendre, Maolmòrdha. Je suis la Fille de la Terre.

— Non !

C'est fini, Maolmòrdha. Tu n'as plus rien au fond de toi. Plus une goutte. Regarde. Je suis l'Ahriman. Le dernier Ahriman. Tu n'es qu'une enveloppe vide, un corps tranquille.

La lumière se dissipe, ton visage se brouille.

Djar disparaît.

Tu n'es plus.

Épilogue

LA LÉGENDE DE BORCELIA

Je suis dans le ventre de la Terre. Dans le Sid.

J'ai marché longtemps à travers le pays, mes pieds foulant le sable de la lande à nouveau, mon visage offert à la caresse du vent, vieux compagnon. J'ai traversé les terres qui s'unissent enfin pour rejoindre la porte des mondes, au pied des montagnes de Gor-Draka. Et voilà, j'y suis à présent. Dans le Sid. Les autres ne m'ont pas suivie. Pas cette fois. Ils sont à Providence, où il reste tant à faire. Erwan est devenu roi. Tagor, Finghin, et Kaitlin lui prêtent main-forte. Ils vont construire ce nouveau monde. Je peux leur faire confiance. Ce ne sera pas facile, mais nous y arriverons, un jour. Nos enfants peut-être, ou bien après.

Mjolln est vivant. Il est gravement blessé, encore endormi, mais il a survécu. Il a toujours survécu. Lui qui est là depuis le premier jour, qui ne m'a jamais abandonnée. Il me sera resté fidèle, jusque dans ce dernier combat. Je suis tellement pressée de le revoir, de lui parler, de le remercier. Comme je dois les remercier, tous.

Mais pour l'instant, ils m'ont laissée partir pour que je vienne ici, seule. Enfin seule ! Car je dois tenir ma promesse.

Je suis sur l'ancienne terre des Tuathanns. Mon frère a vécu ici, en dehors du temps, de l'espace et de nos vicissitudes – lesquelles ne finiront peut-être jamais, mais nous lutterons toujours. Ici il n'y a ni faute, ni transgression, ni mort. C'est un havre de paix que je leur dois. Que je dois leur offrir. Pour tenir ma promesse.

Elles sont là, dans ma poche. Je les ai ramassées par terre, au cœur de la forêt de Borcelia, là où mes pas m'ont guidée, là où mes souvenirs m'ont ramenée. Deux fleurs blanches, deux fleurs de Muscaria, boutons de l'Arbre de Vie.

J'en prends une dans ma main, je la caresse sous mes doigts. Si douce, si forte et si fragile. Je la sors. Une seule fleur. Je veux garder l'autre, toujours. Pour demain, pour le futur. Pour la rapporter avec moi au monde des humains comme un dernier souvenir de l'Âge qui s'éteint.

Je pose la Muscaria dans la terre du Sid, devant moi. Je la plante dans le sol, droite, comme un défi au temps qui n'existe pas. Tu pourras nous donner la vie, avait dit Obéron. Oui. Redonner vie aux silves, leur offrir l'éternité. Ici, l'Arbre de Vie, j'en suis sûre, pourra reprendre racine. Et avec lui, les silves pourront renaître.

Je me mets à genoux. Je regarde cette fleur blanche. Elle est un espoir pour demain, mais je veux me rappeler hier. Je me souviens, moi, du temps qui passe. Et j'aime le passé tout autant que l'avenir. Je dois me souvenir. Des silves, de leur peau de bois. Me souvenir de la louve, ma belle louve, Imala, que je n'ai jamais revue. Et au fond de ma mémoire, tous ces êtres chers que j'ai perdus, Galiad. Faith, Phelim, Tara et Kerry. Je dois me souvenir. Nous devons nous souvenir. Je sens les larmes au coin de mes yeux. Pleurer. Un peu. Une larme coule sur la fleur de Muscaria. Tombe sur un pétale blanc.

Je voudrais voir pousser cet arbre, le voir grandir devant moi. Mais je ne dois pas rester. J'ai fait ce que j'avais à faire ici, et dehors, on m'attend. Gaelia m'attend. Je dois repasser la porte.

Pourtant, j'aimerais connaître ce monde, celui où Tagor a vécu. Celui que ma mère a dû fuir parce qu'elle portait un enfant du dessus... Parce qu'elle me portait, moi. J'aurais pu naître ici...

Mais il me faut partir, bien sûr. Ma vie est en haut. Auprès d'Erwan. Où j'ai encore mille devoirs. Mille rêves. Je fais demi-tour. J'avance vers la porte.

— Kailiana !

Je connais cette voix. Obéron. Le roi des silves.

Je me retourne. Il est là, devant moi, plein de lumière. Son corps couleur de bois, ses oreilles fines, son sourire.

— Merci, Kailiana. Tu as tenu ta promesse.

Comme sa voix est douce ! Elle emplit tout l'espace autour de nous. Comme si elle avait toujours appartenu à ces lieux. Le Sid est fait pour eux, pour les silves. Pas pour les Tuathanns. J'ai bien fait de les mener ici.

— Merci, Obéron. Je vous dois aussi beaucoup. Vous m'avez montré la voie.

Il sourit.

— Ainsi, tu as trouvé les trois prophéties.

— Je ne sais pas. Ce n'est pas aussi clair...

— Pourtant, tu es là. Allons, dis-moi, quelles sont les prophéties ?

Ne les connaît-il pas ? Ou me les demande-t-il pour voir ce que je sais ? Ce que j'ai compris... Qu'importe ! Je n'ai rien à lui cacher, à lui.

— La première concernait ma naissance. Ma mère l'avait accomplie pour moi en me donnant la vie. La deuxième concernait le Saîman, et je crois que je l'ai comprise... Mais la troisième disait que je devais comprendre la Moïra. Et cela, je n'en suis pas sûre, Obéron...

— Pourtant, si tu as battu Maolmòrdha et si nous sommes là aujourd'hui, Aléa, c'est bien que tu l'as comprise !

— Peut-être. Mais je n'en ai pas vraiment conscience, alors.

— Ce n'est pas cela qui compte. Ce qui compte, c'est ce à quoi tu crois.

— Ce à quoi je crois, Oberon ? Je ne sais pas. Tout ce que je sais, c'est que je n'aime pas le sens de la Moïra tel qu'on nous l'enseigne... Je n'aime pas cette idée selon *laquelle le destin est écrit... Est-ce cela, le sens de la Moïra ?*

Obéron sourit.

— *Eh bien, non, justement, au contraire ! Et cela prouve que tu as compris le sens de la Moïra !*

— *Que voulez-vous dire... Vous connaissez, vous, ce sens ?*

— *Oui. Bien sûr, Aléa ! Je suis Obéron, je fais partie de la Moïra.*

— *Mais alors ? Expliquez-moi !*

— *Tu l'as déjà saisi. Tu la pratiques chaque jour. Tout acte que tu commets ne peut avoir qu'une conséquence et une seule. Chaque fois que tu fais quelque chose, tu dois savoir que cette chose en entraînera une autre. Il n'y a pas de destin écrit à l'avance, Aléa, mais chaque acte a une conséquence. C'est cela, la Moïra, et tu l'as bien compris, puisque nous sommes ici. Tu as compris que chaque décision que tu prends dessine le futur. Le tien, celui des gens autour de toi...*

Oui. Il a raison. Je crois comprendre. La responsabilité. Nous sommes responsables de l'histoire. C'est cela. Oui. Les druides nous ont tellement trompés sur le sens de la Moïra ! Ce sont nos choix qui font l'Histoire. Chacun de nos choix. Voilà le sens de la Moïra !

Les druides nous ont menti. Mais ils ont changé, eux aussi. Tout change. Tout le monde.

— *Obéron, vous avez raison. Et je crois que Gaelia tout entière a compris.*

Il sourit. Il est satisfait. J'aurais encore des questions à lui poser. Mais je dois partir à présent. Erwan me manque tellement... Je ne peux pas rester ici. Il est des questions auxquelles il ne faut pas répondre. Des questions derrière lesquelles nous devons courir toute notre vie. Ne pas répondre trop vite. Ne pas mourir trop tôt.

Et puis, je brûle de revoir Gaelia. Car je sais que son avenir nous appartient. Que c'est nous qui déciderons du futur, et que nous n'avons pas le droit d'échouer. Ma place est là-bas, auprès d'Erwan, maintenant qu'il est roi. Maintenant qu'il dirige ce pays réuni, le royaume de

Gaelia, où chaque homme décidera de l'avenir. Où cha-
que choix comptera.

— *Merci, Obéron. Merci, et au revoir, je dois retourner*
auprès des miens. Ma place n'est plus ici.

— *Attends, Aléa !*

Il me retient. Sa main est si douce.

— *Oui ?*

— *Avant que tu partes, Aléa, je voudrais te raconter*
une histoire.

— *Une histoire ?*

— *Oui.*

— *Je vous écoute.*

Il lâche ma main. Il se retourne. Il s'assied de l'autre
côté de la fleur blanche. En tailleur. C'est ainsi que se
tenait le silve qui nous avait accueillis dans la forêt de
Borcelia. La première fois.

Il ferme les yeux. Et il raconte.

— *Un jour, il y eut dans le Sid une femme qui voulait*
connaître le sens du temps, car dans le Sid, le temps
n'existe pas. Cette femme avait tant envie de trouver une
réponse qu'elle découvrit la porte des mondes, la porte
qui les unit et qui les sépare. Alors elle la franchit.

— *Je connais cette histoire, Obéron. C'est l'histoire de*
ma mère...

— *Attends. Tu ne connais pas la fin. Ainsi, cette*
femme venue du Sid franchit la porte des mondes en
secret et entra dans celui de Gaelia. Là, elle rencontra
un homme et leurs deux corps s'unirent, l'espace d'une
nuit. Quand le soleil se leva, cette femme du Sid avait
compris ce qu'était le temps. Elle avait vu la nuit, et elle
avait vu l'arrivée du jour. Elle avait connu l'amour et
maintenant elle connaissait la peur de perdre, la tristesse
à l'idée de ne plus revoir celui qu'elle avait aimé. C'était
cela, le temps. Ils se séparèrent sans un mot. Elle
retourna dans le Sid. Et elle tomba enceinte. Son mari
découvrit alors qu'elle lui avait été infidèle avec un
homme du monde du dessus. La femme fut chassée du
Sid sans pitié. Seule, elle parcourut la lande, portant dans
ses bras une petite fille, perdue, abandonnée. Elle sur-
vécut quelques jours, trouvant à manger avec peine, et

quand elle en trouvait, elle préférait nourrir son enfant. Elle marcha vers le sud, sans savoir où elle allait, et, un soir, alors qu'elle était entrée dans la forêt de Borcelia, la femme du Sid mourut. Sa vie la quitta lentement. C'est ainsi que les silves la trouvèrent dans la nuit, avec son enfant dans les bras. Je me souviens encore de ses yeux, Aléa. De ses cheveux. Ta mère était tellement belle ! Les silves prirent l'enfant avec eux, pour le confier aux hommes. Puis ils partirent enterrer cette jeune mère. Ils rendirent à la terre ce corps sans vie. Mais voilà Aléa. L'histoire ne s'arrête pas là. Car son âme, elle, ils purent la sauver.

— La sauver ?

— Oui. C'était une âme pure, Aléa, et aucun d'entre nous n'aurait voulu la perdre. Au milieu de la nuit, les silves portèrent l'âme de ta mère à travers la forêt, d'arbre en arbre, comme le chant d'une brise, jusqu'à ce qu'un être puisse en hériter pour que jamais elle ne meure et que toujours survive ce regard. Ce beau regard.

— ... et qui en hérita ?

— Tu n'as pas deviné ? Allons, Aléa ! Je suis sûr que tu sais ! Nous sommes sûrs que tu sais...

— La louve ?

— Oui. Bien sûr. Une louve blanche qui était cette nuit-là dans la forêt de Borcelia. Le lendemain, les silves, comme ils l'avaient décidé, confièrent la petite fille à des bardes qui l'emmenèrent dans un village au nord de l'île.

Il se tait. Il me regarde. Il voit les larmes sur mes joues.

— Aléa ? Tu pleures ? Oh, non, Aléa, ne pleure pas ! Cette histoire est très belle, tu sais ! C'est l'histoire que les silves préfèrent. La nuit de la louve. L'histoire de la louve et de l'enfant... Aucun de nous n'a oublié cette nuit. Ne pleure pas, Aléa. Aucun de nous n'oubliera jamais.

— Merci, Obéron. Merci. Je pleure, mais de joie. Je ne sais pas où est la louve, à présent... Je l'ai perdue. J'aurais voulu la revoir.

— Ce n'est pas nécessaire, maintenant que tu sais. Elle est libre. Elle doit vivre avec les siens comme tu dois vivre avec les tiens. Vos routes se sont croisées, vos *regards se sont croisés, et c'est tout ce qui compte. Je crois qu'elle a fait ce qu'elle avait à faire.*

— Elle me manque. Mais vous avez raison. Elle a fait ce qu'elle avait à faire.

— Oui. Je crois. Et toi aussi.

Il pose sa main sur mon ventre.

Il sourit.

— Tu es enceinte, Aléa ?

— Oui.

FIN

Figures politiques de *La Moïra*

Amine Salia de Galatie, Haute-Reine de Gaelia, dite Aislinn la druidesse : Épouse du défunt Haut-Roi Eoghan de Galatie, elle dirige à présent seule le royaume de Gaelia et prend le contrôle du nouveau Conseil des druides. Elle est une amie d'enfance d'Aléa.

Feren Al'Roeg, comte de Harcourt : Converti au christianisme par Thomas Aeditus, son conflit avec le Haut-Roi n'en est qu'aggravé. Mécène de l'évêque Thomas Aeditus, il lui offre le soutien de son armée, les Soldats de la Flamme.

Meriande Mor le Bel, comte de Terre-Brune : Frère du Haut-Roi Eoghan, et aussi son pire ennemi. Extrêmement jaloux du Haut-Roi, il ne pense qu'à une chose, prendre sa place...

Alvaro Bisagni, baron de Bisagne : Extrêmement riche, comme la plupart de ses concitoyens, le baron est un libertin précieux, très attaché à la decenza.

Albath Ruad, comte de Sarre : Albath est un comte faible et discret, on ne le voit presque jamais, cloîtré dans son château.

Thomas Aeditus : Évêque décidé à convertir Gaelia au christianisme. Il vient de Brittia pour convertir les Gaeliens. C'est par le biais de ses monastères que se développe l'écriture sur l'île.

Tagor : Fils de Sarkan, chef des clans, il est le nouveau chef des derniers Tuathanns. Il a un œil bleu et l'autre noir.

Saïdit Vengorn, dit Ernan le druide : Archidruide du Conseil de Saî-Mina, c'est Shehan qui a pris sa place d'Archiviste.

Maolmòrdha, Porteur de la Flamme des ténèbres, dit le Renégat : L'un des deux Grands-Druides rebelles qui manquent au Conseil de Saî-Mina. Désireux de s'emparer du pouvoir du Samildanach, il recherche Aléa. Il est installé au palais de Shankha.

Histoire de Gaelia

Au Premier Âge (-450 – 0) vinrent les Tuathanns, peuple de mystère, mi-hommes mi-dieux, dirigés sur cette île, dit-on, par le souffle de la Moïra. Ils nommèrent l'île Gaelia et la firent prospérer sans troubler la vie des indigènes qui l'occupaient déjà : les nains, les silves, mais aussi les loups et tous les autres animaux...

Au Deuxième Âge (0 – 320), des armées de soldats, venues de Brittia (continent au sud de Gaelia) avec leurs mercenaires bisagnais, envahirent Gaelia par l'est (par la ville qui devint plus tard Vieux-Port). Ils fuyaient leur pays en guerre religieuse et étaient décidés à s'installer dans cette île tranquille pour fuir l'oppression chrétienne. En quelques années à peine ils parvinrent à anéantir les Tuathanns et imposèrent à l'île leur culture politique (monarchie), religieuse (druidisme, mais le culte de la Moïra subsista), et l'interdiction de l'écrit en dehors des actes notariés (pris en charge par les notaires). L'île fut divisée en cinq comtés, Sarre au nord, Harcourt à l'ouest, Terre-Brune au sud-ouest, Bisagne au sud-est et enfin Galatie au centre, où siégea le Haut-Roi. Le pouvoir politique commença à être réparti entre le Conseil des Druides, le Haut-Roi de Galatie et ses quatre vassaux. Quelques Tuathanns survécurent toutefois à l'invasion et se réfugièrent sous terre, dans le mystérieux pays du Sid, au cœur de la cité de Tirnan.

Au Troisième Âge (320 – 386), à nouveau, d'autres soldats de Brittia débarquèrent au sud de Terre-Brune pour envahir l'île, mais pour la christianiser cette fois-ci. Commença alors ce qu'on a appelé la guerre de Méricourt (du nom de la principale ville assiégée). La guerre dura sept ans, de 320 à 326, puis, grâce à l'union des armées des cinq comtés, les Brittians furent repoussés hors de Gaelia. Quarante ans plus tard (en 366) arriva Thomas Aeditus, nommé à distance évêque de Gaelia par les religieux de Brittia afin de convertir l'île au christianisme et à l'écriture plus pacifiquement (n'ayant pas réussi à s'accaparer l'île par la force, les Brittians tentaient de le faire par la religion). Il parcourut l'île avec ses prêtres et obtint l'aide d'une partie des guerriers d'Harcourt (qui devinrent les fameux Soldats de la Flamme), convertit les villageois, nomma des prêtres et des évêques, installa des lieux de culte ou d'étude, et ayant enfin reçu l'accord du comte Feren Al'Roeg, il construisit son siège à Mont-Tombe. Là, il créa une université dirigée par des moines afin d'apprendre à écrire au peuple d'Harcourt. L'armée de Galatie tenta de renverser le comte Al'Roeg afin d'arrêter Aeditus. Commença alors la guerre d'Harcourt (375) qui fut si meurtrière que Galatie préféra arrêter le combat et laisser Aeditus et le comte Al'Roeg tranquilles.

Géographie politique de Gaelia

Les cinq fiefs de Gaelia furent créés en l'an 0 par les envahisseurs de Brittia après qu'ils eurent expulsé les Tuathanns.

GALATIE :
Dirigeant : Roi Eoghan de Galatie
Capitale : Providence
Blason : Couronne de diamants
Position politique : Comté central de l'île, où vit le Haut-Roi, Galatie suscite bien des jalousies. Peu belliqueux mais menaçants, les Galatiens sont fiers.
Les Galatiens : Les soldats venus de Brittia, dirigés par Indech De Domian, ont appelé leur comté central Galatie. Théoriquement, c'est donc le comté le plus développé de Gaelia. Les Galatiens sont technologiquement en avance mais assez prétentieux et à force de s'être reposés sur leur gloire d'origine, ils ont perdu de leur puissance. Ils sont d'ailleurs moins riches que les Bisagnais. Il y a de nombreux symboles de la Moïra dans le quotidien des Galatiens (sur leurs portes, dans leurs gestes quotidiens...). La punition extrême chez les Galatiens est le bannissement de la Moïra. On tatoue sur le front de l'inculpé le symbole barré de la Moïra, ce qui signifie qu'on lui enlève tout destin. Les citoyens ont pour devoir de ne pas regarder les bannis, ni leur parler...

HARCOURT :
Dirigeant : Comte Feren Al'Roeg
Capitale : Ria
Blason : Flamme

Position politique : Le plus opposé à Galatie, à cause du conflit portant sur le christianisme et l'écriture. C'est le comté le plus favorable à l'évêque Thomas Aeditus et au christianisme en général. Les gens y sont en moyenne plus instruits car ils ont facilement accès à l'université de Mont-Tombe et aux écoles monacales.

Les Harcourtois : Souvent intolérants, ils n'en sont pas moins organisés. Le gouvernement de Feren Al'Roeg, sympathisant de Thomas Aeditus, est très présent et très fort. À cause de ce gouvernement très agressif, le peuple est plutôt renfermé, terrorisé et très obéissant (impôts, religion...). On y trouve aussi les meilleurs médecins de la péninsule. Les Soldats de la Flamme parcourent la région (et parfois davantage) pour assurer la suprématie de leur comté mais aussi de Thomas Aeditus.

Proverbe :
L'encre d'un savant dure plus longtemps que le sang d'un martyr.

BISAGNE :
Dirigeant : Baron Alvaro Bisagni
Capitale : Farfanaro
Blason : Escargot d'or
Position politique : Assez neutre par opportunisme. Les Bisagnais essaient de ne se mettre personne à dos car ils sont les usuriers de Gaelia et ont des intérêts partout.

Les Bisagnais : Mercenaires des Galatiens lors de l'invasion de la péninsule, ils ont reçu Bisagne en récompense, petit fief certes, mais devenu riche en vie culturelle et en tourisme. Sa principale source de revenue était originellement la pêche, puis l'usure. Une fois par an, on y célèbre un carnaval où l'on s'amuse à tromper la Moïra : les riches prennent la place des pauvres, les femmes celle des hommes et réciproquement. C'est une journée où tout est permis...

Les fameux échassiers de l'Anse d'Ebone font partie de Bisagne (il s'agit des habitants d'une ville sur pilotis où l'eau se retire une fois par jour et qui se déplacent alors sur des échasses ; ils vivent surtout de la pêche).

Les Bisagnais pratiquent également la decenza, une sorte de code de conduite et de savoir-vivre compliqué...

Proverbe :

Le temps est un merveilleux conteur.

SARRE :

Dirigeant : Comte Albath Ruad

Capitale : Tarnea

Blason : Hirondelle

Position politique : État pauvre, Sarre n'a pas les moyens de faire la guerre à quiconque, ce qui ne l'empêche pas d'en vouloir... à tout le monde. C'est ce comté qui abrite Saî-Mina, la presqu'île où siège le Conseil des druides, mais cela ne renforce pas pour autant le pouvoir politique de ce fief délaissé.

Les Sarrois : Paysans pour la plupart, les Sarrois sont plutôt généreux, solidaires et respectueux des traditions. Sarre est d'ailleurs le comté où il y a le plus de proverbes, sagesse paysanne oblige...

Proverbes :

Un Sarrois n'est pas ivre tant qu'il peut encore se tenir à un brin d'herbe sans quitter la terre.

Ce que du whisky et du beurre ne peuvent guérir ne pourra jamais l'être.

Si on met une robe de soie sur une chèvre, cela reste une chèvre.

Mieux vaut posséder un peu que vouloir beaucoup.

Le mendiant ne craint rien des voleurs.

Mets-le sur tes épaules avant de dire que ce n'est pas un poids !

TERRE-BRUNE :

Dirigeant : Meriande Mor, le Bel

Capitale : Méricourt

Blason : Chimère

Position politique : Les Brunois sont les ennemis directs des Galatiens car Meriande, frère du Haut-Roi, envie la place de celui-ci.

Les Brunois : Ils diffèrent assez peu des Galatiens, et ce n'est pas un hasard si les dirigeants de ces deux fiefs sont frères. C'est par conséquent un peuple fier qui vit dans la jalousie par rapport à Galatie...

Proverbes :

Tous les mariages sont heureux. C'est de prendre le petit déjeuner ensemble qui crée les ennuis...

L'homme qui a divisé Gaelia ne s'est pas servi en dernier.

Races et castes de Gaelia

NAINS :
Les nains étaient là avant que Gaelia ne devienne un royaume mais, contrairement aux Tuathanns, ils n'ont pas été chassés de l'île, car ils sont discrets et surtout, ce sont d'excellents architectes et ouvriers ; ils ont donc su se rendre utiles aux envahisseurs successifs. Ils vivent souvent à l'écart des villes, dans les collines.

Proverbes :
Les hommes sont comme les cornemuses : ils ne sortent pas un son tant qu'ils ne sont pas pleins.
Le maçon qui frappe souvent est meilleur que celui qui frappe trop fort.

SILVES :
Les silves sont des êtres de légende qui vivent cachés dans les forêts. On dit que leur peau est couleur de bois et qu'ils vivent et meurent au rythme des saisons... tout comme l'Arbre de Vie. Leur roi est Obéron.

BARDES :
Poètes et musiciens, instruits et initiés par les druides, ils sont aussi devenus postiers selon un statut créé par le roi Liam de Galatie, car ils voyagent à travers le pays et peuvent colporter les nouvelles. Leur couleur est le bleu.

VATES :
Ce sont les médecins de Gaelia, instruits et initiés par les druides. Leur couleur est le vert.

DRUIDES :

Bardes ou vates ayant reçu une deuxième initiation, les druides apprennent la maîtrise du Saîman (un pouvoir magique qui leur permet de se transformer et de contrôler les éléments de manière temporaire).

Ils sont les dépositaires du Savoir, qui ne se transmet qu'oralement. Ils sont à la fois les juges et les philosophes de Gaelia, et ils sont là pour conseiller le Haut-Roi. La caste des druides se divise en trois grades. Druide, Grand-Druide (il ne peut y en avoir que douze), et Archidruide (il n'y en a qu'un). Les douze Grands-Druides et l'Archidruide forment le Conseil, l'une des plus importantes forces politiques de Gaelia, qui siège dans la Tour de Saî-Mina.

CHEMINANTS :

Appelés aussi acteurs ou enfants de la Moïra, ils ne restent jamais plus d'une nuit dans les villes, où ils donnent des spectacles, et passent leur vie sur les routes et les chemins, dans leurs roulottes colorées. On les appelle aussi enfants de la Moïra parce qu'ils lui consacrent leur vie, à l'écoute de ses signes, et qu'ils mettent leur sort entre ses mains.

MAGISTELS :

Un guerrier dont la vocation est de protéger un druide. Sorte de garde du corps, le Magistel est lié à son maître par la force du Saîman. Ce sont des combattants redoutables, qui suivent à Saî-Mina un entraînement militaire très poussé.

Remerciements

Ainsi se termine donc cette trilogie, et encore une fois je voudrais remercier tous ceux qui m'ont accompagné pendant ces trois années.

D'abord les guides, les amis, les rencontres : Emmanuel Baldenberger, Greg et Flo, Loïc Lofficial, Barbara Mallison, Philippe Munch, Alain Névant, David Oghia, Laurent Genefort, Emmanuel Reynaud, Bernard Werber et les quatre familles où il fait si bon vivre, les Lœvenbruck, les Pichon, les Saint Hilaire et les Wharmby.

Merci à Anne Ménatory dans le Parc des loups de Sainte-Lucie, et à Thierry dans celui de Chabrières, puissent-ils continuer de montrer au monde que le loup est un animal magnifique, bien moins dangereux pour l'homme que l'homme ne l'est lui-même.

Je voudrais exprimer aussi toute ma reconnaissance aux équipes culturelles si chaleureuses des villes qui m'ont reçu pendant l'écriture de cette trilogie, à Paris ou ailleurs, à Laval, Figeac, Guéret, Épinal... Merci aux libraires, merci aux lectrices et aux lecteurs, aux internautes fidèles (www.loevenbruck.net).

Le plus gros des mercis, comme beaucoup d'auteurs français ayant navigué dans les eaux de l'imaginaire, je le dois sans doute à Stéphane Marsan, dieu de patience et de miséricorde. J'espère que tu garderas longtemps le courage de faire ce que les autres ne font pas. Et où que j'aille, quoi que j'écrive, tu seras toujours remercié à la fin de mes livres car je te dois bien plus que ça. Merci, Stef !

Enfin, merci par-dessus tout à Delphine et Zoé.

7331

Composition PCA à Rezé
Achevé d'imprimer en France (La Flèche)
par Brodard et Taupin
le 24 septembre 2004 – 26042.
Dépôt légal septembre 2004. ISBN 2-290-33050-7
1er dépôt légal dans la collection : juillet 2004

Éditions J'ai lu
84, rue de Grenelle, 75007 Paris
Diffusion France et étranger : Flammarion